este livro
pertence a

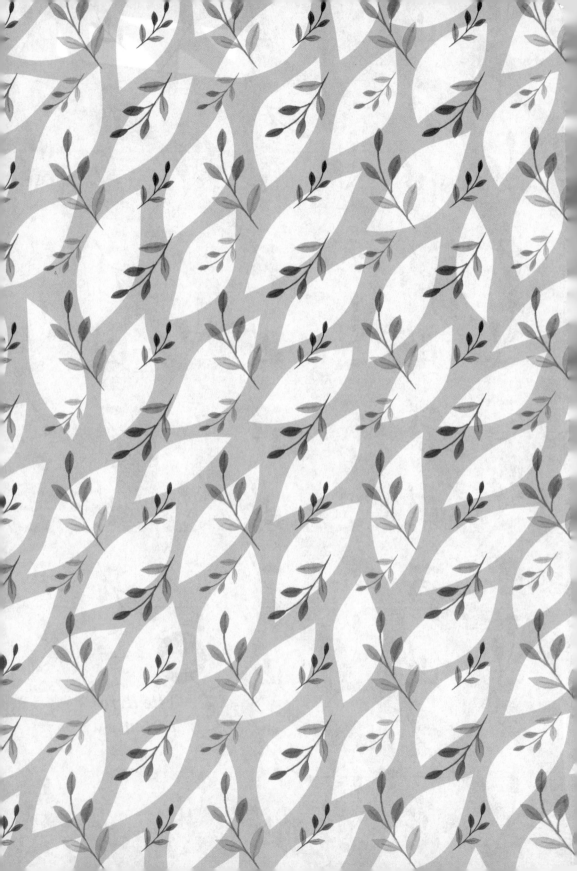

o primeiro erro

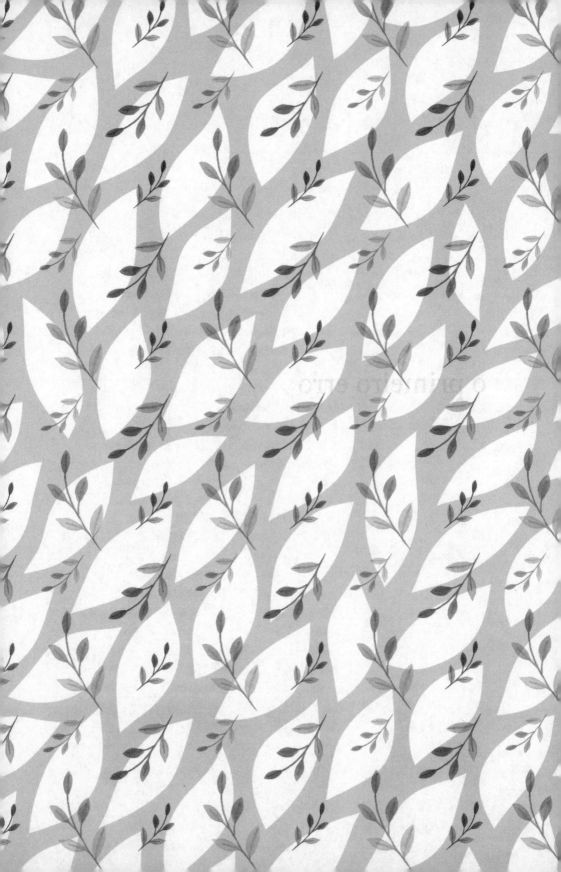

o primeiro erro
sandie jones

Tradução de Teresa Martins de Carvalho

CHÁ
DAS
CINCO
Livros com sexto sentido

CHÁDASCINCO
Livros com sexto sentido

TÍTULO: *O Primeiro Erro*
AUTORIA: *Sandie Jones*
EDITOR: *Luís Corte Real*
Esta edição © 2022 Edições Chá das Cinco Lda.
Título original The First Mistake *© Sandie Jones 2019.*
Tradução da edição publicada no Reino Unido por Pan Books, uma chancela Pan Macmillan

TRADUÇÃO: *Teresa Martins de Carvalho*
REVISÃO: *Alice Araújo*
COMPOSIÇÃO: *Chá das Cinco, em carateres Minion, corpo 11*
DESIGN DA CAPA: *Ana Nascimento Botta*
IMAGEM DA CAPA: *Trevillion Images / © Amy Weiss*

IMPRESSÃO E ACABAMENTO: *Cafilesa – Soluções Gráficas, Lda*
1.ª EDIÇÃO: *julho, 2022*
ISBN: *978-989-710-553-1*
DEPÓSITO LEGAL: *500750/22*

Chá das Cinco é uma chancela do Grupo Saída de Emergência
Taguspark, Rua Prof. Dr. Aníbal Cavaco Silva,
Edifício Qualidade – Bloco B3, Piso 0, Porta B
2740-296 Porto Salvo, Portugal
TEL.: *214 583 770*
WWW.SDE.PT
EDICOESCHADASCINCO
EDITORA.SAIDA.DE.EMERGENCIA
@ChaEditora

Para o Rob

Que me ensinou a acreditar que tudo é possível

PRÓLOGO

---

*E*la olhou para mim com verdadeiro calor nos olhos, como se me confiasse a sua vida, e por um momento julguei que não conseguiria ir para a frente com isto.

Mas então lembrei-me do que ela fizera e senti-me subitamente calma de novo. O que vai, volta, e ela merece tudo o que tem pela frente.

A confiança é uma coisa engraçada: leva tanto tempo a cimentar-se, e contudo quebra-se num segundo.

Ela não deveria confiar em mim — será a sua ruína.

PRIMEIRA PARTE

ATUALIDADE — ALICE

1

Sophia, vamos — chamei da entrada. — Livvy, onde está
o teu trabalho de casa?

Ela bufa e corre para a cozinha. — Pensei que o tivesses
posto na minha mochila.

— Sou tua mãe, não tua escrava. Além de que já tens 8 anos, deverias ser mais responsável. — Estou exasperada, conquanto, na verdade,
de bom grado lhe carregaria a mochila escolar por mais dez anos se isso
significasse poder agarrar-me ao meu bebé que, ao que parece, desapareceu num piscar de olhos. Como perdera eu esse tempo?

— Aqui — exclama ela. — Tens a minha touca da natação?

— Olivia! Oh, por amor de Deus, hoje é dia de natação?

Ela espeta uma anca para o lado e pousa a mão na outra, com toda a
picardia da sua irmã de 15 anos. — Hã, sim, é quarta-feira.

— Corre depressa lá acima, vê na primeira gaveta do teu móvel. Eu
conto até cinco e tens de estar de volta entretanto. Sophia, vamos lá. — Já
estou aos gritos no fim da frase.

O que faz a minha filha mais velha lá em cima, não sei. De dia para
dia parece levar cinco minutos mais a alisar o cabelo, passar *kohl* preto
sob os olhos, aumentar os lábios com *gloss volumizador*, ou seja lá o que
for que ela usa. Está inegavelmente deslumbrante quando acaba por aparecer, mas será tudo aquilo realmente necessário para a escola?

— Não consigo encontrá-la — grita Olivia.

— Estamos atrasadas — berro eu, antes de bufar escada acima. Sinto um peso no peito, uma mola bem comprimida, enquanto vasculho por entre meias e cuecas. — Se a encontro aqui... — digo, não chegando a terminar a frase, pois não estou bem certa do que ameaçar. — Usaste-a na semana passada?

— Sim — diz ela baixinho, ciente da minha disposição.

— Bem, lembras-te de a ter trazido para casa?

— Sim, de certeza — diz ela com confiança, sabendo que qualquer outra resposta me fará explodir.

O aperto no meu peito suaviza-se quando avisto a touca de borracha mate no canto de trás da gaveta. — Ótimo — digo em surdina, antes de acrescentar enquanto corro escadas abaixo: — Livvy, tens mesmo de acordar. Sophia, estamos a entrar para o carro.

— Já vou — berra ela, indignada, como se já o tivesse dito três vezes. Com a música com aquele volume tão alto, como é possível saber?

Ela senta-se amuada no lugar do passageiro e baixa instantaneamente a pala para se inspecionar ao espelho durante o percurso.

— Não passaste já a última hora a fazer isso? — pergunto.

Ela estala a língua e empurra a pala para cima com toda a pose possível.

— A que horas chegas a casa logo? — pergunto, dez minutos mais tarde, quando me inclino e ofereço a cara. Ela beija-a com relutância, coisa que apenas tornou a fazer desde que acordámos em eu estacionar a uma certa distância da escola.

— Há aula de revisão de matemática, pelo que provavelmente irei — diz ela. — O que há para o jantar?

Acabámos de tomar o pequeno-almoço, estamos pelo menos a quatro horas do almoço, e ela quer saber o que há para o jantar? Revejo mentalmente o frigorífico. Não parece ter grande coisa saudável. Pode ser que dê para improvisar uma massa qualquer, na melhor das hipóteses.

— Do que gostarias tu? — Sorrio.

Ela encolhe os ombros. — Sei lá. Qualquer coisa boa?

Puxo-a para mim e beijo-lhe o cimo da cabeça. — Vai lá, vai. Eu passo pelo Marks and Spencer se tiver tempo.

Ela sorri e sai do carro. — Até logo, Livvy míni.

— Adeus, cara de caca — ri-se a irmã mais nova do banco de trás.

Baixo a janela quando passamos por ela e chamo-a, mas ela já está vidrada no telemóvel, cega e surda a tudo o mais à sua volta. — Olha para cima — digo-lhe silenciosamente. — Nunca se sabe o que poderás perder.

14

Olivia e eu damos uma pequena corrida até à escola, o que não é fácil com estes saltos. — Adoro-te — digo, quando ela corre a juntar-se a um jogo de netbol no recreio, sem olhar para trás.

— Senhora Davies, posso dar-lhe uma palavrinha? — chama a professora Watts do outro lado do pátio. Evito propositadamente o contacto visual. Não tenho tempo para isto. Olho para o relógio, a fim de lhe dar a saber que estou sob pressão.

— Desculpe, não levará um minuto — diz ela. — Importar-se-ia de vir para a sala de aulas?

Olho de novo para o relógio. — Estou a ficar atrasada, podemos falar aqui?

— Claro. É só que… — olha sub-repticiamente à volta, mas é suficientemente cedo para não haver muitos outros pais e mães que nos possam ouvir. — É só que tivemos um pequeno incidente ontem, no recreio.

Sinto um baque no coração e apercebo-me de que franzi o sobrolho. — Que espécie de incidente? — pergunto, forçando-me a permanecer calma.

A professora pousa uma mão tranquilizadora no meu braço, embora dê a sensação de tudo menos isso. — Oh, nada de grave — diz. — Apenas uma briga entre algumas alunas. — Revira os olhos. — Sabe como podem ser as raparigas.

— A Olivia esteve envolvida? — pergunto.

— Aparentemente, sim. Houve uma troca de palavras desagradáveis, e a Phoebe Kendall diz que a Olivia ameaçou não brincar mais com ela. Estou certa de que nada mais foi do que quezílias de recreio, mas a Phoebe ficou um bocadinho abalada.

Imagino que sim. — A Olivia não mencionou nada ontem à noite. Falou com ela?

— Dei-lhe uma palavrinha ontem — confirma, olhando novamente à volta antes de continuar em tom abafado. — Só que não é a primeira vez que a Olivia esteve envolvida numa altercação deste tipo.

Olho para ela, tentando decifrar o que lhe vai por trás dos olhos. — Oh! — é tudo o que consigo dizer.

A professora Watts chega-se mais a mim. — Ela normalmente é uma criança tão alegre e fervilhante de vida, desejosa de ser amiga de toda a gente, mas nestas últimas semanas…

Vasculho o cérebro, perguntando-me o que teria mudado. — Eu falarei com ela… verei o que se passa.

— Talvez fosse útil vir para conversarmos um pouco — diz ela, inclinando a cabeça para um lado. O seu sorriso condescendente faz-me lembrar uma terapeuta que tive em tempos. A que me pedia para fechar os olhos e imaginar que estava deitada numa praia deserta, com o sol a aquecer-me a pele e o suave ondular a marulhar aos pés.

Não voltei lá. Tratar-me como uma criança de 5 anos não funcionou na altura, e certamente não irá funcionar agora.

— Gostaria de a ver e ao senhor Davies hoje depois das aulas, se estiverem disponíveis — continua a professora Watts.

— Receio que Nathan… o senhor Davies esteja fora em trabalho. Regressa esta tarde.

— Ah, tudo bem então, talvez noutra ocasião — diz ela. — Estou certa de que não é nada para preocupação, apenas algo em que temos de ficar de olho.

— Claro — digo, antes de rodar nos calcanhares e instantaneamente esbarrar com um grupo de miúdas a jogar à macaca. — Eu falarei com ela logo.

Apresento as minhas desculpas às crianças enfadadas, à medida que atravesso em bicos de pés os números garridamente pintados no alcatrão.

— Uau, pareces um bocadinho produzida para esta hora da manhã — chama Beth, ao passar por mim de ténis e confortável licra, com a filha Millie a reboque.

— Ei, beleza — digo para a miúda de 8 anos e ar petulante. — Tudo bem?

— *Ela* levantou-se tarde — replica Millie, revirando teatralmente os olhos na direção da mãe. — E agora pagamos *todos* por isso.

Beth vira-se para trás e deita-nos a língua de fora. — Deixa-me largar esta pequena *madame* e depois vou contigo.

Dou uma palmadinha no relógio. — Estou a ficar atrasada — digo-lhe nas costas. — Apanho-te mais tarde. — Mas ela já desapareceu e está a deixar Millie no pátio. Começo a afastar-me, sabendo que uns segundos depois ela estará ao meu lado.

— Então, onde vais tu toda aperaltada? — pergunta, meio acusadora, ao apanhar-me. Baixo os olhos para a minha saia preta — um bocadinho justa, concedo. E para o meu *top* vermelho — talvez um bocadinho decotado. Mas o casaco cobre-me parcialmente. Subitamente consciente do que a professora Watts poderá ter pensado, cinjo-o ao corpo.

— Tenho de ir a algum lado para caprichar? — Rio com ligeireza, embora Olivia continue a atormentar-me o cérebro.

— Tudo o que não seja pijama ou roupa de ginástica é anormal a esta hora do dia — diz Beth. — Por isso sim, tu com esse aspeto, quando nós meras mortais não tivemos sequer tempo para lavar os dentes, não é realmente justo, e definitivamente não deveria ser permitido.

— É apenas a minha indumentária normal de trabalho — digo. — Nada de extraordinário.

O meu rosto ruboriza-se e ela ergue as sobrancelhas. Quem estou eu a tentar enganar?

— *Eu* acredito em ti, ainda que outras mil não o fizessem — diz ela, piscando-me o olho.

Sorrio, mas sinto o calor subir-me às faces. — Ouviste alguma coisa de as miúdas brigarem ontem?

Ela olha para mim intrigada e abana a cabeça. — Não, porquê, o que aconteceu?

— A professora Watts disse-me mesmo agora que algumas delas se desentenderam. Ao que parece, a Phoebe e a Livvy estiveram envolvidas. Perguntava-me se a Millie te terá contado alguma coisa.

— Não, mas posso perguntar-lhe, se quiseres.

— É provavelmente melhor não fazer disto mais do que é de momento — digo eu. — Vou esperar a ver se a Livvy o menciona.

— *Okay*. Ainda estás a fim de amanhã à noite?

— Definitivamente! O Nathan volta hoje e já sabe que fica encarregado do *babysitting*.

— É isso mesmo que eu gosto de ouvir! — diz ela, rindo-se. — Um homem que sabe onde é o seu lugar.

— Onde é que te apetece ir? — pergunto. — Vamos até à cidade ou queres ficar por aqui? Há um sítio novo acabado de abrir no Soho. O Nathan foi lá com um cliente e delirou.

— Por mim tudo bem, podemos tentar. Embora, por falar nisso, só recebo o ordenado daqui a três dias, de maneira que, se for caro, sou capaz de ter de deixá-lo para depois disso.

— Nada de preocupações, é oferta minha — digo, e vejo o seu momentâneo semicerrar de olhos. Mordo a língua e desejo de imediato poder engolir as palavras. Odiaria que ela me achasse condescendente, mas gostaria genuinamente de ajudar. O cérebro leva um pouco mais a pôr-se a par da boca e constatar que pode ser preferível uma sugestão de algo mais em conta do que um jantar exorbitante num restaurante fino.

— Não sejas tonta — diz ela por fim, e eu deixo escapar um suspiro de alívio. — Porque não fazemos uma noite de piza amanhã e vamos à cidade na *próxima* semana?

— Boa ideia — concordo.

2

—ntão, vamos para o *bordeaux* e dourado para a sala de visitas de Belmont House? — pergunto à equipa em meu redor, que contempla os painéis semânticos à sua frente.

— Tentei trabalhar um azul real, com apontamentos brancos — diz Lottie, a nossa *designer* júnior, roendo abstraidamente a ponta do lápis. — Mas não tem nem de longe o requinte do *bordeaux*.

— Ótimo — digo eu, recolhendo os papéis dispersos que espalhara sobre a mesa no decurso da reunião. — Vamos então apresentar-lhes isto e ver o que eles acham. Há mais alguma coisa?

— Eu só tenho umas questões de contabilidade — intervém Matt —, mas podem esperar até o Nathan voltar do Japão.

Olho para o relógio e fico com a respiração acelerada. — Deve aterrar mais ou menos dentro de uma hora, se tudo correr bem. Se se despachar, talvez passe por aqui. Tem a certeza de que pode esperar até amanhã se ele não puder passar?

— Sim, claro — diz Matt. — Não é urgente.

— *Okay*, então se é tudo…? — pergunto, olhando à minha volta para as cabeças que assentem.

— Posso dar-lhe uma palavra rápida? — diz Lottie, deixando-se ficar para trás enquanto o resto da equipa dispersa.

— Claro. — Sorrio. — O que se passa?

— Apenas queria saber se poderia ir consigo à reunião na Belmont House amanhã.

Pondero-o momentaneamente.

— Acontece que tenho carradas de ideias, e sinto mesmo que poderia ter algo a pôr em cima da mesa. — Olha para mim, boquiaberta ante o passo em falso que julga ter dado. — Não que haja alguma coisa de errado com o que já se encontra em cima da mesa — apressa-se a acrescentar. — Está lá *tudo* e *mais alguma* coisa, rematado com um grande laço dourado e a assinatura Alice Davies... — Divaga, e eu aguardo de sobrancelhas erguidas.

— Não vejo porque não — digo, quando ela se detém para respirar. — Com efeito, até podes liderar, se quiseres.

Escapa-lhe da boca um guincho involuntário que finjo não ouvir, ainda que me faça sorrir.

Não posso deixar de me maravilhar ao ver aonde ela chegou no pouco tempo desde que trabalha aqui. Era calada que nem um rato quando se juntou à AT Designs, mal conseguindo olhar alguém nos olhos. Lembro-me de lhe perguntar na sua entrevista onde se via dali a dez anos, e de ela sussurrar humildemente: «Sentada na sua cadeira.» A justaposição das suas palavras e da sua atitude quase me tinham feito cuspir o café. Só por isso conseguira o lugar.

Mantivera-se quase muda durante uma semana, apenas assentindo e abanando a cabeça em alturas pertinentes, mas eu sabia que ela estava algures lá dentro. Vira-o, embora Nathan se recusasse a acreditar em mim.

— Digo-te, escolheste a candidata errada — dissera ele ao jantar, no segundo dia. — Nós precisamos de alguém com o seu quê... Ela não vai ser sequer capaz de interagir com os clientes.

Eu sorrira e abanara a cabeça. — Ela é jovem e tímida, mas silenciosamente ambiciosa, e tem um verdadeiro faro para o *design* de interiores. Faz-me lembrar alguém que conheci em tempos.

Ele sorrira pesarosamente. — Dou-lhe duas semanas.

Seis meses depois ela saiu verdadeiramente da casca. Não só é capaz de interagir com os clientes como está a trabalhar num ou dois pequenos projetos sozinha.

— Não direi «Bem te disse» — murmurara em surdina para Nathan, quando ela apresentara as suas ideias quanto a um novo conceito de restaurante que íamos propor na semana passada.

— Espertalhona. — Ele sorrira, os seus olhos azuis não se despregando de Lottie.

Não havia como negar que eu sentia uma minúscula satisfação por levar a palma a Nathan. A nossa amigável competitividade fazia parte de quem éramos, fosse no trabalho, numa partida de ténis ou a jogar às charadas com as miúdas. Mas a emoção prevalente era de alívio; de em Lottie eu ter acaso encontrado uma protegida que me pudesse tirar a pressão de cima. Nathan era, *é*, brilhante a manter o lado comercial da empresa sobre rodas. Está em melhor forma agora do que nunca. Mas até Lottie se ter juntado a nós, eu era a única criativa, e ter alguém a quem recorrer, que aligeire a pressão, significa que tenho dormido um bocadinho melhor à noite.

Embora não seja pessoa para admitir uma derrota, Nathan obviamente concede que ter Lottie connosco está a fazer a diferença, já que mesmo antes de partir para o Japão propusera que lhe aumentássemos o ordenado.

— Ela vale o seu peso em ouro — dissera ele no *hall*, com o saco de viagem na mão. — Devias tê-la visto na reunião com as Cozinhas Langley. Tinha-os a comer-lhe na palma da mão.

— Hã, não tens de mo dizer — declarara eu, rindo. — Fui eu quem *to* afiancei, lembra-te.

— Se tivesse pensado nisso antes, ter-lhe-ia pedido que me acompanhasse ao Japão.

— *A sério?* — Fiquei espantada, embora não percebesse lá muito bem porquê. Fora minha escolha não ir.

— Ainda não é tarde se quiseres vir comigo — dissera-me ele gentilmente, tomando-me nos braços.

— Não sejas ridículo. — Afastara-me, com o coração a martelar-me dentro do peito. — Claro que não posso ir, tenho as miúdas em que pensar.

— A tua mãe ficaria com elas num piscar de olhos, sabes isso.

A minha mente percorrera freneticamente tudo a que teria de me sujeitar para entrar naquele avião com ele. Fiquei sem fôlego quando o pânico se insinuou através de cada fibra nervosa, deixando-me as pontas dos dedos dormentes.

— Já discutimos isto — respingara eu.

— Estou apenas a dizer que ainda há tempo — dissera ele, largando-me. — É tudo.

— Vemo-nos na quarta-feira — replicara eu. — Diverte-te.

— Como posso fazê-lo sem ti ao meu lado? — perguntara ele, desolado.

— É o Japão, como podes deixar de fazê-lo?

— Porta-te bem — dissera ele com um piscar de olho, ao encaminhar-se para o seu carro na entrada.

— Liga-me mal aterrares, sim?

Como não tivesse notícias dele, telefonei-lhe freneticamente para o telemóvel a intervalos de minutos, enquanto as histórias de horror se desenrolavam na minha imaginação. O avião caíra, houvera um terramoto no Japão, um tsunâmi. Quando finalmente conseguira apanhá-lo, convencera-me de que não havia sequer a mais remota possibilidade de que ele ainda estivesse vivo.

— Oh, meu Deus — gritara, quando ele finalmente atendera. — Estás bem?

— Peço muita desculpa, querida — dissera ele com voz rouca, como se eu o tivesse acabado de acordar de um sono profundo. — Recebi uma chamada mal saí do avião e quando cheguei ao hotel apaguei por umas horas.

— Pensei que te tinha acontecido alguma coisa — confessara-lhe, ainda com uma certa histeria na voz, embora o peito tivesse parado de me doer.

— Não foi minha intenção preocupar-te — declarara ele pacientemente. — Estou perfeitamente bem.

Ouvi cubos de gelo a tilintar num copo.

— Estás a postos para a grande reunião de amanhã? — perguntara eu. — Tens tudo de que precisas?

— Sim, a Lottie enviou-me tudo e tenho aqui todas as tuas maquetes. Farei conversa com eles enquanto vemos o esquema e certificar-me-ei de que afinaremos todos pelo mesmo diapasão.

— Mesmo que não afinemos, estou disposta a fazer concessões — disse eu, rindo nervosamente. — Eu quero mesmo isto, Nathan. Este negócio pôr-nos-á a par dos grandes.

— Onde tu mereces estar.

— Onde *nós* merecemos estar.

— A AT Designs é o *teu* bebé — dissera ele. — Foi a tua visão e de Tom que deu início a tudo isto.

— Até pode ser, mas ter-te a meu lado nestes últimos anos fez dela o sucesso que hoje é. Apenas sei que podemos ir ainda mais longe.

— É um empreendimento gigantesco, Alice. Tens a certeza absoluta de que o podes levar a cabo?

Eu percebera o que ele estava a insinuar, e deixara-me subjugar pela enormidade da tarefa. Mergulhei na sensação por um bocadinho, tal como tinha feito uma centena de vezes antes, à espera de ver como se apresentaria.

— São vinte e oito apartamentos — continuara ele, como se lesse os meus pensamentos. — De longe o nosso maior trabalho. Pensas honestamente que podes dar conta dele?

— Sem dúvida — respondera eu, a minha voz determinada desmentindo o pânico que sentia na boca do estômago. — Nunca estive mais pronta para outra coisa na minha vida.

E falava verdade na altura, com um ou dois copos de vinho dentro de mim. Mas agora, passados três dias, não me sinto assim tão confiante nas minhas aptidões ou emoções. Nada mudou durante esse tempo, pelo menos de forma tangível. Mas hoje a sensação é simplesmente diferente, como se a montanha-russa em que ando incessantemente tivesse passado à desfilada pela plataforma de saída, onde tudo está calmo e ordenado, e parado no topo do circuito, comigo ali suspensa de cabeça para baixo, à espera de ser resgatada.

— Tem tudo de que precisa para a sua reunião com a Temple Homes? — pergunta Lottie agora, interrompendo-me os pensamentos.

— Acho que sim — digo, dirigindo-me à minha secretária. — É definitivamente com David Phillips que me vou encontrar?

— Sim, ele pediu-a a si especificamente. Disse ser um grande fã do seu trabalho.

Sinto uma volta no estômago enquanto pego num dossiê e num bloco-notas encadernado, evitando o olhar de Lottie.

— De facto, ele referiu-se a si como Al — prossegue ela, enquanto eu me concentro em não corar. Embora quanto mais tente, mais vermelha fique. — Tive de lhe baixar a crista e dizer-lhe que o seu nome é Alice. Não suporto quando as pessoas fingem conhecê-la melhor do que conhecem.

Reviro os olhos e esboço um sorriso contido, dizendo silenciosamente: *Ele conhece-me melhor que a maioria.*

3

Quando o meu GPS me diz que estou a menos de um quilómetro da sede da Temple Homes, encosto e verifico o meu reflexo no espelho retrovisor. Pergunto-me se ele terá mudado — pergunto-me se *eu* terei mudado. Componho o cabelo e afofo a franja com os dedos. Aguento um pouco mais de rímel, pelo que pinto habilmente as pestanas de negro-azeviche, tendo um cuidado extra para as alongar o mais possível com a escova. Um toque de *blush*, uma passagem de batom vermelho e estou tão bem quanto possível, sem o benefício de uma cirurgia plástica ou de ser capaz de fazer voltar atrás o relógio uns vinte anos. O que não me impede de tentar, esticando a pele sobre as faces, interrogando-me para onde terá ido todo esse tempo. Nunca pensei nisso antes, mas lamento subitamente não ter feito alguma coisa, de modo a não parecer muito diferente de quando David me viu pela última vez. Ridículo, bem sei, mas qualquer rapariga quer parecer no seu melhor ao encontrar-se com o seu primeiro amor de novo, não é? Não porque ainda o queira, mas uma parte minúscula dela — *okay*, uma grande parte — quer que *ele* ainda a queira a *ela*.

— Alice, uau, olha para ti — diz ele vindo ao meu encontro na receção. Olha-me de alto a baixo apreciativamente e congratulo-me por ter caprichado mais um bocadinho. Iludi-me a acreditar, enquanto me vestia esta manhã, que a minha *toilette* era apenas uma subtil extensão do que uso normalmente, e contudo fora a primeira coisa em que Beth reparara ao ver-me, e Lottie comentara igualmente como o vermelho ia bem com o meu tom de pele. Afinal de contas, talvez não fosse tão subtil assim.

— David, bom Deus, não mudaste nada — digo eu, só que mudou, e luto para ocultar o meu choque. Passei estes anos todos a imaginá-lo como era, como se tivesse sido de algum modo congelado no tempo, enquanto eu envelhecia. Mas ele envelheceu comigo. A sua trunfa escura foi substituída por uma careca, tão brilhante que o brilho dos projetores acima dele se reflete nela, e o seu físico perfeito, os músculos bem definidos pelos quais todas as raparigas desfaleciam, foi revestido com o que parecem mais quarenta quilos.

— Então, como tens passado? — diz ele ao beijar-me na cara.

— Bem, mesmo bem.

— Soube do que aconteceu ao Tom. — Conduz-me à sala da administração. — Lamento muito.

As pessoas dizem frequentemente palavras deste tipo quando estão de costas. Têm de algum modo a ilusão de que é mais fácil assim. Pode ser que seja para elas. Mas pergunte a quem tiver passado por isso e dir-lhe-ão que prefeririam que as pessoas fossem frontais, em vez de tentarem varrê-lo para baixo do tapete, ou, pior ainda, evitar o assunto incómodo por completo.

— Então, como vais? — pergunta solenemente.

— Estou bem, obrigada. O negócio vai de vento em popa, portanto está tudo bem.

— E voltaste a casar? — É mais uma afirmação do que uma pergunta e fico espantada, como sempre me acontece quando pessoas que não vejo há anos aparentemente sabem mais a meu respeito do que deveriam. Pergunto-me o que mais saberá ele.

— Sim — digo. — Em alguns aspetos, tenho sido muito afortunada.

— Congratulo-me que tenhas conseguido reconstruir a vida depois do que aconteceu.

Esboço um sorriso fechado. — E tu? — pergunto. Parece indelicado não fazer por parecer minimamente interessada no que se passou na vida dele desde que o vi pela última vez. — Fizeste obviamente da Temple Homes um grande sucesso.

Ele sorri, e os seus olhos desaparecem sob as pregas de pele em seu redor. Não consigo processar devidamente que se trata da mesma pessoa, homem ou rapaz, que me tirou a virgindade numa noite de verão, depois do baile de fim de ano.

— A empresa está a ir mesmo bem — responde. — Mas o meu casamento, infelizmente, foi vítima de tal sucesso.

Baixo os olhos, desconfortável com o rumo pessoal que a conversa tomou. — Lamento ouvi-lo.

— Acontece — diz dele. — Talvez não se possa ter tudo.

— Mas deves estar muito orgulhoso do que alcançaste aqui — digo eu, olhando a sala de administração à minha volta e reparando nos vários certificados de construção na parede.

— Sim — concorda, inflando o peito e endireitando-se na cadeira. — Mas acho que podemos ir mais longe, daí trazer-te aqui. Espero que não te tenhas importado por contactar a AT Designs, mas tenho visto o teu trabalho por aí e estou muito impressionado com o que fazes.

— De todo — digo, sorrindo. — É bom ouvi-lo.

Um telemóvel ressoa por toda a sala e por um momento ignoro-o, pois estou certa de que pus o meu no silêncio. Mas quando continua, e reparo no de David pousado em cima da mesa entre nós, não mostrando sinal de vida, vasculho a minha mala.

— Com licença, desculpa — digo, antes de ver que é Nathan e rejeitar a chamada.

— Então, o projeto da Avenida Bradbury é... — começa David, até que o toque do meu telemóvel nos interrompe de novo.

— Peço mil desculpas, deixa-me desligá-lo. — Rejeito novamente a chamada e tiro-lhe o som, mas o pânico começa já a instalar-se e não consigo concentrar-me em nada do que David está a dizer. Tomo nota de tudo à medida que as chamadas silenciosas continuam a iluminar o meu telemóvel, a minha escrita tornando-se mais frenética.

— *Okay*, deixa então isto comigo — digo, levantando-me numa tentativa de finalizar a reunião prematuramente. — E ligar-te-ei assim que tiver algumas ideias para te apresentar.

— Porque não o fazemos num jantar? — diz ele, agarrando-se à mão que lhe estendi um bocadinho mais longamente do que seria necessário.

— É provavelmente melhor mantermos isto estritamente profissional — digo, meio a rir.

Sem pré-aviso, as mãos dele estão nas minhas nádegas, puxando-me contra ele.

— Ninguém precisa de saber nada — sopra-me ao ouvido. O pungente odor a café permeia-me as narinas e viro a cabeça. Ele apalpa-me um seio, apertando-o com força. — Emparelhávamos bem, tu e eu. Aposto que ainda o fazemos.

— Nunca *mais* voltes a fazer isso — sibilo, empurrando-o para longe de mim com as duas mãos no seu peito. Ele parece magoado, como se não conseguisse perceber o que fez de errado.

— Mas eu julguei…

— Julgaste o quê? Que só porque estivemos juntos antes isso te dá o direito de o teres outra vez?

— Bem, s-sim — gagueja ele, e preciso de toda a minha determinação para não lhe dar um estalo na cara.

Apresso-me a recolher as minhas coisas de cima da mesa e dirijo-me para a porta. — Isto foi claramente uma perda do meu tempo.

— Mas o projeto… — grita ele nas minhas costas. — E então o projeto? — Não dou resposta, deixando que ele leia nas entrelinhas.

Estou a tremer quando chego ao carro e luto com o fecho, batendo a porta atrás de mim com toda a força da minha indignação. Como se atreveu ele a presumir que isto seria algo mais que uma reunião de negócios?

Baixo os olhos para a minha blusa, com um botão a mais desabotoado, e bato frustrada no volante. — Merda! — grito alto. No que estava eu a pensar? Não sou eu tão culpada quanto ele? Que mensagem passara eu na minha patética tentativa de recapturar um tempo há muito passado? Mas então recomponho-me. Não. *Seja como for* que eu escolha vestir-me, isso não lhe dá o direito de invadir o meu espaço pessoal.

Na minha raiva fulgurante esquecera-me de que Nathan me tentara ligar e, ao olhar para o telemóvel, vejo que perdi doze chamadas dele e uma da escola das miúdas.

— Merda! Merda! — digo com a boca a ficar seca. O meu coração parece bater duas vezes mais depressa.

— Nathan, sou eu — digo bruscamente quando ele atende. — O que aconteceu?

— Onde estás tu? — pergunta ele.

— Acabo de sair de uma reunião — respondo, com voz frenética. — O que se passa? As miúdas estão bem?

— É a Livvy — diz ele.

Sinto que não consigo respirar.

— O q-que se passa? — gaguejo, imaginando já a forma mais rápida de ir ter com ela. Giro a chave na ignição, mas o carro não pega. O pânico alastra dentro de mim enquanto tento uma e outra vez. Numa fração de segundo de clareza lembro-me de que tenho de pôr primeiro o pé no travão.

— O que aconteceu? Onde está ela? Ela está bem? — As perguntas saem todas em catadupa.

— Ela está bem — responde-me. — Mas teve um pequeno acidente na escola.

— Que espécie de acidente? — pergunto, deixando borracha na estrada ao sair guinchando do parque de estacionamento da Temple Homes e rumar em direção à escola.

— Parece que bateu com a cabeça.

Dói fisicamente quando inalo. — Oh, meu Deus.

— *Okay*, agora escuta-me — diz ele, a sua voz subitamente autoritária. — Quero que respires fundo algumas vezes e te acalmes.

Tento fazer o que ele diz, mas os meus pulmões parecem não funcionar. Não estão a deixar passar o ar de que preciso. As minhas expirações saem em pequenos e acutilantes arquejos, enquanto intento que o aluno de condução à minha frente carregue no acelerador.

— Alice, escuta-me — diz Nathan de novo. — Preciso que abrandes tudo e te concentres apenas em inalar e exalar, longa e lentamente.

Se pudesse fechar os olhos seria mais fácil, mas os carros parecem vir contra mim de todos os lados. Interpondo-se no meu caminho, encostando à minha frente. Soam buzinadelas, mas não sei dizer de onde vêm ou a quem são dirigidas.

— Estás bem? — pergunta Nathan. Assinto de lábios franzidos. — Alice?

— Sim — digo.

— Queres que continue em linha até lá chegares, ou dou-lhes o recado de que vais a caminho?

— Podes ligar-lhes? — peço.

— Onde estás tu? Quanto tempo demorarás?

— Eu… a-acabei de sair da sede da Temple Homes.

Gaguejo porque genuinamente não me consigo lembrar onde estou, não porque esteja a tentar ocultar seja o que for.

— Onde estás *tu*? — pergunto.

— Acabo de sair do aeroporto e ia direito ao escritório, se não te importares.

— Sim, vejo-te em casa então.

— Liga-me assim que estiveres com a Livvy — diz ele. — Estou certo de que não é nada grave.

Só então me ocorre que ele não sabe da conversa que tive com a professora Watts esta manhã. Pergunto-me se o problema será maior do que qualquer um de nós julgava.

— Eles não parecem lá muito ralados — continua ele. — Provavelmente apenas se preocupam quanto a um traumatismo e precisam de acautelar-se.

Ponho fim à chamada e ligo o rádio numa tentativa de abafar o ruído no meu cérebro.

Quando chego à escola, estaciono no lugar reservado ao diretor e saio, meio a andar, meio a correr, para a receção, esforçando-me por não parecer como me sinto.

— Ah, olá, senhora Davies — diz Carole, a secretária da escola, tendo o cuidado de fazer uma voz otimista. Tenho a certeza de que eles têm uma pasta a meu respeito com as palavras «Lidar com cuidado — enviuvou inesperadamente» escritas em grandes letras a marcador vermelho. — Não é nada de preocupante, acontece apenas que a Olivia deu uma pequena queda.

— Ela está bem? — pergunto, seguindo-a através da porta dupla.

O inconfundível fedor de couve cozida paira-me sob o nariz enquanto os meus saltos altos ressoam no chão de madeira polida do refeitório. É o mesmo cheiro da cantina da minha escola há trinta anos, embora não tivéssemos couve cozida nessa altura, e a Olivia não a tenha agora. Eu sei, porque ela memoriza a ementa todas as semanas e diz-me o que vai comer dia a dia. Quase sinto pena dela, que bolo de chocolate e musse de chocolate, a guloseima mensal que então fazia parte da dieta básica das escolas do centro de Londres, já não sejam oferecidos. Mas, mesmo nesses dias especiais, a escola cheirava na mesma a vegetais rançosos, e dou comigo a pensar porque será isso. Tudo para manter o pensamento longe do que estou prestes a enfrentar.

— A tua mãe está aqui — diz a enfermeira da escola, sorrindo para mim. Espero mais ou menos espreitar pela cortina e ser confrontada com Olivia deitada inconsciente na marquesa, com sangue a jorrar-lhe da cabeça.

Sou inundada de alívio quando ela levanta os olhos, com um ar um tanto desolado. Não há sangue, nem ligaduras, nem sequer um hematoma. — Olá, minha menininha — digo, com voz trémula, inclinando-me à sua altura. — Estás bem?

Ela anui, e eu aperto-lhe o joelho, lutando contra a ânsia de a envolver nos braços e inalá-la, não fossem a enfermeira e Carole, que sem dúvida acrescentariam «mãe neurótica» à minha pasta.

— Foi só uma pequena traulitada — diz a enfermeira. — Mas tenha-a ainda assim debaixo de olho. Se ela se queixar de dores de cabeça ou tiver tonturas, deveria levá-la ao hospital.

Sorrio e assinto.

— O que aconteceu? — pergunto quando chegamos ao carro.

— A Phoebe empurrou-me — diz ela lacrimosa.

Visualizo a carinha habitualmente angélica de Phoebe retorcer-se numa careta feia enquanto ameaça a minha filha. Não suporto o pensamento.

— Ela estava a ser má para mim — sussurra Olivia, como se alguém pudesse ouvir. — De maneira que eu fiz o que a mamã me disse para fazer.

Aguardo de respiração suspensa, incapaz de me lembrar do que dissera. Espero ter-lhe dito para dar o troco na mesma moeda.

— Ignorei-a e afastei-me — diz ela.

Não posso deixar de ficar desapontada com o meu próprio conselho.

— Mas ela empurrou-me, e eu caí no chão.

— Bem, isso não é lá muito simpático, pois não? — Tenho o cuidado de manter a voz ligeira, enquanto isso perguntando-me com que rapidez conseguirei uma entrevista com o diretor. — Julgava que a Phoebe era tua amiga. Ela é sempre má para ti?

Ela abana a cabeça, antes de imediatamente assentir. Não estou certa de que ela própria o saiba.

— Só às vezes — admite. — Diz coisas más para tentar fazer-me chorar.

Arredo-lhe gentilmente o cabelo solto do rosto de elfo. — Que espécie de coisas? — pergunto.

Ela encolhe os ombros, como se tentasse tirar-lhes de cima todo o peso do mundo.

— Vá lá, podes contar-me — insisto eu.

— Ela diz que o meu primeiro pai morreu.

Fico momentaneamente sem palavras.

— Mas… mas tu sabes que o Tom era pai da Sophia — digo eu, enquanto ela assente. — Ele não era *teu* pai.

— Eu sei, mas a Phoebe diz que ele era o meu primeiro pai.

Puxo-a contra mim, tanto quanto é fisicamente possível sobre a consola do carro. — Escuta… — começo.

— E… e… ela diz que o meu segundo pai vai morrer como o meu primeiro pai. — Os seus olhos enchem-se de lágrimas e uma grande gota cai-lhe sobre as pestanas inferiores.

— Agora escuta-me — digo assertivamente, fazendo por não passar as minhas próprias tendências paranoicas. — O que aconteceu ao pai da Sophia ocorre uma vez num milhão. Nada disso acontecerá ao teu pai. — Faço discretamente figas.

Ela olha para mim, os seus grandes olhos azuis vidrados de lágrimas.

— Prometo — digo eu resolutamente. — E agora, que tal um gelado?

— Boa — guincha ela, esquecida das suas ralações e a tristeza passando dela para mim.

4

— Opapá chegou! — grita Olivia descendo as escadas, de pijama, com o Urso Ted na mão.

— Hã, desculpe lá, *madame*, mas não deveria estar na cama? — digo, levantando os olhos dos painéis semânticos que dispus sobre a mesa de jantar.

Ela faz beicinho. — Mas eu não o vejo há um tempão — choraminga. — Posso vê-lo? Por favor. Se eu prometer ir dormir logo a seguir?

— Deverias estar a dormir há muito tempo — digo, sabendo mais que bem que isso jamais teria acontecido. Ela fica toda excitada quando sabe que Nathan está de volta a casa, e se ele não aparecer ainda de dia, tenho de me resignar a que ela durma com um olho aberto, à espera dele.

— Por favor — implora. Já se ouvem os passos dele na gravilha da entrada.

— Vai lá então — sorrio-lhe.

— Obrigada — diz ela, apertando-me pela cintura. — Prometo estar a dormir em segundos.

Corre para o *hall* e oiço guinchos de excitação — sem dúvida que Nathan pegou nela e a faz rodopiar. — Como está a minha linda menina? — oiço-o dizer. — Tive saudades tuas. Foi muito tempo desta vez?

Pego no meu copo de vinho e espreito pela porta. — Foram quatro dias, oito horas e vinte e três minutos — ri-se Olivia alegremente. — Mas eu acho que o meu calendário deve estar errado, pois parece muito mais.

Ele aperta-a com força e despenteia-lhe o cabelo. Eu observo, sorrindo, à espera da minha vez. Ele ainda a tem ao colo quando vem ter comigo. Tem um ar cansado, mas está a dar tudo por tudo para não o mostrar. Os seus olhos cintilam e a boca recurva-se para cima ao olhar para mim.

— Também te pareceu mais tempo a ti? — pergunta suavemente, antes de me beijar nos lábios.

— Bastante — respondo.

— Tiveste saudades minhas?

— Tenho sempre saudades tuas.

— Quem me dera que não tivesses de viajar, papá — diz Olivia. — Agora podes ficar em casa? Durante muito tempo?

Enrola-lhe os braços em torno do pescoço e afunda a cara no seu ombro.

— Vais ter-me por uns tempos — diz ele, fazendo-lhe cócegas debaixo dos braços. — Vamos lá meter-te na cama. — Começa a subir a escada.

— Queres uma bebida? — pergunto-lhe nas costas.

— Um bom *gin* saberia bem — diz ele antes de desaparecer para lá da esquina do patamar.

Eu assim previra e preparara já três finas rodelas de pepino. Meto quatro cubos de gelo no seu copo favorito e encho meio misturador com *Hendrick's*. Ele gosta de acrescentar a sua própria tónica, pelo que abro uma pequena garrafa — as maiores perdem o gás, diz ele — e ponho-a ao lado.

Ele mudou para umas calças de ganga e *t-shirt* quando finalmente volta para baixo.

— Ela está bem? — pergunto. — Eu já sabia que ela não se ficaria sem te ver.

— Eu não quereria que fosse de outra forma — diz ele, sorrindo. — Como correu na escola? Ela está bem? Eu não quis fazer a coisa maior do que era.

Assinto. — Acho que sim. Mantê-la-ei debaixo de olho durante as próximas vinte e quatro horas mais coisa menos coisa, mas sou capaz de ir até lá, ter uma conversa com o diretor, só para me certificar de que está tudo bem. A Livvy diz que a Phoebe a empurrou.

Ele ergue as sobrancelhas ao bebericar o seu *gin*. — Sabes como são os miúdos.

— Sim, mas a professora dela deu-me uma palavrinha esta manhã quanto a uma briga que elas tiveram ontem. Só quero certificar-me de que não se passa mais nada.

— Boa ideia — diz ele, metendo uma azeitona na boca e puxando-me para ele. Reteso-me imediatamente ao imaginar David a fazer a mesma coisa. — E como estás *tu*?

— Estou bem.

— Não te podes deixar ficar no estado em que ficaste hoje, não é bom para ti. — Ele nem sabe a metade do que aconteceu. — As miúdas hão de magoar-se, hão de discutir com as amigas, zangar-se-ão e farão as pazes de novo. Isso tudo faz parte de crescer.

Esboço um sorriso contido. — Eu sei, só que...

— Eu entendo, mas tens de aprender a relaxar. Nada lhes irá acontecer.

— Não me podes prometer isso — digo, olhando-o significativamente.

— Ninguém pode, mas é a vida. Eu apenas quero que gozes a tua.

Afasto-me e dou uma longa golada de vinho. Posso sentir os olhos dele perscrutando os meus.

— Então, o que foste fazer hoje à Temple Homes? — pergunta.

Ocupo-me a procurar um escorredor para o arroz que fiz. — Um novo cliente — digo, por demais abruptamente. — Eles precisam de algumas soluções de interiores.

— Essa não é a empresa do David Phillips? — pergunta ele casualmente.

— Humm — confirmo, baixando-me para tirar uma tábua de cortar de que não preciso.

— Ele não foi o teu primeiro namorado? — Ele soa como que falando através de um sorriso, mas estou demasiado nervosa para olhar.

— Há, sim — digo, sem saber ao certo se me sinto culpada quanto a encontrar-me com ele, aperaltar-me para a ocasião, ou da recordação das mãos dele no meu corpo, ainda que sem terem sido convidadas.

— Foi com *ele* que te encontraste?

Assinto.

— Deve ter sido um bocado estranho — diz ele, meio a rir. — Como correu?

Pergunto-me se lhe deverei contar o que se passou, sabendo que, se o fizer, mais que provavelmente ele irá lá direito. Penso duas vezes e deixo David para lá, pelo menos por enquanto.

— Correu bem — digo. — Já se passou muito tempo.

— Nada de borboletas no estômago, então? — pergunta, provocador.

— Não da minha parte — digo honestamente. — Ele está velho, careca e divorciado, não é de todo uma proposta atrativa.

— Aposto que te deitou o olho e lamentou o dia em que te deixou ir. Lanço-lhe um olhar fulminante.

— Falo a sério! Aposto que está a pensar em ti agora. Está provavelmente deitado sozinho na cama, lembrando-se de todas as coisas que fazias, fingindo que as faz de novo contigo.

Sinto um arrepio involuntário. Está demasiadamente próximo da verdade para ter graça.

— Achas que conseguiremos o negócio? — pergunta. — Poderia dar uns cobres extra. A par do projeto do Japão.

— Não sei se será algo que devamos fazer — adianto. — Não teremos mãos a medir com o Japão, se o conseguirmos. — Guardo a tábua de cortar. — Então, vá lá, conta-me, como correu?

— Bem — começa ele, incapaz de ocultar o sorriso no rosto —, acho que está tudo a ir muito bem.

— Então eles gostaram do que lhes mostraste?

Ele assente. — Adoraram, mas o que não há para adorar? Não é preciso ser-se um génio para se ver quão boa és no que fazes.

— Então e a cozinha e casas de banho? — pergunto, entusiasmada. — Eles gostaram das escolhas de mobiliário?

— Sim, acharam-nas inspiradas.

Sinto o peito subir, o meu orgulho instantaneamente inflado. — Quando achas que teremos uma resposta definitiva? Deram-te alguma ideia de prazos?

Sirvo-me distraidamente de mais vinho tinto, quase enchendo um balão já de si bem grande até à borda.

Ele olha-me cuidadosamente. — Se tudo correr bem, trocarão contratos-promessa na próxima segunda-feira e finalizarão na semana a seguir. Mas querem ter um *designer* a bordo aquando da permuta.

Sinto borboletas dançarem-me no estômago ante todas as possibilidades, enquanto o meu cérebro se desunha para me impedir de sair à desfilada.

— Quanto tempo levará a construir? — pergunto.

— Eles estão a pensar fazê-lo em duas partes — diz ele. — A primeira ficará concluída em doze meses e a segunda cerca de seis meses depois. É muito trabalho, Alice, e tudo cairá em cima de ti não tarda.

— É do que eu tenho estado à espera — digo. — É agora. Este é em grande.

Ele delineia-me o maxilar com o dedo. — Só quero fazer isso se estiveres certa de conseguir levá-lo a cabo. Não me posso arriscar a teres uma recaída, pelo que se tiveres algumas reservas, quaisquer que sejam, então tens de dizê-lo.

Lembro-me de uma altura, não há tanto tempo assim, em que só a ideia me teria feito fugir a sete pernas. Uma altura em que tinha medo da minha *própria* sombra, quanto mais da projetada pelo cão preto que parecia estar destinado a ficar ao meu lado por toda a eternidade. Nessa ocasião, eu estava tão enterrada no buraco que começava mesmo a procurar a escuridão, acreditando ser ela a minha única verdadeira amiga.

Mal conseguia sair da cama, apenas o fazendo para deixar a Sophia no infantário, antes de me arrastar de volta e afundar-me debaixo do edredão, onde os meus pensamentos envenenariam até o melhor dos dias. Às três da tarde levantava-me de novo e convencia-me de que ninguém veria as nódoas das minhas calças de treino enquanto esperava no portão da escola, de cabeça baixa, tentando esconder-me de quem quer que fosse suficientemente corajoso para olhar. Ironicamente, teria bastado apenas uma pessoa mostrar interesse para a minha fé na humanidade ser restaurada. Mas nas raras ocasiões em que eu olhava, tudo o que via era embaraço e evasão. Eu sabia estar a ser ridicularizada e injuriada, comentada e ostracizada, mas não me ralava. Não me ralava com mais nada além de ser mãe, e mesmo aí mal funcionava. Só de pensar nisso fico com a respiração alterada.

— Tens a certeza de que estás pronta para isto? — pergunta Nathan de novo.

Faço que sim com a cabeça, ofendida com a sua falta de confiança em mim, embora tenha de escavar bem fundo para eu própria dar com ela. — Estou mais que pronta para isto, Nathan. Não vou voltar a ficar como estive.

— Bem, eu estarei aqui para te ajudar e dar todo o apoio de que precisares, mas em última análise és *tu* que dás a cara pela empresa, é o *teu* talento que produz resultados e é *contigo* que as pessoas querem trabalhar.

Sorrio e tomo-lhe as mãos. — Mas és *tu* quem dirige as coisas nos bastidores e eu não poderia fazer o que faço sem ti. Estamos juntos nisto.

Ele leva-me as mãos aos lábios. — E a Sophia, que tal está a sair-se nos exames?

— Tem o último na sexta-feira — digo com uma careta. — Matemática, ainda por cima. Quero dizer, nem ao teu pior inimigo o desejarias, pois não?

— Isso é porque não tens cabeça para números — diz ele a rir. — Recorda-me do que tiveste nos teus exames finais de matemática?

— Hã, um I — balbucio.

— Diz lá o que foi? — diz ele, inclinando-se com a mão em concha atrás do ouvido. — Podes repetir? Mais alto.

Bato-lhe no braço com um pano da loiça. — Um I — quase grito.

— E a que corresponde I? — diz ele, apoiando-se na bancada com medo de cair ao chão a rir.

— Inclassificável.

— Então, saíste-te *tão* mal que eles nem tiveram como te dar nota? — logra ele dizer.

— Por isso tive de casar contigo — digo triunfante, beijando-o. — Para que me tratasses das contas.

— Então ela irá sair-se bem? — pergunta.

Olho para ele, perplexa, momentaneamente esquecida do que falávamos.

— A Sophia — diz ele, decifrando a minha expressão confusa. — Ela acha que já reviu tudo devidamente?

— Bem, ela é uma massa de hormonas ambulante de momento, por isso sei tanto como tu.

— Já fomos todos adolescentes — diz ele, dando apreciativamente um gole no seu *gin*.

— Eu não me lembro de coisa tão longínqua — digo eu, beijando-o. — Graças a Deus. — Sinto o gosto do *gin* nos seus lábios, o travo de zimbro recordando-me de natais passados.

— Ugh, não podem ir para o quarto? — diz Sophia com simulado horror, aparecendo no limiar da porta. Ou talvez a sua repulsa seja real — é difícil dizer nestes tempos.

— Ei, amor — diz Nathan. — Como vai isso? — Abre o braço para a acolher e puxa-a contra si, beijando-a no topo da cabeça, que lhe cai pesadamente no ombro. — O que se passa contigo?

— Odeio a minha vida — diz ela, com os braços caídos ao longo do corpo. — Mal posso esperar que estes exames acabem.

— A escola é a parte fácil — digo eu. — Espera só até seres crescida.

— Oh, cá vamos nós. Os teus dias de escola são os melhores da tua vida… — imita ela em voz cantarolada. — Blá-blá-blá…

Tenho de fazer um esforço para não rir. Eu digo mesmo isso? Não me tinha dado conta de que me tinha transformado na minha mãe. Faço uma careta nas costas dela e Nathan lança-me um olhar severo.

— E são — insisto. — Acredita em mim. Se pudesse voltar atrás no tempo...

— Não o farias — diz ela. — Mal podias esperar para te veres livre da escola. A avó diz que mal lá ficaste o tempo suficiente para fazeres os exames.

Ela não deixa de estar certa, mas preferiria dar-lhe a minha versão dos acontecimentos do que ser a minha mãe a contar-lhe como as coisas realmente se passaram. Encolho-me por dentro ao lembrar-me dos meus tempos na escola secundária, recordando como me sentia infeliz dia após dia. Passara os primeiros dois anos a ser gozada, e desejando, mais do que tudo, fazer parte da «malta fixe». Depois passara os três anos seguintes a sê-lo, desesperada por sair de lá para fora.

Ser perseguida, para mim, era de algum modo mais fácil do que ser a perseguidora. Jamais me senti confortável a fazer parte do monte de gente aos segredinhos, através do qual a nova aluna da escola tinha de passar, desesperada por ser incluída e, no entanto, tão rápida e negligentemente rejeitada por nós sem um pensamento sequer. Ela não precisava de dizer ou fazer nada para incorrer na nossa ira. Tracy, a nossa cabecilha, teria já decidido que não gostava dela e, dado que aparentemente não pensávamos por nós próprias, limitávamo-nos estupidamente a segui-la.

Eu correra envergonhada o Facebook ao longo dos anos, tentando emendar os erros em que sentia ter tomado parte. Como era de prever, Maxine Elliott, cujo copo de leite eu tinha sido forçada a entornar, e Natalie Morgan, que eu fora coagida a chamar feia, não responderam aos meus pedidos de amizade. Engraçado; após este tempo todo ainda uso palavras como «forçada». Eu não fora «forçada» a fazer nada. Não me tinham mergulhado a cabeça debaixo de água ou pregado numa cruz; eu tinha tido escolha, e é isso que ainda me atormenta hoje. Nas minhas fantasias imagino-me a fazer frente à draconiana cabecilha, em vez de permanecer calada e me refugiar na cobardia.

Penso em Olivia e sinto um aperto no peito. Será possível que uma criança tão pequena possa ser apanhada no mesmo horror? Sou percorrida por um arrepio.

— Eu apenas quero que aproveites — digo a Sophia. — Porque tudo ficará bem mais difícil antes que te dês conta disso.

Ela encolhe os ombros e liberta-se do abraço de Nathan para tirar sumo de laranja do frigorífico.

— Nós só queremos o que é melhor para ti, amor — diz Nathan. — A tua mãe tem razão. Pode não parecer assim, mas esta é a parte fácil. Esta é a única altura da tua vida em que não tens verdadeiras responsabilidades. Não tens de manter um emprego, não tens de pagar contas, não tens quaisquer pirralhos a sugar-te as emoções e a conta bancária.

Ela lança-lhe um olhar fulminante, mas os seus cantos da boca reviram-se muito ao de leve enquanto luta contra um sorriso.

— Honestamente, as coisas são duras aqui no grande mundo dos crescidos. Não te deixes enganar por eu fazê-lo parecer tão fácil.

Pegamos cada uma num pano de loiça e atiramo-los a ele, rindo enquanto ele se desvia. Mas ele tem razão — ele fá-lo mesmo parecer fácil, e eu não estou certa de lhe dar sempre o crédito que merece.

Poderia ter sido tão diferente — eu ainda poderia andar aos tombos naquele buraco negro, se Nathan não me tivesse resgatado. A nós.

Eu andava aos solavancos, embora nada sentindo realmente, quando o conheci. Gosto de pensar que me teria recomposto devidamente mais cedo ou mais tarde — teria de *tê-lo* feito, por Sophia. Mas, por mais que retirasse forças da minha filha, nos meus esforços de protegê-la, confortá-la e amá-la, eu fora uma sombra do meu antigo eu.

Mesmo nos raros dias bons, não contava obter uma segunda oportunidade. Pensava que tivera o melhor que a vida tem para oferecer com Tom, e com ele desaparecido tivera a certeza de que nunca mais voltaria a encontrar o amor ou a felicidade.

Mas Nathan mostrara-me que ainda havia um mundo ao meu alcance, e lentamente, com o tempo, começara a pensar que bem podia haver um lugar nele para mim. Ele aceitou o desafio com tal sinceridade que frequentemente dava por mim a pensar que era tudo demasiado bom para ser verdade. Levara-me a mim e a Sophia a passar o dia fora no jardim zoológico e literalmente fizera macacadas até lhe doer o estômago de tanto rir, e surpreendera-nos a ambas no nono aniversário dela com um fim de semana passado num barco. Quando ela caía, ele era o primeiro a providenciar-lhe um penso, e quando ela chorava, lá estava ele a dar-lhe mimos.

— Amamos-te e estamos sempre aqui para ti — diz-lhe agora.

Olho para ele e sorrio, sentindo o coração a ponto de rebentar.

— Serve-te de chili — digo. — Eu vou só ver se a Livvy está a dormir.

Ao passar pela porta aberta do nosso quarto, vejo o saco de viagem de Nathan pousado aos pés da cama. Imagino o que terá lá dentro: quatro imaculadas camisas brancas, todas lavadas no hotel, passadas a ferro e perfeitamente dobradas em estaladiço papel celofane, como se ele as tivesse comprado nesse dia. Provavelmente oito pares de cuecas Calvin Klein, todas brancas, lavadas e dobradas em quadrados de tamanho igual. As suas meias estarão unidas aos pares e enroladas apenas uma vez em cima. A minha mão paira sobre o saco quando ele entra no quarto.

— Queres que desfaça o saco por ti? — pergunto.

— Não, eu faço — responde ele, dirigindo-se a mim. — Realmente não parece valer muito a pena desfazê-lo — diz, tirando cuidadosamente quatro camisas brancas envoltas em celofane e oito pares de cuecas lavadas de fresco.

— Oh, então porquê? — pergunto. — Vais viajar de novo?

— Provavelmente vou ter de regressar ao Japão se conseguirmos o contrato. Seria ótimo se pudesses vir também… — Sinto um aperto nas entranhas quando ele olha para mim, antes de continuar. — Tudo bem, eu entendo…

Só que não entende — não realmente. Ele tenta, mas como pode fazê-lo quando nem eu própria consigo percebê-lo. — Julguei que tinhas dito que eu não precisava de ir — digo, com a boca subitamente seca. — Disseste que eu podia trabalhar a partir de plantas se conseguíssemos o projeto.

Ele dirige-se a mim de novo e puxa-me para ele. — Mas não seria bom ires até ao local, para vê-lo e senti-lo?

Assinto quando ele me afaga o cabelo. — E quando a altura chegar, não gostarias de acrescentar os toques finais tu própria, em vez de ser outra pessoa qualquer a desenrolar o tapete que *tu* selecionaste ou a pendurar as cortinas que *tu* especificamente escolheste?

Oiço tudo o que ele diz e quando ele o apresenta assim, soa perfeitamente plausível, mas eu não posso deixar as miúdas e voar para o outro lado do mundo. Simplesmente não posso.

— Adoraria, mas… — começo.

— Estava com esperança de que este negócio mudasse as coisas — diz ele gentilmente. — Que te desse confiança para ires, já que estarás tão ocupada a concentrares-te no projeto que não terás tempo para sentir a falta das miúdas.

Sinto-me crispar e afasto-me dele. — Eu não *deixo* de ir por sentir a falta das miúdas, Nathan. Raios, julguei que entendias.

— Entendo, mas já se passaram quase dez anos, Al. Se não tiveres cuidado, passarás a tua vida inteira sem sair das imediações de casa.

— Não me faças parecer uma espécie de eremita — digo, em voz mais alta. — Já fomos a França e à Irlanda.

— Sim, com as miúdas — diz ele sem rodeios.

— E fomos os dois à Escócia...

— Isso foi na nossa lua de mel — diz ele. — Poderíamos ir a qualquer parte do mundo... Temos dinheiro, e, com algum planeamento, tempo para isso. Achei mesmo que o Japão seria um novo começo.

— Foi por isso que te abalançaste a ele? — respingo. — Para me pores sob pressão? Porque me farias tu isso?

— Estás a ser ridícula — diz ele. — Sei o que a AT Designs significa para ti e fi-lo porque achei que quererias fazê-lo. Ponto final. Isto não tem que ver comigo, Alice. Tem que ver contigo, viveres a vida que deverias viver.

— Bem, estou perfeitamente feliz como estou — grito, dirigindo-me para a nossa casa de banho e batendo com a porta.

5

ão vais deixá-lo safar-se com essa, vais? — pergunta Beth, horrorizada, durante o nosso jantar na noite seguinte.

Enrolo distraidamente o esparguete no garfo e sinto-me surpreendentemente emocional. Suponho que seja porque até agora me convencera de que o que David fizera não era nada de mais, mas a reação de Beth prova-me o contrário.

— Contaste ao Nathan?

Abano a cabeça. — Não sabia o que fazer. Talvez lhe tivesse contado se não começássemos uma discussão.

Ela faz uma careta, e eu lamento ter mencionado o assunto. Mas ela é uma das minhas poucas amigas que nada têm que ver com a AT Designs e nem qualquer ligação a Nathan. Com efeito, ela ainda nem sequer o conheceu, e uma parte de mim interroga-se se os terei mantido à distância, ainda que subliminarmente, de modo a poder dizer o que sinto sem ser julgada, ou correr o risco de alguma coisa lhe ir parar aos ouvidos.

— Discutiram porquê? — pergunta ela.

Olho instintivamente para as mesas à nossa volta, à procura de alguém que conheça. Não que fosse capaz de ouvir-nos no meio da algazarra da festa de aniversário, que começa, graças sejam dadas, a dispersar. Há limites para o que se pode expetavelmente suportar de «Zac» e seus excitáveis amigos, especialmente na rara ocasião em que nós próprios estamos livres de crianças.

— Simplesmente o mesmo de sempre — respondo, sem lhe dar importância.

Ela inclina-se para a frente. — Como o quê?

— Quanto a eu ir para fora — digo. — É a única coisa com que discutimos, e de cada vez que tento explicar-me, acho que ele entende, só para o monstro aparecer de novo uns meses mais tarde.

Ela faz uma careta, confusa. — Onde é que tu vais?

— Não vou, é essa a questão. — Já não quero ter esta conversa, pois estou certa de que quando ela ouvir o meu lado, achará simplesmente que sou tão maluca como Nathan acha.

— Não estou a entender — diz ela, meio a rir. — É o facto de tu *não* ires que causa o problema?

Concordo. — Ele quer que eu vá ao Japão, se conseguirmos este grande projeto a que nos abalançámos, mas eu não saio de casa sem as miúdas desde...

Falta-me a voz, e ela inclina-se sobre a mesa para pousar a mão na minha.

— É uma coisa estranha e complicada, mas simplesmente não me consigo levar a fazê-lo. De cada vez que penso nisso, fico paralisada de medo.

— Isso é compreensível — diz ela apaziguadoramente. — Perder o Tom daquela maneira foi um choque tão grande... que imagino que nada seja de novo igual no teu mundo. O que é que te deixa mais em pânico? A ideia de alguma coisa lhes acontecer a *elas* enquanto estás fora? Ou a possibilidade de alguma coisa te acontecer a *ti*?

— A elas. A mim. As duas. — Abano a cabeça. — Não sei. — Sinto as lágrimas virem-me aos olhos e pestanejo para dissipá-las. — Desculpa, é só que...

— Não tens de pedir desculpa, Alice — diz ela.

— Simplesmente não me sinto confortável a deixá-las — digo. — O Tom saiu um dia e nunca mais voltou. Eu não estava com ele quando morreu e nunca me perdoarei por não ter sido capaz de salvá-lo. Se tivéssemos estado juntos, ele ainda aqui estaria, e é isso que não me sai da cabeça sempre que estou longe das miúdas. Como posso eu salvá-las se não estiver com elas? Requer todas as minhas forças deixá-las na escola todos os dias. Mas o Nathan não percebe. Ele acha que eu deveria abraçar a oportunidade de viajar, e agora, que há uma hipótese de conseguirmos este projeto, dá a sensação de que eu estarei ainda sob mais pressão.

— Tu *queres* o projeto? — pergunta ela.

— Na maior parte dos dias quero-o mais do que tudo — digo sinceramente. — Está na calha há meses e será um empreendimento enorme para nós. Mas nos dias de permeio, entro em pânico — quanto ao stress a que me sujeitará e ao facto de poder ser forçada a deixar as miúdas.

— Eu percebo isso, mas quanto mais tempo te preocupares com o que lhes *poderá* acontecer, menos tempo tens para te divertires e viveres a melhor vida possível que te é dado viver.

Ela parece Nathan a falar.

— Tu, mais do que a maioria, sabes quão curta a vida é.

Assinto. — Contudo, ironicamente, isso faz-me temê-la ainda mais.

— Olha à tua volta — diz ela. — Tens tudo. Um marido que claramente te adora, duas filhas lindas, uma casa deslumbrante, dinheiro no banco.

Fungo e tento esboçar um sorriso.

— E não só isso, mas és uma talentosa *designer* de interiores que está, bate na madeira, de boa saúde.

Levo uma mão ao alto da cabeça. — Queira-o Deus.

Ela faz o mesmo levando o copo aos lábios.

— Desculpa, não é minha intenção estar neura — digo, refreando-me de acrescentar «ou soar ingrata», sabendo que isso é seguramente o que ela pensa de mim. Olho para ela e castigo-me por lastimar a vida fantástica que levo quando a dela é uma luta diária.

— Desculpa-me por divagar — digo. — Como vão as coisas contigo?

— Não vão mal — diz ela tristemente. — Ontem tive uma conversa interessante com a Millie.

— Oh?

— Pois, ela perguntou-me pelo pai.

Olho para ela por sobre o rebordo do meu copo, tentando decifrar a sua expressão. Os seus músculos faciais contraem-se e vejo-lhe um tremor debaixo de um olho. Falar a respeito do seu ex é sempre uma questão espinhosa e eu já a conheço suficientemente bem para avaliar se ela está a fim de falar dele ou não.

Tal como todas nós, Beth convencera-se de que saberia se a sua cara-metade andasse a pôr o pé em ramo verde. Numa das nossas muitas saídas

à noite, a minha bravura realçada por três copos de *rosé*, eu perguntara:
— Não houve nada em ti que ouvisse campainhas de alarme ou visse os sinais?

— Nada — dissera ela. — Eu estava de tal modo em negação, ou irracionalmente confiante, seja qual for a forma de olhar a coisa, que não fazia ideia.

— Então quando é que ele viu a Millie pela última vez?

— Não viu — disse ela, com a fala ligeiramente empastada, ou porventura eu teria os ouvidos toldados pelo rubor. — Ele deixou-me quando eu estava grávida e nunca mais o vimos.

— Ele nunca conheceu a Millie? — perguntara eu incredulamente, o meu cérebro incapaz de processar como podia um pai fazer isso. Como pode a vida ser tão injusta? Como pode ela dar aos homens filhos que eles não querem, e contudo arrebatar os pais de que outras crianças tão desesperadamente precisam?

Ela abanou a cabeça, com o lábio superior a tremer. — Como pôde ele fazer-mo, Alice? — reclamou. — Eu dei-lhe tudo.

Caí para trás na cadeira, sentindo-me súbita e inexplicavelmente atraída para a minha amiga. Aqui estava alguém capaz de fazer uma ideia do que é a pessoa que se ama, o homem com quem tanta coisa se partilhou, desaparecer da sua vida. Ela sabia qual era a sensação de nos puxarem o tapete debaixo dos pés, lançando-nos pelo ar e fazendo-nos interrogarmo-nos se alguma vez aterraremos de novo.

Eu poderia ter argumentado que pelo menos o companheiro dela está vivo, ao passo que o meu está morto, mas quando tentei pôr-me no seu lugar, quase me senti grata por estar no meu. Não poderia suportar a ideia de que o Tom tivesse *escolhido* deixar a minha vida e a da nossa filha. Não lhe fora dada escolha — a nenhum de nós.

— Como… como é que descobriste que ele andava com outra? — gaguejara eu, incapaz de me concentrar no que ela estava a contar-me.

— Por puro acaso. Ausentara-me e voltara mais cedo do que era esperado e lá estavam eles.

Uma mão voou-me para a boca. — Oh, meu Deus.

— Pois, tão… — Ela olhara através do restaurante com os olhos enchendo-se de lágrimas.

Eu inclinara-me sobre a mesa e pousara a mão na dela. — Não posso sequer imaginar… Ele ainda está com a mulher…? — Quase acrescentara «pela qual te deixou», mas teria sido demasiado doloroso.

Sentindo a minha agonia, acabara ela a frase por mim.

— Não faço a mínima ideia — dissera causticamente. — Imagino que estejam a brincar às famílias felizes algures. Bem, ela obteve o que queria, não foi?

Eu afastara-me, olhando-a interrogadoramente. — Parece que estás a culpá-la a *ela*. Mas é provável que ela nem sequer soubesse que tu existias.

— Claro que sabia — cuspira Beth. — Sabes quando o homem com quem estás deveria supostamente estar com outra pessoa.

Eu quisera argumentar, mas percebi pelas suas feições endurecidas que não seria discussão que eu fosse ganhar.

Quando uma lágrima lhe caíra na cara mudara-me para o seu lado da mesa, abraçando-a e gentilmente arredando-lhe o cabelo castanho-arruivado da cara molhada. — Como pôde ele fazê-lo, Alice? Como pude eu não saber o que se passava?

— Como haveria qualquer uma de nós saber? — oferecera eu tranquilizadoramente, conquanto um *eu saberia* me ressoasse sonoramente na cabeça.

— Nunca te preocupas que o Nathan possa pôr o pé em ramo verde? — perguntara ela, como se lendo-me o pensamento.

Eu abanara a cabeça. — Não está no meu radar. Já me aconteceu pior, de modo que quando ele chega tarde a casa, preocupo-me mais com a sua segurança do que com quem poderá andar a dormir.

— Eu não me preocuparia com isso — disse ela com voz empastelada. — Nem pensar que Nathan alguma vez te traísse. Quero dizer, olha só para ti, por Deus. Estaria louco.

Eu baixara os olhos para as minhas pernas esguias, dentro de umas calças justas de ganga escura, e sacudira migalhas imaginárias do peito, recortado pelo profundo decote de uma *t-shirt* branca. Faço o possível por me manter em forma, mas a minha força de vontade nem sempre é o que deveria. Deus *deve* ser um homem, pois mulher alguma seria cruel a ponto de fazer chocolate, biscoitos e batatas fritas saberem tão malditamente bem.

— De modo que tomei uma decisão — diz Beth, trazendo-me de volta ao aqui e agora.

— Oh — murmuro.

— Vou dar com ele — diz abruptamente.

— Porquê? — pergunto. — Tens-te saído bem sem ele até agora, o que foi que mudou?

— É que agora tem a ver com a Millie — diz ela. — Eu sempre soube que este dia chegaria… apenas tinha esperança de que não fosse tão cedo. Mas prometi a mim mesma que assim que ela começasse a fazer perguntas a respeito dele, e começasse a aperceber-se de que é diferente dos outros miúdos, eu lhe contaria.

— Mas ela ainda é pequena. Não será demasiado para ela saber e entender de momento? Haverá tempo de sobra para ela dar com ele, se quiser fazê-lo.

— Não era a altura certa antes — alega —, mas sinto que é agora.

Olho para ela, bem a direito nos olhos. — Para ti ou para a Millie?

Ela eriça-se. — Para a Millie, claro.

— Precisas de pensar muito cuidadosamente no impacto que isto terá nela. Assim que abrires a caixa de Pandora, os demónios sairão à solta. Precisarás de estar pronta e preparada para isso.

— E estou — diz ela confiante.

— Então, o que vais tu dizer-lhe quando ela perguntar porque é que o pai vos deixou? Quando ela descobrir que ele nem tempo suficiente ficou para a conhecer?

O rosto de Beth está a ensombrar-se, a sua fúria e frustração quase à superfície.

— Desculpa se pareço dura — digo, com a mão na dela —, mas estou apenas a fazer de advogada do diabo. Quero assegurar-me de que sabes o que podes estar a chamar a ti.

Ela sorri pesarosamente. — Cresci sem pai, e não passa um dia em que não sinta a falta dele e me interrogue como poderia ter sido. Criança alguma deveria ter de passar por isso.

Apenas tenho de imaginar o rosto de Sophia, nos dias em que sente a falta de Tom ainda mais do que de costume, para fazer uma ideia da tristeza que ela carrega consigo para todo o lado onde vai. Os meus olhos tombam sobre a mesa, com medo de desatar aos soluços ante a injustiça que elas duas sofreram. Se pudesse tirar a dor de Beth fá-lo-ia. Mas, como não posso, o melhor que tenho a fazer é apoiá-la na sua missão.

— Porque não vemos se conseguimos dar com ele primeiro? — digo.

— Vemos? — repete ela, de olhos arregalados.

— Farei tudo o que puder para te ajudar — prometo. — Mas nada há a ganhar em contar à Millie nesta altura. Se lhe disseres que andas à procura, e ele não quiser ser encontrado, apenas levará a mais dores de cabeça.

Ela rumina. — Provavelmente tens razão. Farei uma discreta busca, a ver se conseguirei encontrar quaisquer rastos que possam conduzir na sua direção.

— E se eu puder fazer alguma coisa para ajudar, diz-me.

— Pode ser que te cobre isso. — Ela ri-se.

Como de costume, discutimos quanto à conta, mas por mais que eu genuinamente queira pagar por ela, estou ciente de que a linha entre ser generoso e condescendente é ténue. Apenas concordo em que paguemos metade cada uma se ela me prometer deixar pagar para a próxima.

— Então, quando saberás tu do projeto no Japão? — pergunta quando chegamos ao carro.

— Na segunda-feira, espero — digo, fazendo figas. — Assim que fizerem os contratos de permuta.

— Eu aqui estarei a torcer por vocês — assegura.

— Obrigada por me ouvires — profiro, inclinando-me para lhe dar um beijo na face. — Estou certa de que tudo correrá pelo melhor.

Ela abraça-me com força e eu sinto-me a ponto de chorar. — Boa sorte — diz ela. — Mantém-me a par.

— Boa sorte para ti também — digo eu, e ambas sabemos o que eu quero dizer.

6

— Então, como vai ser? — pergunta Lottie abertamente, quando nos sentamos na nossa reunião de equipa na manhã seguinte. — Estando nós tão longe do local.

— *Okay* — diz Nathan, olhando para mim à espera do sinal verde para revelar o que nós discutimos. Esboço um pequeno assentimento. — Bem, assim que estivermos em pleno andamento, pensamos que a Alice ficará aqui, a superintender o projeto do Reino Unido. E eu estarei lá, assegurando-me de que tudo é recebido e em ordem.

— Então, não vai mesmo lá? — diz Lottie incrédula, olhando para mim.

Mantenho-me focada nos desenhos ao acaso no meu bloco-notas. Dizem que muito se pode determinar de uma pessoa pelos seus rabiscos e pergunto-me que conclusão seria retirada dos cubos e estrelas espalhados pelo papel diante de mim.

— Não, a Alice estará sediada aqui — diz Nathan. — Mas isso significa que eu irei precisar de ajuda no Japão. Lottie, talvez fosse algo que considerasses fazer.

Fora sugestão *minha*, uma forma de me libertar, mas Nathan concordara prontamente. Se sentia que eu manipulara a situação, não o disse.

— A sério? — diz Lottie entupida, com voz esganiçada. — Oh, meu Deus, a sério?

Ele sorri. — Sim, a sério. O que dizes?

Escolho afugentar a desconfortável sensação que me revolve o estômago, fingindo que são apenas nervos quanto ao projeto. Mas por mais que tente disfarçá-lo, o monstro de olhos verdes recusa-se a ser silenciado. Queria ser *eu* a pôr tudo em marcha, ser a primeira a ver o resultado final.

E podias, diz a voz na minha cabeça. *Se fosses suficientemente corajosa.*

— Seria uma oportunidade realmente maravilhosa para ti, Lottie — digo, com um sorriso estampado no rosto. — E nós confiamos que o farás com desenvoltura.

— Não posso crer — diz ela. — Claro, sim, sim, sim. — Salta instintivamente da cadeira e lança os braços à volta de Nathan. — Obrigada, não os deixarei ficar mal.

O cabelo louro de Lottie meneia de um lado para o outro quando ela se dirige a mim, e eu levanto-me da cadeira, pronta a acolher a sua gratidão. — Não sei o que mais dizer além de obrigada — diz ela, rodeando-me com os braços.

— Bem, ainda não conseguimos o projeto — digo eu, aparentemente consciente de que não devíamos pôr a carroça à frente dos bois. Mas a modos que me pergunto se o terei dito apenas para lhe estragar a festa.

— A que propósito é que tens o carro do pai? — guincha Olivia ao pular para o lugar da frente do passageiro no *BMW* de Nathan, mais tarde, quando a apanho na escola. — Ele está em casa?

— O meu está na oficina, e não, não está — digo.

— Oh, quando é que vai voltar? Vou vê-lo antes de ir para a cama?

— Não me parece, queridinha, ele está no golfe e depois vai jantar fora.

— Mas ele está sempre fora — geme ela.

Pergunto-me porque achará ela isso. Eu não acho, mas pode ser que a perceção do tempo seja drasticamente diferente para nós as duas. Uma hora para mim deve ser um dia para ela, e uma semana parecer-lhe-á um mês. É assim que me lembro de sentir-me relativamente ao meu pai, em miúda. Ele muito raramente saía, mas numa ou noutra ocasião em que ia ao *pub*, direto da obra, à sexta-feira, com o bojudo envelope com o salário no bolso, parecia uma eternidade até o ver de novo no sábado de manhã.

— Vê-lo-ás amanhã, prometo. — É fim de semana.

— Ena — diz ela, ocupada com o cinto de segurança, sem querer largar o frasco de compota com a colorida lagarta pela qual a escola nos pediu que olhássemos cuidadosamente enquanto se metamorfoseia numa crisálida.

— Esquece, minha menina, não vais aí. Lá para trás.

— Mas o papá deixa-me — lamuria-se ela ao apear-se desajeitadamente, deixando cair a esfomeada lagarta no abismo do degrau.

— Livvy — guincho eu. — Tem cuidado.

— Uuups! — ri-se.

— Bem, não deveria — digo eu. — Não te é permitido.

A tampa saltou do frasco e o peludo inseto semelhante a uma lesma está ameaçadoramente perto de espreitar cá para fora. Dobro-me sob o assento, apalpando freneticamente à procura da tampa.

— Mas porque não? — continua ela.

Toco às cegas num objeto afiado e retiro instintivamente a mão, ainda longe de localizar a tampa. Avanço de novo, a medo, sem saber o que ali está ou onde se encontra o objeto afiado. Lembro-me da minha tia Val, que tinha um ataque de pânico sempre que precisava de pôr uma carta no marco de correio. Não suportava meter a mão lá dentro, não fosse alguma coisa sair de lá e puxá-la. Chegara ao ponto de me pagar vinte centavos para eu lhe meter as cartas no correio por ela. Na minha infinita inocência eu dirigia-me ousadamente para o marco encarnado, punha-me em bicos de pés e espreitava pela ranhura, perguntando se estava alguém lá dentro. O que acontece connosco de lá para cá, pergunto-me, enquanto estendo cautelosamente a mão por baixo do banco. Chego ao objeto de um ângulo diferente e sou capaz de agarrá-lo e trazê-lo à luz. Não distingo o que é a princípio e sustenho-o à altura do para-brisas. Pestanejo repetidamente, como que para clarear a visão, mas não há como tomar o brinco de cristal em forma de pera por outra coisa.

— Mamã — guincha a Olivia —, está a rastejar para fora.

— Oh, meu Deus. Livvy, vê se encontras a tampa.

— Porque não me posso sentar à frente?

— Porque não te é permitido.

— Mas o papá deixa-me.

— Livvy, procura a tampa.

— O que acontece se ela vier cá para fora?

— Vai para o banco de trás.

— O papá vai meter-se em sarilhos?

Olho de novo para o brinco. *Oh, sim,* penso de mim para mim.

— Por me deixar sentar à frente.

— A lagarta está a sair.

— Procura a tampa, mamã.

— Sim, porque é contra a lei alguém tão pequeno ir sentado à frente.

— Estou a vê-la. A tampa está aqui atrás.

Quero continuar com isto. Quero continuar com esta nossa diatribe eternamente, pois quanto mais tempo se prolongar, mais tempo terá o brinco para se transformar num dos meus. Quero tanto que seja meu.

7

Sophia já está em casa quando chegamos, e assim que instalo Olivia com o seu trabalho de casa, subo a escada até ao quarto da minha filha mais velha. Sento-me na cama e observo-a a escovar o seu longo cabelo. Por Deus, está igual ao Tom. De vez em quando apanho-a em determinado ângulo, ou vejo-a fazer a mesmíssima expressão que ele fazia. Ela não sabe que a faz, claro, e se eu lhe pedisse que a fizesse outra vez ela não seria capaz, mas apenas nesses fugazes momentos, posso vê-lo tão claramente. E não quero perdê-lo. Fecho os olhos com toda a força para tentar agarrar-me a ele.

Era o que eu costumava fazer nos meses depois de Tom desaparecer — vergonhosamente intentar que Sophia se metamorfoseasse nele. A minha mente iludira-se a pensar que se eu simplesmente conseguisse trazer Tom de volta, de bom grado sacrificaria todos e tudo o mais. Era um pensamento insano, mas isso é o que acontece quando se é momentaneamente acometido de insanidade. Como melhor explicar que eu pudesse honestamente acreditar que perder a minha filha seria de alguma forma mais fácil de suportar do que perder o meu marido? Deus é capaz de me ter ouvido e decidido pôr à prova a minha alucinada teoria, porque algum tempo depois perdi-a *mesmo*.

Algures entre uma aparentemente normal tarde de quarta-feira e uma lúgubre quinta de manhã, o mundo que eu mantivera precariamente a girar num dedo desmoronou-se. Olhando para trás, os sinais de aviso estavam todos lá; eu não conseguia dormir, preferindo afundar-me no inferno sem fim de estar acordada. Estava incapaz de levar a cabo até a mais mundana das tarefas — certa vez confundi uma banana com um pepino ao fazer sanduíches de atum para o almoço de Sophia na escola. A minha mãe jamais se perdoou por não ver o que estava escondido à vista de todos, mas como podia ela, quando nem eu própria o vi?

O interruptor que provocou o curto-circuito em mim veio na forma de um *cappuccino* mal feito numa cafetaria. Não que houvesse alguma coisa necessariamente errada com ele, apenas tinha raspas de chocolate, o que eu julgava ter expressamente dito não querer. Um engano fácil de cometer, seria de pensar, mas para mim foi a gota de água que fez transbordar o copo.

Quando o desafortunado empregado mo estendeu, senti algo dentro de mim dar horrivelmente para o torto, como se o sangue me estivesse a jorrar do corpo aos borbotões. Tudo o que eu queria era um *cappuccino* sem raspas de chocolate, mas até isso parecia uma tarefa intransponível. Não era eu digna sequer de um café? Odiavam-me os poderes instalados de tal modo que eu nem sequer podia beber o que queria?

Senti-me como se me estivesse a afogar, incapaz de manter a cabeça à tona, enquanto toda a gente à minha volta fingia não ver o pânico avassalador que me paralisara. As paredes deram de si e o chão elevou-se ao encontro do teto, deixando-me encurralada num compartimento sem janelas apenas com os meus venenosos pensamentos a insultarem-me. *Porque não morres simplesmente?*, disse de mim para mim. *De que serve viver? Ninguém sentiria a tua falta. Nem és capaz de pedir um café...*

Depois de fosse lá o que estava a acontecer ter acontecido, dei comigo sentada sob o balcão, encharcada de café, abraçando com força os joelhos contra o peito para impedir o meu corpo de tremer. Lembro-me vagamente de um fulgor de luzes azuis, se da polícia ou de uma ambulância, não me recordo. Claramente precisava de ambas.

Ver a minha mãe no hospital, o seu rosto marcado de dor, não me convenceu ainda assim de que tinha uma vida digna de ser vivida. — Não te preocupes com a Sophia — disse ela pegando-me na mão, levando-a aos lábios e beijando-a. — Está em casa comigo. — Eu nem pensara nela duas vezes, o meu cérebro estava vazio, estéril de emoções.

Fiquei na unidade psiquiátrica durante oito semanas e só no vigésimo primeiro dia é que perguntei se podiam trazer a Sophia para me visitar. «Vamos ver como estará amanhã», disse o médico, sorrindo gentilmente, que eu traduzi por *Não, até termos a certeza absoluta de que não a assustará.*

Três dias mais tarde o meu bom comportamento foi recompensado com uma visita. A minha nervosa mãe trazia Sophia pela mão na minha direção, o seu rosto um complicado misto de medo e adoração.

Mal *eu* sorri, *ela* sorriu e correu para mim de braços abertos. Uma vaga de amor inundou-me quando a abracei, os meus devastados pensamentos interrogando-se como pudera eu arriscar-me a perdê-la. E contudo, ao mesmo tempo, perguntei a mim mesma como é que poderia sequer olhar por ela de novo. Não me sentia suficientemente responsável para me manter a *mim* fora de perigo, quanto mais a *ela*.

Mas a cada dia que passava ganhava forças, e quando finalmente regressei a casa comecei a pensar no quanto Sophia precisava de mim, e não em quão melhor ela estaria sem mim. Eu certamente sabia que precisava *dela*, mas não fui suficientemente corajosa para fazê-lo sozinha, pelo que a minha mãe veio viver connosco — uma constante mas necessária presença.

Sob o seu olhar vigilante aprendi a ser mãe mais uma vez, o que era emocionante e aterrorizador em igual medida. Cada passo dava a sensação de ser um salto no desconhecido, mas lentamente conseguimos chegar ao outro lado.

Olhando para Sophia agora, todos estes anos depois, estremeço só de pensar em como quase a perdi. — Como te correu o último exame? — pergunto lacrimosa.

Ela lança-me uma brevíssima olhadela — só para se certificar de que estou bem — antes de encolher os ombros. Está habituada a ver-me chorar. — Bem, acho eu.

— Não podes adiantar mais nada? — inquiro. — Achas que estiveste bem? Que perguntas saíram?

Os olhos dela estão tristes quando olha para mim e eu chego-me mais a ela, pousando-lhe a mão no joelho.

— O que se passa? — interrogo. — Já estás livre. Nada de mais exames até ao ano que vem. — Olho entusiasmada para ela. — Deve ser uma sensação ótima, hein? Tens a tua liberdade de volta.

Ela desvia-se e rola para o outro lado da cama. — Acho que sim.

— Sophia, o que se passa contigo? — pergunto gentilmente. — Não tens sido tu ultimamente.

— Espanta-me que tenhas dado por isso — diz ela.

O meu instinto natural é recolher-me, mas sei que ela não tem intenção de soar tão cáustica como por vezes acontece. Sabe Deus, muitas vezes tem havido em que as suas palavras me magoaram mais; a sua sensação de abandono não tendo limites, já que primeiro o pai e depois a mãe a tinham deixado. Não é de admirar que ela esteja sempre a certificar-se de que ainda aqui estou, literal e figuradamente.

— Ei, o que se passa? — Levanto-me, contorno a cama até ela e puxo-a para mim. Ela pouco faz para resistir. — Eu dou *sempre* por isso — digo, soprando-lhe no cabelo. — Estes exames têm-te deixado em baixo?

Ela assente mudamente.

— Mas agora já terminaram, acabou-se a pressão.

— Mas, e se eu não passar? — diz ela, faltando-lhe a voz. — O que acontecerá então?

— Tu és uma rapariga inteligente. Vais ficar bem.

— E se não ficar? — Um soluço prende-se-lhe na garganta.

Um peso recai sobre mim como se ela carregasse o mundo nos ombros. — Deixa de te preocupar — digo. — No pior dos cenários, chumbas a tudo.

— Mas então não passarei para o sexto ano — grita ela.

— Se isso acontecer, havemos de descortinar alguma coisa — digo tranquilizadoramente. — Agora deixa de te preocupar. A escola acabou, estão aí as férias de verão, por isso vai divertir-te.

Ela enxota-me e cai na cama, pegando no telemóvel.

— Tenho boas notícias — digo eu, levando a mão ao bolso das calças de ganga. — Tatá! Aposto que pensavas que tinhas perdido isto. — Sustenho o brinco no ar.

Ela espreita por sobre a corda de salvação que tem nas mãos. — Não é meu — diz, e a esperança a que eu me tinha agarrado, intentando acreditar, é esmagada em mil pedacinhos.

— Não é? Tens a certeza?

— Absoluta. Porquê? Onde é que o encontraste?

Não sei se deva dizer-lhe. Será o cérebro dela ainda tão inocente como o de Olivia? Ou terá sido violado pelo diabo na internet e os *trolls* nas redes sociais? Odiaria que ela somasse dois e dois e chegasse a cinco.

Arrisco. — Pensei que era teu, estava no carro do Nathan.

Rio-me com ligeireza, atenta a não lhe transmitir as minhas suspeitas. Mesmo no meio da sua tempestuosa adolescência, Nathan ainda é o seu herói e partir-lhe-ia o coração, logo depois de ter partido o meu, se ele andasse a laurear com alguém.

Ela para de teclar no telemóvel e levanta os olhos para mim de sobrolho franzido. — No carro do Nathan?

Posso ver o cérebro dela a mil. A sua expressão diz-me que ela chegou à conclusão errada da equação e lamento imediatamente ter-lhe contado.

— Bem, então deve ser teu — diz.

— Pode ser que seja de uma das tuas amigas? — pergunto. — Poderá ser da Hannah?

Uma expressão de reconhecimento perpassa-lhe pelas feições. — Ah, sim, deve ser isso. — Não sei se está a convencer-se a si própria ou a mim.

— Poderá o Nathan tê-la levado a casa? Ter-lhe dado uma boleia?

Ela assente. — Acho que ele a levou depois da festa da Megan. — Dá a sensação de que se está a agarrar às mesmas réstias de esperança que eu. — E não foi ele que levou a Lizzy a casa daqui, na outra noite? — acrescenta.

— Nada de preocupações — digo, por demais casualmente. — Pergunta-lhes quando voltares a vê-las.

O que eu realmente quero dizer é, *Podes ligar às duas, já, a fim de encerrarmos isto e para que eu possa dormir bem esta noite?*

Como era de esperar, permaneço acordada, à espera de que Nathan volte para casa do seu jogo semanal de golfe, que é invariavelmente seguido por ainda mais tempo nos copos, no bar. Corri mentalmente todas as possibilidades e uma dor de cabeça batuca-me nas têmporas. Do meu ponto de vista, apenas há duas opções verosímeis. Bem, apenas duas opções com que me contentaria. Ou o brinco pertence a uma das amigas de Sophia, ou foi deixado cair por alguém do pessoal no estacionamento assistido, quando Nathan deixou o carro no aeroporto. É um tudo-nada rebuscado, mas é possível.

Vejo o relógio na minha mesa de cabeceira passar para as 22:46 e estalo a língua de frustração antes de me virar para o outro lado, na esperança de que não ver o escoar do tempo me ajude a dormir. Forço-me a pensar noutra coisa qualquer e foco-me na reunião de equipa desse dia. Tinha corrido bem, pelo que me era dado perceber. Pareciam todos plenamente empenhados no Japão, caso conseguíssemos o projeto, e entusiasmados genuinamente quanto às oportunidades que ele poderia trazer.

O meu pensamento vai para Lottie, e em como reagiu à notícia de que iria ela para o Japão. Nathan abraçara-a constrangido, como se ela fosse a filha adolescente de um amigo. Um homem em guarda, preocupado com o que é considerado apropriado e o que não é. Até à data, fora assim que eu vira Lottie — uma jovem amiga da família, uma aprendiza desejosa de agradar que me dera gozo orientar. Mas agora, aqui deitada, visualizando o seu corpo comprimido contra o de Nathan, recordo-me de que ela é uma jovem mulher de 22 anos, com o tipo de estrutura que eu sempre invejei: pequena e estreita de ombros, a sua blusa parece assentar na perfeição no tronco magro, sem verdadeira distinção entre a cintura e as ancas. Uma figurinha impecável, que me faz sentir um gigantesco trambolho.

Alto, reclamo comigo própria. Acho a Lottie o máximo, e para todos os efeitos, o estilo dela não é simplesmente o meu. Mas então lembro-me do olhar que ela lançou a Nathan, o olhar com que ele a brindou — como se partilhassem um segredo.

Grito de exasperação contra a almofada. Como é que o meu cérebro transformou algo que eu sei ser perfeitamente inocente num culposo pacto de amor, só porque encontrei um brinco no carro do meu marido? Isto é ridículo — de que serve estar aqui deitada no escuro, com cada cenário passando-me pelo cérebro, cada vez mais exagerado à medida que os minutos passam?

Acendo o candeeiro da mesa de cabeceira e procuro o brinco na gaveta, trazendo-o à luz para o examinar ainda com mais atenção do que já fiz. Quem usaria uma coisa destas? Não é verdadeiro, disso tenho a certeza, pelo que deve ter sido usado como bijuteria. Um pequeno lampejo de brilho para iluminar uma *toilette* sem graça, talvez? Ou a *pièce de résistance* com um simples vestido de noite, elegante e discreto? Imagino duas mulheres muito diferentes, de cada lado do espectro social. Isto não está a ajudar. Balanço as pernas para fora da cama e estendo a mão para o robe, na cadeira ao meu lado. Talvez uma chávena de chá seja aquilo de que estou a precisar.

Dou comigo a perguntar-me, enquanto espero que a água ferva na chaleira, se não haverá um comprimido que possa temporariamente livrar o cérebro dos seus pensamentos. Não de preciosas recordações ou do entusiasmado otimismo pelo futuro, mas dos pensamentos tóxicos, aqueles que nos envenenam a mente e nos transformam em temperamentais e desconfiadas versões de nós mesmos. Mas então lembro-me de que esse remédio já eu estou a tomar — os dois minúsculos comprimidos que engulo todas as noites, mesmo antes de me deitar, destinam-se a suavizar os meus pensamentos e sentimentos, proteger-me da escuridão. Então porque não estão a funcionar agora?

Costumava fiar-me neles para aguentar o dia, para que pudesse acordar todas as manhãs sem aquele peso no peito a prender-me à cama. Ao longo dos anos, o que parecia um pedregulho fora gradualmente substituído por uma pedra, e a pedra acabara por dar mais a sensação de ser um seixo. Tinha sido um grande motivo de celebração quando eu me declarara livre de intervenção médica há dezoito meses.

Fora libertador ver-me livre da névoa embaçada em que vivera, depois de anos a sentir-me letárgica, com um cérebro cheio de algodão. Porque era essa a sensação com os antidepressivos; podia não ter sentido os baixos, mas as minhas terminações nervosas estavam tão entorpecidas que também não experimentava os altos — limitara-me a existir no meio de uma longa estrada, sem qualquer cor de cada lado, só cinzento à minha volta.

— Lembro-me de um tempo em que não poderias ter feito isto — sussurrara-me Nathan numa festa há umas semanas. — Não te posso dizer quão orgulhoso estou de ti… de quão longe chegaste.

Razão por que, provavelmente, ainda não tivera ânimo para lhe dizer que voltara aos comprimidos. Não sei se aguentaria a expressão de desapontamento nos seus olhos. Estou apenas com uma dosagem mínima — bem que podem ser placebos. Mas preciso desse pequeno empurrão, uma muleta a que me apoiar. Vai fazer dez anos que Tom se foi e com o Japão e os exames da Sophia tudo parece estar a cair-me em cima outra vez.

Sento-me na cama com uma chávena de chá, com demasiado leite, na esperança de que ligue o meu botão de dormir. Tenho o portátil equilibrado no colo, eternamente a postos para me sequestrar os pensamentos e deixar-me superficialmente alerta. A contradição não me passa despercebida. Mas, ainda assim, não posso conter-me. Fito o ecrã em branco. Nem sequer sei por onde começar, e pergunto-me se não haverá um manual *online* sobre como descobrir se o nosso marido anda a enganar-nos. Rio-me cavamente de mim para mim — aposto que há. Os meus dedos pairam sobre as teclas. *Como sei se o meu marido está a ter um caso?* Sinto-me estúpida só de escrevê-lo e escudo os olhos do ecrã, como se fazê-lo significasse que não estou realmente interessada na resposta.

Isto é o que as *outras* mulheres fazem. Mulheres ressabiadas, que têm todas as razões para não confiar nos maridos. Eu não quero ser como elas. *Conheço* Nathan e sei que o nosso casamento é forte, imune aos problemas que afligem os casais mais fracos que nós.

Abro um olho e dou com um questionário com o mesmo título da minha busca, publicado por um jornal nacional. Leio vergonhosamente a primeira pergunta, nem que seja para me rir, digo de mim para mim.

> O seu marido vai ao ginásio:
> a) Todos os dias
> b) Dia sim, dia não
> c) Uma vez por semana
> d) Nunca

C, digo para mim própria. Se responder mentalmente, não estou realmente a fazê-lo.

> O seu marido quer sexo:
> a) Todos os dias
> b) Quatro vezes por semana
> c) Uma vez por semana
> d) Praticamente nunca

Sinto-me como quando era adolescente, quando verdadeiramente acreditava que a minha vida amorosa poderia ser corretamente vaticinada por um destes ridículos questionários, sem dúvida concebido por uma assistente de escritório não muito mais velha do que eu. Não posso crer que adultos ainda se fiem neles. Contra minha vontade, lanço casualmente um olhar à categoria *Maioria de C* e sinto-me levemente satisfeita por saber que o meu casamento é saudável, e que o meu marido não está definitivamente a ter um caso.

Vou para fechar o portátil quando dou com outra página, um fórum para mulheres que acreditam que estão a ser enganadas.

«Não posso censurá-lo. Estava sempre demasiado cansada para sexo», diz uma.

60

«Deixei-me andar e agora ele está com uma mulher que se parece comigo há dez anos. Deveria ter-me esforçado mais», diz outra.

Fico incrédula que da centena de *posts* de mulheres que pensam que os maridos estão a ter casos, praticamente nenhuma os censure. Leio uma mensagem de uma mulher chamada Sylvia que, como eu, encontrou uma peça de bijuteria que não era dela. Sinto uma espécie de camaradagem com ela quando tenta justificar a forma como um fio de prata com meio coração dele suspenso poderia ter ido parar ao bolso do fato do marido:

Sylvia: Pensei que podia ser da nossa filha, mas não me consigo lembrar de alguma vez lhe ter comprado uma coisa assim. Pode ser da *babysitter*, já que Paul muitas vezes lhe dá boleia para casa...

Anne: Não é de certeza seu?

Sylvia: Não, não é de certeza meu. Conquanto me lembre de ter uma coisa parecida quando era adolescente. Pergunto-me se poderia ser isso?

Giro distraidamente o anel na mão direita, o seu significado queimando-me lentamente o cérebro. Fito-o, como que chocada com a sua presença. Não sou eu tão culpada como o homem que estou a acusar? Este anel, que eu não largo quase há dez anos, consome-me imediatamente de culpa. Como posso eu ter a audácia de ser tão presunçosa? Denunciar o meu marido por uma transgressão imaginária, quando este tempo todo tenho usado o anel de outro homem. E recuso-me a tirá-lo, faça chuva ou faça sol.

Era de Tom, embrulhado e pronto a ser-me oferecido quando ele viesse da sua viagem de esqui. Só que ele nunca chegara a regressar a casa — em vez disso dei com ele quatro meses mais tarde quando finalmente encontrei forças para revistar as suas coisas. Estava no bolso interior do casaco de um fato, embrulhado com papel dourado e atado com um perfeito laço vermelho. Deixara-o intocado durante uns dias, pousando-o sobre a almofada dele, silenciosamente esperando que regressasse para que mo pudesse dar, como tencionava.

Quando finalmente reuni coragem para o abrir, no nosso décimo aniversário de casamento, pedi à minha mãe que ficasse com Sophia a passar lá a noite. Cozinhei *strogonoff* de vaca, o prato favorito de Tom, pus a mesa para dois, acendi uma vela e pus a tocar «Can't Help Falling in Love», do Elvis, a nossa primeira dança no nosso casamento. Se tentasse com toda a força podia vê-lo, sentado ali à minha frente, sorrindo.

— Que tal foi o teu dia? — dissera eu em voz alta, enquanto bebericava de um copo gelado de vinho branco. Dei-lhe tempo para responder.

— Queres ver o teu presente? — perguntei. Imaginei-o a assentir com a cabeça quando me levantei e me dirigi à lareira. Com um floreado, fingi tirar um lençol de sobre o quadro que estava orgulhosamente suspenso acima dela. — Tatá!

Pude ver o seu maravilhamento, sentir o seu júbilo quando levantou os olhos para a cena de Veneza, assombrado. Ele maravilhar-se-ia com a forma como as delicadas pinceladas traziam a mágica cidade lacustre à vida, ilustrando na perfeição as memórias da nossa lua de mel aí. Relembraríamos o passeio de gôndola que demos pelos canais, a exorbitantemente cara massa *arrabbiata* que comemos na Praça de S. Marcos, e o seu fascínio mórbido pela Ponte dos Suspiros. Mas, acima de tudo, ele elogiaria o meu engenho, por conhecê-lo sempre tão bem.

— Então, o que está dentro da caixa? — perguntara eu, levantando-a do lado dele da mesa para o meu. Os meus dedos fecharam-se sobre ela, sabendo que ele tinha sido a última pessoa antes de mim a tocar no papel lustroso e a atar o minúsculo laço. Se a levasse ao ouvido, quase poderia ouvir o bater do seu coração lá dentro.

Desembrulhei-a cuidadosamente, sabendo que até a fita-gomada que ele usara iria para a minha cada vez maior caixa de recordações. A antecipação do que estava lá dentro era quase palpável. Não queria levantar a tampa, de modo a poder saborear o momento para sempre.

— Oh, Tom, é lindo — arquejei, quando os diamantes no aro de platina cintilaram à luz da vela. Enfiara-o no dedo, votando jamais o tirar. — É a coisa mais perfeita que já vi.

E ainda é, apesar de outro, ainda mais brilhante, anel de noivado e aliança de casamento na minha mão esquerda. A admissão enche-me de remorsos.

Ainda estou sentada direita na cama quando oiço a porta da frente fechar-se e os sapatos de Nathan ao atravessar o *hall*, largando as chaves na taça sobre a consola. Apresso-me a fechar o portátil, desligo o candeeiro e deito-me no escuro, com o coração a bater com força. Não sei do que tenho medo. Acho que é da ideia de ser confrontada com a verdade.

Quatro cubos de gelo caem ruidosamente num copo da máquina de gelo embutida no frigorífico e imagino-o a dar uma vista de olhos ao correio que deixei encostado à jarra, na bancada da cozinha. Ele está pelo menos a dez minutos de vir cá para cima: precisará de verificar os *e-mails*, trancar todas as portas interiores, talvez ligar à amante a dar as boas-noites?

Escorraço o último pensamento da cabeça. Nathan *não pode* estar a ter um caso. Quando teria ele tempo? Se não está no escritório, está comigo e com as miúdas, e se não está connosco está fora em trabalho. O pobre homem mal tem um minuto para si próprio. *Contudo arranja quatro horas para o campo de golfe e jantar a seguir,* penso, o meu cérebro contradizendo-se. *E serão todas as suas reuniões de trabalho realmente reuniões de trabalho?*

Para!, grita o meu cérebro, no preciso instante em que Nathan entra no quarto.

Fecho os olhos com força quando ele pousa o copo na sua mesa de cabeceira e se dirige para a casa de banho, tendo o cuidado de acender apenas as luzes de parede mais ténues. Não posso deixar de me maravilhar com a sua consideração. Ralar-se-ia se amasse outra?

Desliza para dentro da cama diretamente para junto de mim, enroscando-se no meu corpo. Oiço a sua respiração no meu ouvido, cheiro o álcool no seu hálito. A sua mão estende-se, afagando-me. Contra minha vontade sinto uma contração entre as pernas, mas não vou corresponder.

Ele planta-me beijos ligeiros no pescoço e eu forço-me a permanecer imóvel. A sua mão viaja-me pela perna acima e abaixo, por sobre a curva do rabo, e eu arqueio as costas. Ele sabe que eu estou alerta a ele, o meu corpo deixando lamentavelmente a minha mente ficar mal. Murmuro, e ele vira-me gentilmente a cara para si. Eu viro-a novamente, mas os seus lábios estão no meu pescoço, a sua boca avançando para a minha.

— Estou cansada — digo ensonada, fingindo que ele me acordou.

— *Okay*, então fecha só os olhos… — começa ele, baixando a mão para o meu peito.

— Esta noite não — digo, rolando para longe dele.

— A sério? — pergunta, surpreendido com a recusa.

Ele e eu também. Não me consigo lembrar de alguma vez o ter rejeitado. Mas se ele julga que vai sair, fazer o que quer e ter-me como esposa subserviente quando chega a casa, está muito enganado.

8

Com outras coisas a ocuparem-me os pensamentos, esqueci-me completamente de que o meu carro ainda não viera da oficina, e só de manhã constato que não posso ir deixar Olivia em casa de Beth, como faço normalmente ao sábado.

— Há possibilidade de vires apanhar a Olivia aqui? — pergunto-lhe ao telefone.

— Humm, vai ser um bocado complicado — diz ela. — O Nathan está aí?

— Hã, sim — respondo, abstraída, interrogando-me se, e quando, irei ser suficientemente corajosa para lhe perguntar do brinco.

— Então, não podes pedir-lhe o carro emprestado para vires trazer a Olivia? — pergunta Beth.

— Acho que sim — replico, perguntando-me porque não pode ela vir apanhá-la, só por esta vez. — Por acaso posso ver se o Nathan a pode levar. Julgo que ele tem umas coisas para fazer esta manhã.

Há um silêncio abafado do outro lado da linha. — Deixa, não te preocupes — diz ela subitamente. — Eu vou apanhá-la, mas podes tê-la pronta para sair? Enviar-te-ei uma mensagem quando chegar à tua porta.

— Sim, claro. Está tudo bem?

— Sim, apenas estou a ficar muito atrasada e tenho mil e uma coisas para fazer.

— *Okay*, tudo bem se tens a certeza de que não te importas. Eu apanho-as depois da aula de balé e levo a Millie a casa.

— Obrigada — diz ela. — Isso seria ótimo.

Estou no corredor, a ajudar a Olivia a calçar os sapatos, quando soa a campainha da porta.

— Oh, meu Deus, deve ser a Beth — digo eu lutando com a fivela. — Depressa, vai buscar as sapatilhas. Estão no saco no quarto de arrumações.

Abro a porta de rompante e dou com uma sorridente mulher postada do outro lado, espreitando através da folhagem de um buquê de flores.

— É a senhora a afortunada? — pergunta ela.

Encolho os ombros com displicência, embora o meu cérebro trabalhe a mil tentando recordar a data de hoje e o seu possível significado. Ter-me-ei esquecido do nosso aniversário de casamento, ou do dia em que nos conhecemos? Habitualmente celebramos ambos.

— Acho que sim — respondo, estendendo as mãos.

— Atenção, são pesadas — diz ela. — Custaram umas boas libras.

Não preciso que ela me diga quão generoso foi o remetente. Isso é óbvio. — Obrigada — digo, tomando o peso nos braços.

Ela já está na carrinha a arrancar quando abro o cartão.

Para a minha querida Rachel
Desculpa, por favor perdoa-me.
Amo-te.
X

Releio o cartão um par de vezes, confusa, mas a mensagem é demasiado curta para que a tenha lido mal.

— Caramba, o que fizeste para merecer isto? — pergunta Sophia sonolenta a descer as escadas, esfregando os olhos. Apresso-me a enfiar o cartão no bolso das calças de ganga.

Brindo-a com um sorriso contido, os meus lábios firmemente fechados. — Não faço ideia.

No meu telemóvel chovem mensagens da Beth a dizer que está lá fora.

— Vai, vai, vai — digo para Olivia, que passa a correr por mim no *hall*, só para chegar à porta da frente e dar meia-volta para vir a correr dar-me um beijo.

— Até logo — diz. — Adoro-te.

— Oh, não precisavas de fazê-lo — zomba Nathan quando entro na cozinha, as flores bem pesadas nos meus braços. Observo-o atentamente a olhar para elas, à espera de um qualquer reconhecimento. — Acho que nem temos uma jarra suficientemente grande. Qual é a ocasião, afinal? De quem são?

Olho para ele, para Sophia, e de volta. Ela deve ver a expressão que estou a esforçar-me tanto por disfarçar, agarra numa banana do cacho já bastante maduro na taça e escapa-se da cozinha.

Resisto à tentação de preparar uma bebida forte, ainda que fosse capaz de matar pelo reforço de confiança que o álcool habitualmente me dá. Relutantemente, em vez disso encho a chaleira.

— Oh, a propósito — digo de ânimo leve, embora por dentro me sinta tudo menos isso. — Obrigada por me deixares usar o teu carro ontem.

Nathan levanta os olhos do seu *iPad* e aguarda que eu continue.

O brinco está a arder e a abrir-me um buraco no bolso. — Não estou certa do que é, mas encontrei lá isto. — Revolvo as calças de ganga e suspendo-o à sua frente.

Ele olha-o, perplexo. — Eu diria que é um brinco.

— Bem, sim, obrigada, mas de quem é?

Ele olha para mim e depois de volta para o brinco. — Não sei.

— Bem, quem é que esteve no teu carro? Talvez possamos reduzir por aí e chegar lá. — Estou consciente da crispação que se insinua na minha voz e faço um esforço maior para manter um tom neutro.

Ele abana a cabeça. — Desculpa. Não percebo bem o que estás a insinuar.

— Eu não estou a insinuar nada — digo. — Simplesmente gostava de devolver o brinco à sua legítima dona.

— Talvez seja da Sophia — diz ele.

— Não, já lhe perguntei.

— Bem, então provavelmente é de uma das suas amigas.

Observo o cérebro dele a disparar, tal como o meu tem estado nas últimas dezoito horas, sendo a única diferença que ele deve saber a resposta.

— Alguma delas esteve no teu carro? — pergunto.

Ele encolhe os ombros.

— Sabes o que deve ser? — diz de súbito. — Aposto que foi a empresa de estacionamento assistido no aeroporto.

Engraçado como as nossas mentes pensam da mesma maneira.

— Ouve-se dizer toda a espécie de loucuras que se passam com elas; alguns carros são levados para casa pelo pessoal para o fim de semana, ou ainda pior, são espatifados por algum empregado de 19 anos que julga ter mãos para um motor de três litros.

Assinto, não convencida.

— Então, de quem são *elas*? — pergunta ele, inclinando a cabeça na direção das flores.

— De ti, calculo — digo sem rodeios.

Ele sorri. — Se eu soubesse em que estado de espírito irias estar esta manhã, posso assegurar-te que as teria enviado para te pôr um sorriso na cara, mas infelizmente não sou adivinho. Pode ser que sejam do teu amante júnior.

Olho para ele, momentaneamente confusa.

— David Phillips. — Sorri. — Bolas, quantas possibilidades há?

Tiro o cartão da florista do bolso e atiro-o sobre a bancada, na sua direção.

— Quem é a Rachel? — pergunto, tensa.

Ele encolhe os ombros. — Não faço a mínima ideia. De onde veio isto?

— Deves achar que eu sou estúpida — sibilo.

— O que raio… — começa ele, quando lhe arranco o cartão das mãos.

— *Por favor perdoa-me* — mimetizo maliciosamente. — *Amo-te.*

Ele olha para mim como se eu fosse louca.

— O que fizeste tu de errado, Nathan? Porque precisas de pedir desculpas à Rachel?

— Isto é ridículo. O que diabo te mordeu?

— Não faças disto problema *meu* — digo, incapaz de impedir a minha voz de subir de tom. — Diz-me simplesmente o que se passa.

Ele faz na perfeição a cena de estar desconcertado e eu quase posso ouvir o seu cérebro a zumbir. — Não faço ideia de quem é a Rachel ou do que tu estás para aí a falar.

— Então, estas flores — pego nelas e atiro-as de volta, zangada — não têm absolutamente nada que ver contigo? É mesmo pouca sorte da tua parte terem inadvertidamente sido enviadas à tua mulher em vez de à tua amante. — Rio-me sarcasticamente. — Nem de propósito, pois não?

— Estás honestamente a falar a sério? — Ele tenta rir-se. — De onde vem tudo isto?

Deixo escapar um risinho irónico e abano a cabeça. — Então não fazes ideia para quem são ou de quem são?

— Não — acaba ele por dizer. — Mas se te faz sentir melhor eu ligo para a florista… veremos o que se passa.

— Então liga lá — respingo.

Sophia mete a cabeça a medo pela porta da cozinha e eu imediatamente me odeio por ceder às minhas inseguranças, sabendo que se manifestarão nela também. Ponho as minhas ansiedades de lado e resolvo apenas revelá-las quando ela não estiver presente.

— Vou à cidade com a Megan — diz ela baixinho.

— Queres que te deixe na estação? — pergunta Nathan. — Seja como for tenho de lavar o carro.

E inspecioná-lo à procura de mais peças de bijuteria?, digo de mim para mim.

— Podemos apanhar a Megan pelo caminho?

— Claro — diz ele, e Sophia brinda-o com um sorriso antes de voltar a subir as escadas.

Ocupo-me a limpar as bancadas. — Se eu não tiver o meu carro a tempo, preciso que vás buscar as miúdas ao balé e deixes a Millie em casa.

Ele geme. — Tenho mesmo de fazê-lo? Isso significa que vou ter de aguentar mais uma mãe pírulas da escola.

— É a Beth — digo eu. — Está muito longe de ser uma mãe pírulas. — Embora se ele soubesse a história da vida dela talvez discordasse. — É com ela que eu saio.

— Tu vê-la muito, não vês?

Assinto. — Damo-nos mesmo bem. Ela é a única mãe daquela escola que está remotamente no meu comprimento de onda.

— E contudo ainda não a conheço? — Ele formula-o como uma pergunta, e quando olho para ele, ergue as sobrancelhas como que à espera de uma resposta. — Pelo que me é dado saber, ela poderia ser uma figura completamente fictícia que tu inventaste para te encobrir.

— O quê? — digo, incrédula. — Queres acompanhar-nos numa das nossas noites de mulheres?

— Bem, como é que eu sei que é isso que realmente fazes? Podias fazer qualquer outra coisa. Certamente afirmas ver muito a «Beth». — Ele põe o nome dela entre aspas com os dedos.

Não posso deixar de me rir.

— Parece absurdo, certo? — diz ele.

— Completamente.

— Então imagina como *eu* me sinto quando atiras acusações ridículas à toa. Jamais me ocorreria que estivesses a fazer algo que não o que me dizes fazer. Confio em ti de todo o coração e pensei que confiasses em mim.

Baixo a cabeça, quase envergonhada pela forma como me portei. Não sou uma adolescente vulnerável numa relação tempestuosa. Sou uma mulher adulta que jamais questionou a lealdade de Nathan nos nove anos que levamos juntos. Portanto, porque sou tão rápida a fazê-lo agora?

— Desculpa — digo, dirigindo-me a ele e envolvendo-lhe o rosto nas mãos. — Não sei no que estava a pensar. O brinco, depois as flores...

Ele beija-me na testa. — Porque não tiras um tempinho para ti esta manhã? — diz, com uma expressão de genuína preocupação no rosto. — Faz umas respirações... senta-te e põe os pés ao alto?

Porventura seja disso exatamente que eu preciso. Como posso ter acreditado, por um segundo que fosse, que o Nathan me era infiel? Castigo-me por permitir que o meu cérebro baratinado de drogas — e, se for honesta, de álcool — pensasse o pior. Já tenho suficientes neuroses com que lidar, não me posso dar ao luxo de que a paranoia, criada pelos mesmíssimos venenos que tomo para me entorpecerem as terminações nervosas, me submerja. Que patética ironia.

— *Okay*, vamos, Sophia! — diz Nathan, levantando-se e levando a mão às chaves do carro sobre a bancada.

— Até logo, mamã — grita Sophia, mesmo antes de a porta da frente se fechar de rompante.

Inundada de alívio, sento-me na ilha da cozinha e contemplo as tarefas que tenho de levar a cabo com um renovado sentido de propósito. Lavagem de roupa, mercearia e todas as outras maravilhosamente banais tarefas domésticas que as manhãs de sábado implicam. Mas primeiro deveria dar a saber a Beth que Nathan levará Millie a casa.

Escrevo uma mensagem:

Obrigada por vires apanhar a Liv esta manhã. Espero que tenhas conseguido tratar de tudo o que precisavas. Só para te dizer que o Nathan irá levar a Millie de volta depois do balé x

Enquanto escrevo sinto um ligeiro mal-estar, depois da conversa que acabei de ter com Nathan. De todos os dias para ele finalmente conhecer a Beth, vai ele e insinua que pode ser que ela nem sequer exista!

Recebo uma mensagem da Beth quase imediatamente.

Não, não te preocupes — eu vou buscar as miúdas x
Eu: A sério que não é problema x
Beth: Eu deixarei a Olivia em casa, mas não posso parar x
Eu: *Okay*, se tens a certeza x
Beth: lá x

Deixo uma mensagem no *voice-mail* de Nathan e depois telefono à florista a participar o engano. Odiaria que a pobre Rachel não chegasse a saber do ramo de oliveira que lhe estava a ser oferecido por quem quer que a tenha chateado. Não podia ficar com isso na consciência.

— Está, Rosas Florista, como posso ajudar? — Posso ouvir «Tiny Dancer», do Elton John, a tocar em pano de fundo.

— Oh, olá — começo. — Vieram entregar-me umas flores hoje, mas chegaram-me por engano.

— Oh, meu Deus — diz a mulher do outro lado da linha. — Lamento muito.

— Não há problema, apenas quero certificar-me de que chegarão à pessoa certa.

— É muita amabilidade sua. A maior parte das pessoas não se ralaria e ficaria com as flores.

A sério?

Dou-lhe o meu nome e morada e escuto enquanto ela cantarola para si a acompanhar a música. Imagino-a a correr um dedo por uma lista abaixo.

— Ah, sim, aqui está — diz ela. — N.º 24, Orchard Drive. É a morada que eu tenho.

— Essa é a *minha* morada — confirmo eu. — Mas aqui não há nenhuma Rachel.

Ela cantarola um bocadinho mais. — Bem, não sei o que aconteceu aí, então, mas elas foram definitivamente para a morada correta.

— Bem, tem o nome do remetente? Talvez possa fazer-lhe um telefonema para se certificar de que lhe deu a morada certa?

— O remetente é um Sr. Davies, mas acho que não tenho o número de telefone dele. Oh, que aborrecimento.

— Espere — digo eu, enquanto um zumbido me tine aos ouvidos. — Foi Nathan Davies quem as enviou?

— Sim, conhece-o? — A voz dela soa esperançosa, desejosa de decifrar o mistério.

— É o meu marido — digo, ignorando a banda de pressão que se comprime em torno da minha cabeça.

— Oh, aí está então — diz ela alegremente. — *Elas* foram para o sítio certo.

Ela não tem ideia do que acaba de fazer.

As lágrimas vêm-me aos olhos quando desligo e fito o telefone, incrédula. Nathan deve tê-las encomendado para serem entregues noutro endereço, mas eles enviaram-nas para o endereço de cobrança por engano. Imagino quão furioso deve ter ficado com a gafe deles, e quão bem controlou as suas emoções enquanto professava o seu imorredouro amor por mim.

Subo as escadas, dois degraus de cada vez, até ao nosso quarto, sentindo-me como uma drogada a precisar de uma dose. Quero entorpecer a dor, mas sei que assim que descobrir o que procuro, ela apenas será multiplicada por dez. Mas isso não me trava — eu *tenho* de saber.

O guarda-roupa de Nathan parece um expositor de uma butique exclusiva para homens. Uma fiada de camisas brancas idênticas pende acima de uma prateleira de lenços impecavelmente empilhados, um monte separado para cada cor.

Constato que não sei ao certo exatamente o que procuro ao levantar cuidadosamente a tampa da sua caixa de acessórios. Puxo para fora as gavetas em miniatura e toco nos seus botões de punho; reconheço-os a todos. A gaveta da sua roupa interior nada de novo revela e até dou comigo a olhar para a parte de baixo dos seus sapatos, à procura do quê, não sei ao certo. Acredito mesmo que as minhas capacidades de detetive são assim tão avançadas que seria capaz de determinar o tipo de terreno pelas diminutas reentrâncias nas suas solas? E a partir daí, estabelecer que ele visitou um hotel em particular, com um determinado tipo de mulher? Rio-me roucamente à insanidade de tudo isto.

Baixo-me para pegar na roupa para lavar que deixara junto à porta, e pelo canto do olho capto um vislumbre do saco de viagem de Nathan. Já deve estar vazio por esta altura; ele chegou a casa há três dias e não está na sua natureza deixar coisas lá dentro. Não toleraria a ideia de ficarem todas amarrotadas. Largo de novo a roupa para lavar e dirijo-me lentamente para o saco pousado ao lado da sua sapateira. Uma sensação agoirenta invade-me, como se soubesse já que algo incriminador espreita ali. Quase espero que salte de lá para fora quando me aproximo, desejando que o faça, só para saber que as minhas suspeitas têm fundamento. Porque desejaria uma esposa algo assim para si própria?

Corro os fechos dos vários compartimentos, guardando a bolsa interior, a secção mais plausível de albergar um segredo, para último. Tiro para fora um pequeno maço de ienes japoneses, dobrados em torno de um pedaço de papel. Se eu soubesse que o meu mundo estava na iminência de implodir, interrogo-me se o teria simplesmente guardado de volta, corrido o fecho e saído dali.

O papel timbrado é bastante conciso: *The Conrad Hotel*. Sorrio ao ler *Serviço de Pequeno-Almoço no Quarto,* imaginando-o sentado a uma mesa defronte de uma parede ajanelada, comendo os seus ovos Benedict, com vista para a vasta metrópole de Tóquio lá em baixo.

Julgo que vira já o *x2,* impresso ao lado do pequeno-almoço *à la carte,* mesmo antes de o ter visualizado. Calculo que seja a tentativa automática do cérebro para nos descarrilar; «des»-ver o que já foi visto.

Prossigo alegremente inspecionando a conta com o dedo, em acérrima negação do que sei ali estar. Sorrio ao ver que ele tomou cinco dos seus *gins* tónicos favoritos durante a estada, mas escolho ignorar os quatro *cocktails* Cosmopolitan. Maravilho-me que ele tenha tido tempo de fazer uma massagem completa no *spa*, mas faço que não vejo a palavra «casal» escrita em frente.

Certifico-me de que a dobro impecavelmente, exatamente como estava, e luto contra o calor avassalador que avança por mim acima. Tento pôr-me em pé, mas sinto-me tonta e tombo de volta, prostrada. Estou certa de que não diz o que eu achei que dizia. Devo estar enganada. Talvez dê outra olhadela mais tarde, só para me certificar de que não vi o que sei que vi.

Não vou chorar, mas uma bola de medo abre caminho à força através do meu estômago até ao peito. Uma vez ali, sei que não serei capaz de deter as lágrimas e o sentimento esmagador que ela trará.

Olho entorpecida para a roupa para lavar. As meias de Nathan estão misturadas com os seus lenços, e o meu piloto automático arranca. A roupa tem mesmo assim de ser lavada, quer o seu dono esteja a ser infiel quer não. Pego nela e forço-me a cantar uma canção ao carregá-la pela escada abaixo.

Só depois de encher a máquina, programá-la para um ciclo expresso e premir o botão é que permito que a desolação me submerja. Deslizo pela parede abaixo do quarto de serviço, apoio a cabeça nas mãos e desato a soluçar.

9

Tomo um duche quente na tentativa fútil de lavar a minha mente envenenada, mas as lágrimas não param de correr. Quando fecho os olhos, a minha mente instantaneamente avança à desfilada, questionando, acusando, embora de quê, não sei. Procuro que o meu cérebro se desligue, só por um minuto, de modo a poder ter um momento de paz e sossego. Mas por mais que tente, não consigo controlar o chocalhar na minha cabeça. Dá a sensação de que um obscuro segredo se debate à toa numa gaiola, batendo contra as grades, desesperado por escapar. Lá se vão as técnicas de *mindfulness* que aprendi no ioga nestes últimos meses.

Beth e eu reprimimos uma gargalhada quando Monica, a nossa guru espiritual, foi passando de aluno em aluno e nos colocou as pontas dos dedos nas têmporas, entoando um cântico em estado meditativo.

— Que bem vai isto fazer? — riu-se Beth, enquanto tomávamos café a seguir.

Ela era mais adepta do sangue, suor e lágrimas do ginásio, preferindo uma sessão de treino de cinquenta minutos a qualquer coisa remotamente holística. Tive de concordar que pouco benefício via em estar deitada numa sala às escuras, emitindo sons e tendo as pálpebras esfregadas. Com o passar das semanas, porém, dei comigo a ansiar pelo fim das sessões, deliciando-me com a perspetiva de Monica inspirar e expirar comigo, a sua voz apaziguadora ajudando-me a transcender para outro universo, só por um momento, ou pelo menos até que o risinho abafado de Beth penetrasse o silencioso e místico estado de espírito.

Não sei se ficar agradecida ou não quando recebo uma mensagem escrita de Nathan a dizer-me que vai passar pelo escritório durante umas duas horas. Isso certamente dá-me mais tempo de recompor a cabeça, pois, embora pareça a mesma de quando ele saiu, muita coisa mudou. Contudo, isso permite igualmente que a minha mente divague à toa, fixando-se aonde ele irá *realmente,* e reconhecendo como este pensamento será agora o meu padrão sempre que ele sair de casa. Pela primeira vez, a minha ansiedade não é causada pelo medo de que alguma coisa lhe aconteça. Este novo sentimento é mais opressivo, mais claustrofóbico.

Agarro-me desesperadamente à possibilidade de que ele vá ter com ela, dizer-lhe que eu estou a ficar desconfiada, que o que se passa entre eles tem de parar antes que alguém se magoe. Mas, e se as minhas despertadas suspeitas o empurrarem no sentido contrário? O fizerem ver que é agora ou nunca. Lhe derem a força para me contar que conheceu outra pessoa e vai sair de casa. Sentir-se-á ele aliviado quando tudo estiver às claras? Livre de levar a vida que claramente quer levar. Ou implorar-lhe-ei que fique? Acreditando que um marido infiel é melhor do que não ter marido de todo.

A minha mente recua num lampejo para a «Noite de Mulheres com Dormida» que Beth e eu passámos no Berkeley Hotel, na cidade, há um par de meses. Deitáramo-nos na cama com máscaras faciais, servindo-nos do monte de chocolates fornecidos de graça, enquanto víamos um filme de miúdas: *A Outra Mulher.*

— O que farias se o Nathan te enganasse? — perguntara ela, enquanto o serviço de quartos batia à porta com o que parecia ser um fornecimento vitalício de *Ben & Jerry's.*

Eu rolara um *Malteser* dentro da boca. — Podemos definir enganar? — balbuciara.

— Qual é a *tua* definição? — perguntara ela enquanto descaradamente abria a porta, com máscara de lama e tudo.

O homem não pestanejara sequer.

— Bem, tudo — respondi. — Desde um beijo à coisa completa.

— *Okay.* Então, se ele beijasse alguém, o que farias tu?

— Uma vez? — perguntei, para clarificar.

— Isso importa?

— Bem, se fosse um deslize de bêbedo, seria mais provável que eu fosse capaz de desculpar — disse eu com naturalidade. — Mas se fosse mais de uma vez, ou, Deus me livre, mais do que uma vez com a mesma pessoa, então teríamos uma pequena questão entre mãos.

— Então, se ele tivesse sexo com uma prostituta uma vez, e beijasse a mesma miúda três vezes, o que seria menos provável que perdoasses? — perguntou ela, fazendo de advogada do diabo.

— Decididamente os beijos — respondi-lhe, sentindo-me ligeiramente enjoada ante a visão dela a meter uma colherada de gelado *Cookie Dough* na boca. — Vais mesmo comer isso *tudo*?

Ela olhara o luxuosamente decorado quarto à nossa volta. — Bem, na ausência de um congelador, sou capaz de *ter* de fazê-lo — riu-se.

— Acho que haveria muito que falar se ele tivesse um caso de uma noite com *quem quer que fosse,* mas se acontecesse mais do que uma vez, então isso implicaria um nível completamente diferente. Não seria capaz de superar o facto de ele ter uma relação. Se ele tivesse uma ligação emocional com alguém, então seria posto na rua pela orelha.

— Sem perguntas? — questionou.

— Absolutamente nenhumas. Isso assombrar-me-ia… fazendo-me interrogar-me se ele estaria a pensar nela de cada vez que estivéssemos juntos. A cada briga que tivéssemos, não seria capaz de impedir-me de trazer o assunto à baila, e de cada vez que ele saísse pela porta pensaria que ia ter com ela. Isso destruir-nos-ia.

— Estás *tu* numa de nos destruir? — pergunto, em voz alta, olhando de novo para a mensagem escrita de Nathan.

Tens tempo para aparecer cá?, escrevo a Beth, mais que ciente de que ela poderá não me dar uma alternativa à inabalável resolução que tomei quando pensei que fosse apenas uma hipotética conversa.

Não posso, desculpa, responde ela de volta.

Eu: Dava-me mesmo jeito falar contigo, só por um minuto. É acerca do Nathan.

Aguardo o que parece ser uma eternidade que ela responda.

Ele está em casa?, escreve ela.

Eu: Não.

Beth: *Okay*, não posso ficar muito tempo.

Meia hora mais tarde ela está à porta com uma furtiva expressão de preocupação no rosto.

— Ei — diz. — Estás bem?

É uma simples maneira de falar para a qual ela provavelmente não espera nada mais do que um sim. Mas as lágrimas brotam-me assim que a vejo.

— Não — profiro abruptamente. — Não, não estou.

Ela empurra as miúdas para dentro e põe-nas diante da televisão.

— Oh, Alice, o que raio se passa? — diz, vindo direita a mim e tomando-me nos braços. Fico estranhamente confortada pelo odor cálido e familiar da minha querida amiga. — O que aconteceu?

— Eu simplesmente... — começo. — Eu... é que o Nathan...

Segue-se um brusco inalar, mas não sei ao certo se de mim se dela.

— Oh, meu Deus, ele está bem? — pergunta ela, interrogando-se sem dúvida se a história se repetirá.

— Sim... sim, é que...

— Onde está ele? — pergunta ela.

— Foi ao escritório, mas eu... eu acho que ele tem um caso.

Ela afasta-me à distância dos seus braços. — Deves estar a gozar comigo.

Abano a cabeça quando ela me puxa de novo para si.

Conto-lhe do brinco, do buquê e da conta de hotel, na esperança de que dizê-lo em voz alta torne de algum modo as minhas suspeitas implausíveis, embora apenas sirva para as confirmar.

— Credo! — diz Beth, deixando-se cair para trás na cadeira da mesa de jantar em que está sentada.

— Não parece coisa boa, pois não?

Ela faz uma careta. — Olha, eu sei que não conheço o Nathan, mas estou a tentar dar-lhe o benefício da dúvida. Pode ser que haja uma explicação perfeitamente aceitável para tudo isto. Só tu o conheces suficientemente bem para dizer, com a mão no coração, se é capaz de se passar alguma coisa. Dizem que uma mulher sabe instintivamente quando a sua outra metade não anda a fazer coisa boa, mas eu, olha para mim... eu não fazia a mais pequena ideia. — Sorri para tentar aligeirar o ambiente. — O que te dizem as entranhas? Isso está-lhe na massa do sangue?

— Não está na de qualquer homem? — As palavras assomam-me aos lábios para serem furiosamente afugentadas pelo pensamento de Tom.

Qualquer homem, não. — Eu achava que não — acrescento. — Ainda na semana passada de bom grado apostaria a minha vida nisso, mas agora...

— Nunca uma coisa assim se te apresentou antes? — pergunta ela.

Abano veementemente a cabeça.

— Ele estava com alguém quando se conheceram?

Recuo mentalmente até esse dia; o nosso encontro, como tanta coisa na vida, dependendo inteiramente de um momento decisivo. Se o Sol não estivesse a brilhar. Se eu não estivesse sentada num banco no jardim do hospital. Se eu não estivesse frustrada por ser mantida contra minha vontade num lugar que olhava por pessoas que nada tinham a ver comigo. Então talvez não estivesse aberta à ideia de falar com um estranho.

Mas nesse dia, fosse por que razão fosse, virei-me ao som da gravilha a ser pisada e vi um homem, envergando um fato de bom corte, sair de um elegante *Mercedes*. Pousou o casaco no banco de trás e estendeu a mão para a pasta. Esse simples gesto fez-me recordar de que ainda havia um mundo a girar lá fora. Sem mim nele.

Imaginei que ele vinha de se encontrar com clientes importantes. Talvez tivesse conseguido os negócios e ainda estivesse corado da excitação. Senti uma guinada no estômago à lembrança dessa sensação; a adrenalina que me corria nas veias de cada vez que a AT Designs ganhava um projeto. Fechei os olhos e visualizei a cena, desejando, mais do que tudo, estar no dia *dele*, em vez de estar ele no *meu*.

Foi um ponto de viragem para mim. Pela primeira vez desde que perdera Tom três meses antes, quis estar lá fora, a viver a vida que ainda tinha para viver. A súbita constatação chocou-me.

Não pensei que o homem alguma vez viesse a saber do papel que tivera ao soprar ar para os meus pulmões esvaziados. Não até ele atravessar a sala de estar e sair para o terraço, escudando os olhos do sol que lhe ofuscava a visão.

— Se se sentar aqui, eu vou só ver se o Sr. Miller quer vê-lo — disse Eileen, o único membro do pessoal que contornava as regras das horas de visitas.

Quando ela voltou dizendo que o Sr. Miller estava a dormir, o homem de fato e eu estávamos a fazer conversa

— Obrigado, eu espero — disse ele a Eileen. — Eu sou Nathan, a propósito — disse para mim, estendendo a mão.

E foi assim. Falámos até o Sol se pôr nesse dia; sobre a vida dele fora do hospital e a minha dentro dele. Não me consigo lembrar se foi então que ele me contou que estava a atravessar uma separação conturbada, ou se isso veio depois. Parecera que faláramos de tudo e de nada. O pobre Sr. Miller nem chegou a ver o seu visitante.

— Julgo que já tinha acabado quando nos conhecemos — digo, respondendo à pergunta de Beth.

— *Julgas?* — pergunta ela. — Não *saberias* se o teu novo namorado ainda estivesse com alguém?

— Bem, os nossos primeiros tempos não foram lá muito nítidos. Eu não estava no meu normal e quis levar as coisas devagar. Ele trabalhava muito por fora, o que me convinha na altura, mas agora, ao pensar nisso, talvez ele ainda estivesse a tentar atar pontas soltas com *ela*.

— Então, ele enganou-*a* contigo?

Sou apanhada de surpresa pelo seu tom acusatório. — Não, não foi assim. Eles tinham-se separado… Tenho a certeza que tinham.

Ela ergue as sobrancelhas. — Isso não te faz parecer grande advogada da irmandade, pois não?

Não fazia? Nunca pensara nisso dessa maneira. Ignorara eu clamorosamente o silencioso código de conduta no meu desespero de me sentir desejada e necessária?

— Não — respondo abanando a cabeça, negando a insinuação. — Ele não é esse tipo de homem, pelo menos… não achei que fosse.

— Uma vez traidor, *sempre* traidor, é tudo o que estou a dizer. Um leopardo nunca muda as suas manchas, apenas cria uma cortina de fumo para elas.

— Então, achas que tudo aponta para que ele tenha um caso? — pergunto, embora já saiba a resposta.

Ela faz uma careta. — Pode haver uma explicação perfeitamente aceitável, mas…

— Então, o que deverei fazer? — pergunto.

— Simplesmente continuar à procura de pistas — diz ela. — Controlar o seu telemóvel, os seus *e-mails,* alguma coisa que o possa incriminar.

— Isso não é passar dos limites?

Ela olha para mim horrorizada. — Então, deixa-me ver se percebi: ele pode dormir com quem quiser, mas a ti não te é permitido sequer ver-lhe o *telemóvel?* Há aqui uma duplicidade de critérios.

Sinto-me demasiado idiota para sequer responder.

— Prossegue simplesmente com o que estás a fazer — continua ela. — Procura nas redes sociais quaisquer contas que ele possa ter criado. Mantém um olho no saldo do cartão de crédito. Descobre seja o que for que puderes e, quando estiveres segura dos factos, confronta-o com isso.

Assinto.

— O que irás fazer se os teus piores receios se confirmarem? — pergunta-me.

O meu rosto franze-se, mas recuso-me a chorar. — A cabeça diz sair, mas o coração…

Ela pousa uma mão na minha. — Tens de pensar nas miúdas — lembra.

— É esse exatamente o problema. Só elas me levariam a ficar.

Ela olha para mim, de cenho franzido.

— Não posso deixá-las ficar mal outra vez — afirmo. — A Sophia já perdeu um pai, por cujas repercussões de certo modo ela sempre me culpará. Não posso ser a razão de isso acontecer de novo.

— *Tu* não és a razão — diz ela —, é *ele*. — A sua voz soa alta e cortante e eu levo o dedo aos lábios para a recordar de Olivia e Millie nas proximidades.

— Não serei responsável por afastá-las do pai — digo, num tom subitamente autoritário. — Tudo farei ao meu alcance para que o meu casamento resulte, antes de permitir que ele saia de casa.

— Credo — diz ela, insuflando as bochechas de ar. — És uma mulher mais condescendente do que eu alguma vez seria.

— Queres beber alguma coisa? — pergunto.

— Bebo um café, se fizeres.

— Eu estava a pensar nalguma coisa mais forte.

— São apenas três e meia — diz ela, olhando para o relógio. — A que horas é provável que o Nathan volte?

— Provavelmente a qualquer momento.

— Então é melhor ir andando — diz ela. — Não é preciso ser um génio para perceber o que se passa, se ele entrar e der com isto.

— Obrigada por vires — digo, abraçando-a à porta.

— Conta comigo, se precisares — diz, antes de arrastar uma Millie relutante pelo carreiro abaixo.

Dão com Sophia no passeio e trocam animados olás e adeuses. — Que cara de bosta — diz ela quando chega junto de mim. — O que se passa?

Se é esta a maneira de mostrar que se preocupa, aceito-a já.

— Simplesmente não tenho qualquer maquilhagem — digo, enquanto ela alterna entre olhar para mim e para o telemóvel na sua mão. — E preferiria mesmo que não usasses esse tipo de linguagem. Estás em casa, não estás com os teus amigos.

— 'sculpa — diz ela, e eu reviro os olhos de exasperação com a sua incapacidade de dizer palavras completas.

O telemóvel toca e ela olha para mim, desculpando-se ao atender.

— Oi — diz com um sorriso. — É o Nathan — articula mudamente. Não consigo impedir as minhas feições de endurecerem.

— Pergunta se nos queremos encontrar com ele no Cuckoo Club, junto ao escritório, para comer alguma coisa.

Sei exatamente onde fica. Pensará que eu sou estúpida? Pensará que desafiar-nos para nos encontrarmos lá com ele comprova o seu paradeiro nas três horas antecedentes? Estará ele a usar Sophia para testar o meu estado de espírito?

Olho para o relógio. — Está a ficar tarde — digo. — Preferia fazer o jantar aqui. — A ideia de jovialidade forçada, fingindo para quem quer que olhe que tudo está bem, simplesmente não está nas minhas capacidades neste momento.

— *Okay* — assente ela. — Iá, eu digo-lhe. — Volta-se para mim. — Ele está a caminho de casa, diz que podemos fazer um churrasco, se te apetecer.

Não, é o que eu penso. — Está bem, então — é o que eu digo.

Apenas há uns dias teria orgulhosamente dito, a quem quer que perguntasse, que ainda sentia borboletas no estômago sempre que ouvia a chave de Nathan na porta da frente. Agora aqui estou à espera, em pânico ao ouvi-la. Como diabo aconteceu isto?

Não posso carregar este fardo comigo por mais um dia. Está a consumir-me por dentro.

10

Espero que Nathan ponha Olivia na cama antes de encher dois grandes copos de vinho tinto e me instalar num dos avantajados sofás de cor creme, tendo a certeza de que me sento mesmo no meio para que ele se sinta mais inclinado a sentar-se no sofá idêntico à minha frente. Quero poder ser capaz de olhar cada contração no seu rosto, cada espasmo de expressão.

Sinto um revolver na boca do estômago enquanto espero que ele se junte a mim, um inconfundível redemoinho de nervosismo que só se dissipará quando tiver as respostas de que preciso. Puxo as pernas para baixo de mim quando ele entra, intentando transmitir uma disposição mais descontraída. Conforme esperado, ele senta-se pesadamente no sofá oposto e dá um grande gole no vinho.

— Que tal correu hoje no escritório? — pergunto. — Fizeste muita coisa?

Inclino a cabeça de lado, noutro esforço subconsciente de o pôr à vontade. Embora porquê, não sei. Acho que simplesmente dá a sensação de que é mais provável apanhá-lo se ele estiver desprevenido.

— Sim, é muito mais fácil quando o telefone não está constantemente a tocar. — Pigarreia. — Então, vais dizer-me o que se passou contigo esta manhã, e na noite passada…?

Pergunto-me se ele saberá que está a atravessar um campo minado, a severidade da explosão inteiramente dependente das palavras que escolher proferir nos próximos minutos. Dou a maior golada possível de vinho, na esperança de que entorpeça a dor. Já bebi quase uma garrafa e continuo à espera.

— Vai com calma — diz ele, e eu desafiadoramente engulo outro trago, sem despregar os olhos dos dele. — O que diabo se passa contigo?

Abano a cabeça e encolho os ombros. — Nada.

— Não estás em ti desde que regressei do Japão — diz ele, tentando uma via diferente. — Estás preocupada com o trabalho envolvido se conseguirmos o projeto? Porque sabes que eu só quero fazer isto se estiveres completamente feliz. Não quero pôr-te sob qualquer stress desnecessário.

— Eu não sou uma criança de 5 anos — digo com petulância.

Ele suspira. — Sabes o que eu quero dizer.

— Não, por acaso acho que não sei. O que estás a tentar dizer?

Bebo o vinho todo e pouso o copo manchado na mesa de café, ficando ambos a vê-lo momentaneamente balançar.

— Simplesmente não quero arriscar que tenhas uma recaída, é tudo — diz ele. — Chegaste tão longe e estou tão orgulhoso de quão bem te tens portado.

As lágrimas assomam-me aos olhos. Não sei se porque *quero* deixá-lo orgulhoso, ou por saber que ele ficaria devastado se soubesse que voltei à medicação. Acho que é tudo a mesma coisa.

— Ainda estou bem — digo, esperando que ele não pressinta a minha culpa.

Ele senta-se mais para a frente e olha-me com seriedade. — Tu és *capaz*, Alice.

— De quê?

— De tudo — diz ele, sorrindo. — O Japão é um grande desafio, eu sei disso. Mas eu não me teria abalançado a ele se não achasse que serias capaz de fazê-lo.

Assinto. *Sou* capaz, mas não é isso que está em questão aqui.

— Apenas tens de dizer uma palavra se não for o que tu queres, mas seria um enorme desperdício do teu árduo trabalho. Puseste alma e coração nisto… achei que fosse o que tu querias.

Era, até descobrir que o meu marido tem um caso. Agora tudo me parece incerto, como se estivesse suspensa num estranho mundo paralelo. Ali pendente num limbo, à espera de que me cortem os cordéis que me sustêm.

— Tenho uma confissão a fazer — começo, esboçando um sorriso.

Não posso ser demasiado acusadora. — Receio ter lavado os teus calções brancos.

As sobrancelhas dele unem-se ao observar-me a dirigir-me à cozinha e levar a mão atrás do último livro de receitas na prateleira. Tiro para fora a conta de hotel.

— Desculpa, não o vi até já ser demasiado tarde, mas estava isto no bolso. Espero que não seja nada importante. — Estendo-lhe a bomba, que eu humedeci nos vincos, o bastante para lhe dar a aparência de já ter visto melhores dias, mas sem que qualquer dado incriminatório tivesse sido destruído.

Observo-o a abri-la cuidadosamente com o indicador e o polegar, agora já ligeiramente irritado. Ele afasta meticulosamente um lado do outro, de modo a não dar cabo do papel húmido. Que ironia que apenas dentro de uns segundos vá desejar ter feito exatamente o oposto.

Ele fita inexpressivamente o logótipo do Conrad antes de olhar para mim. Tenho o cuidado de manter uma expressão neutra, de fazê-lo pensar que ainda há uma hipótese de eu não ter olhado para ele.

— O que é isto? — pergunta.

Permaneço em silêncio, à espera que se faça luz.

— Oh, é apenas a minha conta de hotel — diz ele depreciativamente, antes de o dobrar cuidadosamente de novo. — Sem dúvida que precisarei dela para a contabilidade.

— Então, *todas* as despesas de entretenimento são dedutíveis nos impostos? — pergunto casualmente, apanhando penugem imaginária de uma almofada.

Um ruído estranho sai-lhe da garganta. Não estou certa se por ele constatar que eu o vi ou se se trata de um irónico bufar ao meu comentário. Se olhar para ele serei capaz de perceber qual dos dois é, pela expressão na sua cara, mas não quero saber.

— Não é entretenimento, Al — diz. — Estive lá em trabalho.

— Bem, isso tudo depende de como os fiscais o virem — digo. — Não tenho a certeza de que vejam uma massagem de casal como trabalho, e tu?

Ele não se dá por achado. — Uma massagem de casal? Onde raio foste buscar essa ideia? Eu estive lá em trabalho. Para a AT Designs. Para ti.

— Não te atrevas a dar a impressão de que me estás a fazer um favor.

— Credo — diz ele, levantando-se. — Primeiro é um brinco, agora é uma conta de hotel.

— Não te esqueças do buquê para a Rachel — troço eu. — Pelo que lhe estavas a pedir desculpas? Tiveram um arrufo de amantes? Aposto que desancaste a florista por entregá-lo no endereço do detentor do cartão e não à porta da tua querida Rachel. Foi onde foste esta tarde? Comprar outro buquê e entregá-lo pessoalmente?

Ele vem direito a mim. — Ouve-te só — respinga ele. — O que diabo se passa contigo?

Preciso de toda a minha força de vontade para não lhe espetar um murro. Como se atreve ele a insinuar que está tudo na minha cabeça? — Acreditas sinceramente que eu sou estúpida?

A linha do seu maxilar contrai-se involuntariamente. — Não faço ideia do que...

— Olha! — grito, arrancando-lhe a conta das mãos. Não tenho nem de longe o cuidado que ele teve a abri-la. — Aí.

O seu sobrolho franze-se quando ele se inclina para olhar para ela com mais atenção.

— Sinceramente, nem sequer faço ideia do que isso seja.

Reviro os olhos, exasperada.

— Sinceramente, não sei de onde isto vem. Não é a minha conta.

— Estás a gozar comigo? — respingo. — Estás realmente à espera de que acredite nisso?

Ele tira-ma e fita-a, abanando a cabeça. — Esta conta não é minha.

Cruzo os braços. — Então, não pagaste $792.60?

— Nem de longe. Apenas tive uns extras, porque o quarto foi pago com antecedência. Eles devem ter-me dado este impresso por engano.

— Deves pensar que eu nasci ontem.

— Alice, juro — diz ele gentilmente.

Eu quero acreditar nele, e ao admitir a possibilidade de que tudo tenha sido, de algum modo, uma comédia de enganos, sinto-me subitamente esgotada. Deixo-me cair para trás no sofá quando toda a energia nervosa dos dois últimos dias me consome.

— Então, estás a dizer-me que não preciso de preocupar-me?

Ele olha-me a direito nos olhos. — Quanto ao Japão? Sim, precisamos de preocupar-nos pois não há garantia de que vamos consegui-lo, e se conseguirmos, tens de estar preparada. Mas juro pelas vidas das miúdas que não tenho caso nenhum.

Encolho-me quando ele usa Sophia e Olivia para jurar.

11

Lottie vê-me às voltas com os meus painéis semânticos pela janela do escritório e vem a correr ajudar.

— Isto é tudo para o Japão? — diz, inclinando-os para um lado e para o outro a observá-los. — Uau, estão um espanto. — O entusiasmo dela é contagiante.

— Alterei algumas coisas no fim de semana. Só queria ver como iam com os soalhos de nogueira. — Não lhe disse que o fizera na neblina de uma ressaca depois de beber até à inconsciência a seguir a Nathan ter ido para a cama no sábado à noite. Ainda não me sinto bem eu um dia depois — parece que levo muito mais tempo para recuperar do que dantes. Embora possa imaginar que não constitui ajuda nenhuma misturar *gin* e vinho com antidepressivos.

— Acho que o Nathan está agora ao telefone — diz ela com um largo sorriso, quando eu lhe abro a porta. — Poderá ser a decisão?

O meu estômago dá uma cambalhota quando olho para o relógio. — Oh, meu Deus, não era suposto começar antes das 11.30 h. — Deixo escapar um guincho involuntário, embora não saiba se de nervos ou de excitação.

Tento avaliar a expressão de Nathan ao espreitar pelos painéis de vidro listado das paredes do seu gabinete, mas embora ele me deva ver não dá qualquer sinal de reconhecimento.

— Quer um café? — pergunta Lottie.

— Sim, por favor — digo. — Bem forte.

A atmosfera está carregada quando Nathan atravessa, aparentemente em câmara lenta, a área de *open space* até ao meu gabinete. Seis cabeças viram-se e observam-lhe as costas como se elas lhes fossem dar a resposta que todos tão desesperadamente queremos ouvir.

Sinto um assomo de calor acorrer-me aos ouvidos, quando ele fecha a porta atrás de si e se posta diante de mim. Posso ver os seus lábios moverem-se, mas as primeiras poucas palavras que profere soam como se ele estivesse debaixo de água.

— *Lamento* — é a primeira coisa que oiço claramente.

Deixo cair a cabeça nas mãos, com os cotovelos firmemente apoiados na secretária.

— Afinal os construtores não vão comprar o terreno. Não vão para a frente com o negócio.

É nesse momento que constato até que ponto o queria. — Mas porquê? — pergunto, a minha voz esganiçada e soando como uma criança mimada.

— Não sei — diz Nathan. — Mas o que precisamos de retirar daqui é que se o negócio tivesse ido para a frente teríamos definitivamente ganhado o projeto. Eles assim o disseram.

Não consigo pensar como deve ser. Simplesmente, sinto-me esvaziada.

— Eles deram um vislumbre sequer do que aconteceu para mudarem de ideias? — pergunto, encontrando a minha voz.

Nathan coça a cabeça, a sua perplexidade obviamente tão grande como a minha.

— Quero dizer, porque haveriam eles de saltar fora tão repentinamente nesta altura do campeonato? AT Designs à parte, pensei que isto fosse um negócio em grande para *eles* também.

— É. Era — diz ele, esfregando a sombra de barba que lhe salpica o queixo. — Simplesmente não faz sentido. Julguei que eles estivessem cem por cento empenhados.

— Tanto trabalho — digo —, uma viagem para nada ao Japão.

— É a natureza das coisas — diz ele. — Lamento muito.

Dirige-se a mim e puxa-me da cadeira. — Tenho a certeza de que teremos outras oportunidades — diz, abraçando-me e beijando-me no topo da cabeça. Tenho uma vaga consciência da equipa a observar-nos através do vidro — não é preciso muito para adivinhar para que lado deu.

— Eu sei — digo. — Estou apenas muito desapontada. Achei mesmo que desta vez era em grande.

— Nós já nos estamos a sair muito bem — diz ele, sustendo-me a certa distância, os seus olhos perscrutando os meus. — Os números deste ano são fantásticos. Não te desanques à conta disto.

— Não se trata de dinheiro — digo. — Trata-se de nos colocarmos no mapa, de construir uma reputação. Isto tê-lo-ia feito.

Ele desvia o olhar por um momento, e eu observo-o quando entra em modo de pensamento. — Dá-me um segundo — diz, antes de se virar e sair porta fora. Os olhos de Lottie seguem-no desoladamente, quando ele atravessa o espaço entre o meu gabinete e o dele. Parece sentir o mesmo que eu.

Estou rodeada de amostras de madeiras, de tecidos e tintas, todas destinadas a vinte e oito apartamentos em Tóquio que já eram. Tenho ganas de lançar tudo pela janela fora, de frustração.

Lottie espreita pela porta. — Tudo bem? — pergunta baixinho.

Não me atrevo a olhar para ela, pois tenho a certeza de que desatarei a chorar, e, graças sejam dadas, ela percebe e recua. *Por amor de Deus, Alice, recompõe-te*, digo de mim para mim. *Ninguém morreu.*

Mas morreu, e subitamente visualizo o rosto de Tom, a sua boca rasgando-se num largo sorriso ao ser-lhe dito que conseguimos o contrato. Consigo sentir o seu imenso orgulho ao levantar-me nos braços e fazer-me rodopiar, antes de nos desfazermos numa pilha de riso, sem podermos acreditar no que alcançámos.

Este é para ti, era o que eu planeava dizer-lhe. Mas agora não posso, e não sei se estou mais desapontada por tê-lo desiludido ou subjugada de culpa por ser o *seu* rosto com que imaginei partilhar o momento, não o de Nathan.

— Posso só ver uma coisa contigo? — diz Nathan, voltando a entrar e interrompendo-me os pensamentos. Quase salta de um pé para o outro de agitação.

— Força — digo, sentando-me de novo no meu lugar.

Ele dá a volta para o meu lado da secretária e senta-se sobre o tampo de couro junto de mim.

— E se eu te dissesse que o terreno e o projeto ainda estão à venda? — diz, de olhar fixo em frente, através da janela atrás de mim lá para fora.

— O que queres dizer? — Viro-me e levanto os olhos para ele, confusa.

— Os vendedores ainda querem vender… apenas os compradores recuaram.

— *O-kay* — digo hesitante. — E como é que isso nos ajuda?

— E se comprarmos *nós?* — diz ele, o seu maxilar contraindo-se a cada palavra que profere.

— O quê? — Quase solto um guincho. — Não sejas louco!

— Escuta-me — diz ele, olhando para mim pela primeira vez e pegando-me nas mãos. — Nós podíamos levar a cabo o projeto. Podíamos comprar o terreno, construir os apartamentos, decorar os interiores e vendê-los nós mesmos.

— Perdeste a cabeça? — pergunto, rindo.

— Nós podíamos fazê-lo, Al — diz ele, elevando a voz. Eu e tu. A AT Designs. Podíamos fazer o raio desta coisa toda nós mesmos.

Estou a olhar para ele, a abanar a cabeça. — Isto é uma empreitada demasiado grande para nós. Não temos experiência, não temos dinheiro…

— Um milhão chega — diz ele. — Podíamos pedir um empréstimo, manter as prestações superbaixas.

— *Okay*, já estás a assustar-me — digo, mas a adrenalina corre-me no corpo. Será isto sequer uma remota possibilidade?

— Acabei de falar com os vendedores — diz ele, como que lendo-me o pensamento. — Estão desesperados. Estavam a vender por um milhão e meio de libras, mas baixarão se arranjarem um comprador agora. — Cai de joelhos diante de mim. — Nós podemos fazer isto, Alice. Sei que podemos.

— Não… não podemos. Quero dizer, é simplesmente…

— Querias uma coisa em grande — diz ele com veemência. — Bem, aqui tens a tua oportunidade.

— Precisamos de falar…

— Não podemos perder tempo, Al… esta oferta não irá durar muito tempo. Eles terão outros construtores a morder-lhes a mão… Fica mesmo no recinto dos Jogos Olímpicos de 2020. Trigo limpo.

— Eu preciso de pensar — digo. — Não consigo pensar direito.

— Nós podemos fazer isto — repete Nathan excitado. — Está ali à nossa disposição.

— Preciso de algum tempo para ordenar as ideias — digo. — Dá-me vinte e quatro horas para pensar.

— Esta oportunidade poderá não estar lá daqui a vinte e quatro horas — implora ele. — Temos de malhar enquanto o ferro está quente.

— Não vou tomar uma decisão precipitada, Nathan. — A minha voz surpreende-me, o tom matizado de calma desmentindo o caos que me assola a cabeça. — A AT Designs foi constituída com o dinheiro do Tom. Quase cada centavo da sua herança foi para fundar esta empresa, e eu não estou pelos ajustes de deitar a perder todo o nosso árduo trabalho numa fantasia extravagante a milhares de quilómetros de distância.

— Quando dizes «nosso» trabalho, estás a referir-te ao meu e ao teu? Ou ao teu e ao do Tom? — Os olhos azuis de Nathan não tremulam ao olhar para mim.

— Ambos — digo.

— Eu tenho dado tudo a esta empresa — diz ele —, e contudo, dez anos após a morte do Tom, ele ainda é cabeça de cartaz.

— Oh, por amor de Deus, estás a ser ridículo — respingo, fechando a porta numa tentativa fútil de evitar que toda a empresa oiça a nossa discussão doméstica.

— Mas eu tenho razão, não tenho? Independentemente do que eu faça ou por mais que alcance, jamais poderei escapar à sombra do Tom.

— Trabalhas aqui há menos de três anos — digo. — Não vamos pôr a carroça à frente dos bois.

Vejo-o ressentido e desejo poder engolir as palavras de volta.

— Tens de entender quanto a AT Designs significa para mim — digo, tendo o cuidado de manter a voz gentil e as feições suaves. — Trabalhámos tão arduamente para a fazer chegar onde chegou... tu, eu, o Tom, todos nós.

— Por quem fazes tu tudo isto, Alice? — pergunta ele, virando-me as costas. — Porque se é pelo Tom, ele não voltará.

Engulo em seco ante as verdades que ele diz. Ninguém está mais consciente disso do que eu. — Faço-o por *nós* — respondo. — Por ti, por mim, pelas miúdas. É o que me mantém sã de espírito. — Tento um sorriso, mas sei que não me chega aos olhos.

— Pensarás ao menos no assunto? — diz ele. — Por nós?

Assinto, mas já tomei a minha decisão. Como posso pôr a empresa em risco quando não estou convencida de que o nosso casamento vá sobreviver? Apesar dos protestos dele no sábado à noite, permitira que o veneno da paranoia se me infiltrasse no sistema assim que ele fora para a cama. Às 11 da noite acreditara nele, e nada mais sentira que alívio. Pelas duas da manhã seguinte chafurdava em autocomiseração e estava tomada por uma fúria incandescente por ter permitido que ele me enganasse. Se soubesse onde a sua «amante» vivia, teria ido lá direitinha e arrastá-la-ia pelo cabelo.

Graças a Deus, ontem quando acordara as minhas emoções estavam um pouco mais calmas, apesar do batuque na minha cabeça, e lográramos ter a espécie de domingo que eu não teria julgado possível apenas umas horas antes. Sorrimos em todas as alturas certas e fizemos às miúdas todas as perguntas certas à mesa de um assado, mas ainda havia uma sensação palpável de que alguma coisa não estava bem. O elefante na sala não era tão grande que as miúdas dessem por ele, mas não obstante estava lá. E a sombra dele ainda permanece hoje, de modo que como posso eu de todo passar por cima de tudo pelo qual trabalhei em prol de uma coisa de que tão pouco sei?

E, sim, Nathan está certo. Tom *está* ainda em primeiro plano na minha mente todos estes anos depois. Seja a tentar adivinhar o que faria ele quando Sophia se põe com coisas, ou como ele me aconselharia a lidar com esta situação específica. Oiço a sua voz tão claramente, vejo o seu rosto tão vividamente, que por vezes fico sem fôlego. Ele não quereria que eu me arriscasse a deitar tudo por terra. Sei que não. Apenas tenho de convencer Nathan de que é o que *eu* penso e não o que sei que Tom teria pensado.

12

_____

— V ens para cima? — pergunta Nathan nessa noite, envolvendo-me com os braços quando passo a ferro o uniforme escolar de Olivia.

Não posso deixar de me retesar ao seu toque e tento convencer-me de que ainda estou às voltas com o passar das marcas de David Phillips. É mais fácil assim, já que é demasiado doloroso reconhecer que é de facto Nathan que me faz contrair.

— Não, vai tu — digo —, eu já vou. — Estendo a mão por sobre a tábua para o meu copo de vinho sobre a mesa.

— Não achas que já bebeste bastante? — pergunta ele, e eu sinto-me imediatamente eriçar.

— Não — declaro firmemente.

— Não faças disto algo entre mim e ti — diz ele, cansado.

— Do que estás a falar?

— Disso — exclama ele, apontando para o copo de vinho e a garrafa pousada ao lado. — Estás a beber mais do que alguma vez te vi fazer.

Não quero admitir que é um problema — que se tornou uma muleta em que preciso de me apoiar.

— Tens de manter as coisas em perspetiva — diz Nathan —, e beber não te vai ajudar. Não confundas o que quer que se esteja a passar com uma coisa nossa… porque nós estamos bem.

— Estamos? — pergunto, incapaz de manter a amargura fora da minha voz.

— Sim! — exclama ele vindo direito a mim, puxando-me contra si. — Tens muita coisa em que pensar de momento e precisas de lidar com tudo um passo de cada vez, de contrário parecer-te-á demasiado avassalador.

Quem me dera ter a sua capacidade de compartimentar tudo, em vez de ter de viver no constante troar do meu cérebro, em guerra para destrinçar o trigo do joio.

— Vá lá — diz ele, conhecendo-me demasiado bem. — O que te causa mais aflição nessa tua cabeça?

Eu ainda luto para o priorizar, e mesmo que conseguisse não tenho a certeza de que fosse capaz de expressá-lo.

— Estás a pensar no Japão? — pergunta ele.

Não quero dizer que esse é o menor dos meus problemas, pelo que assinto em vez disso.

— *Okay*. Pois bem, conheces o meu ponto de vista a esse respeito. Só posso dizer o que vejo e é uma oportunidade única na vida que seríamos loucos em perder. Mas em última análise a decisão é tua e eu estarei contigo seja o que for que decidires.

— Estarás? — pergunto, olhando diretamente para ele.

— Sim, claro — diz ele. — Olha, percebo porque te precipitaste a tirar conclusões, mas se eu tivesse um caso pensas honestamente que eu seria tão descuidado ao ponto de deixar contas de hotel e bijuteria por aí?

Ele faz por rir e eu esboço meio sorriso. Ele tem razão. Ele é um homem inteligente que teria dominado a arte do subterfúgio se assim quisesse. Não permitiria que um buquê extraviado fosse parar a casa da sua mulher e não à da sua amante. Quaisquer indiscrições seriam geridas ao pormenor e ao extremo.

— Telefonei para o hotel em Tóquio e eles confirmaram terem-me dado a conta errada. Eu só paguei trezentos e vinte e tal dólares. Podes confirmá-lo no saldo do cartão de crédito, se quiseres.

Abano a cabeça, mas sei que provavelmente o farei.

— E não faço ideia de onde veio o brinco. Apenas posso presumir que seja de uma das amigas da Sophia, pelo que sem dúvida deslindaremos isso a seu tempo. E o buquê, bem, calculo que simplesmente tenha sido enviado para a morada errada.

— Eu telefonei para lá — digo, olhando para ele. — Eles confirmaram que tinha sido enviado para o sítio certo e que o remetente era Nathan Davies.

— O quê?! Estás a falar a sério? Foi isso que eles disseram?

Assinto. — Confirmaram que tu o enviaste, e que Rachel era de facto a afortunada recetora, supostamente.

— Eles disseram mesmo «Nathan Davies»?

Disseram? Ou fora eu que lhes dera o nome dele? Não me lembro.

— Isto é de loucos — diz ele, passando a mão pelo cabelo. — Se eu tivesse alguma coisa a esconder, acredita em mim, escondê-la-ia.

E esconderia. É a essa réstia de esperança que eu me agarro.

— Aposto que isto tudo é a razão para estares nervosa com o negócio do Japão?

— Bem, não ajuda propriamente — digo. — Estás a pedir-me que contraia uma dívida enorme, para um projeto que ainda nem sequer estou convencida de que estejas presente para ver terminado.

— Eu nunca, jamais, te trairia — assegura ele, pegando-me nas mãos.

Quero tanto acreditar nele. Os seus olhos parecem estar a dizer a verdade. Eu *poderia* acreditar se ao menos me pudesse permitir fazê-lo.

— Porque não deixas isso? — diz ele, os seus dedos descendo-me ao de leve pelas costas. — Anda para cima.

— Eu subo quando estiver despachada — digo, afastando-me dele.

— *Okay*, mas não me faças esperar demasiado tempo — diz ele, cobrindo-me o pescoço de beijos ao de leve que ameaçam fazer vergar-me os joelhos.

Eu *podia* ir para cima. Eu *quero* ir para cima, mas tenho medo de fazer figura de parva. Se ceder, então estarei a dizer que acredito no que ele me diz. E se estiver errada? Deleitar-se-á ele com o seu engenho? Perderá o respeito pela sua mulher? Rir-se-á disso com a sua amante? O incessante chocalhar no meu cérebro aumenta e eu sirvo-me de outro copo de vinho numa tentativa de o sossegar.

O meu portátil está aberto na mesa de jantar e reavivo o ecrã com um passar de dedo. Pixéis de cor ganham instantaneamente vida quando uma fotografia de nós todos na Disneyland, há dois anos, passa para primeiro plano. Vistos de fora, parecemos felizes, como uma família normal, gozando tudo o que a vida tem para oferecer. Mas se a olharmos com verdadeira atenção e lhe concedermos mais do que um olhar superficial, podemos ver uma dor nos meus olhos e nos de Sophia. É como se estivessem vidrados; uma barreira transparente que sustém o mundo à distância de um braço. Demasiado receosas de deixarmos seja o que for aproximar-se demais, sabendo que nos pode ser arrancado no momento em que baixarmos a guarda.

Contra o meu melhor julgamento, abro o Facebook e começo a varrer as vidas empoladas dos meus «amigos sugeridos». Gina Fellowes, amiga de uma amiga que em tempos conheci, está presentemente no aeroporto de Manchester a ansiar por um fim de semana «decadente, sem peias», de despedida de solteira em Ibiza. Michelle Truman, mulher do filho do meu primo em segundo grau, «sente-se abençoada» no batizado da neta da sua maior amiga. Já me sinto pior do que sentia há uns minutos.

Fico fascinada com o poder dos algoritmos à medida que nome após nome levemente relacionado me é oferecido como «potencial» amigo. Lembro-me vagamente de Jack Stokes, do meu primeiro emprego em Londres, e de Lindsay Brindley, como uma das mães da turma do primeiro ano da Sophia. As ténues ligações fazem-me sentir desconfortável, como se alguém me varresse a cabeça, devastando os cantos cheios de teias de aranha que guardam informação que já não é necessária. Quando vejo a cara que quero ver, mais do que qualquer outra no mundo, quase lhe passo por cima como sendo demasiado familiar para me ralar com ela. Mas quando continuo a rolar para baixo, a imagem começa a gravar-se a fogo no meu cérebro.

Tom Evans, o *meu Tom,* está no Facebook.

Volto a correr lá para cima, sem saber se quero ver coisas ou não. Na minha pressa deixo-o passar e forço-me a abrandar quando de novo corro as imagens.

Sinto o coração como que parar quando vejo o seu rosto a olhar para mim, como se tivesse uma mão dentro do meu peito a espremê-lo de toda a vida. Os seus olhos perscrutam-me, da mesma fotografia que Sophia tem emoldurada na mesa de cabeceira. Os meus dedos delineiam as linhas dos seus lábios, e se tentar com toda a força quase consigo senti-los pulsar.

Como é que eu não vi isto antes? Porque não me foi ele sinalizado, a mim, sua mulher, como contacto? Eu nem sequer sabia que ele estava no Facebook. Decerto a sua conta já teria sido encerrada por esta altura. Sinto-me doente quando clico na fotografia, com medo de ver os amigos que ele fez e as conversas que teve antes de morrer. Há uma fotografia dele nas suas notícias, a última que eu tirei no dia em que partiu para a Suíça. Usa a camisa azul-marinho que lhe comprei pelos anos. Os seus olhos, tão parecidos com os de Sophia, reluzem de antecipação pela viagem, excitado pelo que o espera.

Olho à volta da mesa de jantar, para a cadeira onde ele se sentou na manhã em que foi. Ele e Sophia sentados lado a lado, sorrindo para mim quando desci do duche com uma toalha ainda enrolada em volta da cabeça.

— O que estão vocês os dois a tramar? — perguntara eu, as suas caras por demais travessas.

Sophia soltou uma risadinha. — Posso mostrar-lhe, papá? Posso mostrar-lhe?

— Mostrar-me o quê? — dissera eu, desconfiada.

— És uma nódoa a manter segredos, Sophia — rira-se ele, dando-lhe uma cotovelada. Entreolharam-se conspiradores, como tantas vezes faziam, os dois unha com carne.

— Temos uma coisa para ti — disse ela.

— O-okay — disse, olhando para um e para o outro, tomada de pânico por não ter assinalado a nossa separação temporária com algo em retribuição.

Sophia baixou-se para apanhar alguma coisa do chão. — Tatá! — disse ela, desencantando um cartão feito em casa e pondo-mo na mão. Joias e pedrarias tinham sido coladas ao acaso na frente, a cola branca ainda visível e peganhenta — a purpurina não tendo tido ainda tempo de aderir. Tentei ocultar o facto de haver mais a cair na carpete do que havia no cartão.

— Ooh, o que é isto então? — perguntei.

— Abre, abre — dissera ela, aos pulos na cadeira. Olhei de relance para Tom, os seus olhos fulgurantes de amor, por ela, por mim. Ele dar-nos-ia o mundo se lho pedíssemos.

Lá dentro estava uma fotografia do nosso casamento, a olharmos um para o outro no altar. As palavras por baixo diziam:

> Dói estar sem ti lá longe,
> mas em mim podes crer,
> mais te amarei ainda,
> até ao dia em que morrer.

— É a coisa mais querida que alguma vez me disseste — disse eu, inclinando-me sobre a mesa para beijá-lo. — Isto é a tua consciência culpada a manifestar-se?

— Oh, que encantador — dissera ele. — Demo-nos a este trabalho todo e tu achas que é alguma espécie de conspiração.

— Então, não há mais três esposas e mães ao fundo da rua a terem o mesmíssimo tratamento esta manhã? — disse eu, sabendo que Chris, Ryan e Leo ofereceriam sem dúvida igual sentimento para aplanar o caminho para a partida, para o que se tornara uma farra anual.

— Claro que não — dissera ele em fingido protesto. — O cartão da Jules tem joias verdes. O teu tem azuis.

— Vá lá, põe-te a andar daqui — dissera-lhe.

Ele beijara-me. — Vemo-nos daqui a cinco dias. Tens a certeza de que te aguentas a suster o forte até lá?

Pensei nas reuniões agendadas para a semana e senti o usual ímpeto de excitação. Não me lembrava de alguma vez me ter sentido mais feliz ou realizada.

— Suponho que terei de aguentar — dissera provocadoramente, enquanto os seus lábios roçavam os meus. — Afinal de contas, o talento sou eu. Recorda-me lá outra vez porque é que a empresa precisa de ti?

— Sentirás a minha falta quando eu já cá não estiver — rira-se ele. E então, assim de repente, já não estava.

Quando o marido de Jules, Leo, me ligara na noite seguinte, a dizer que Tom desaparecera, julgara que ele estava a brincar.

— Ele está provavelmente ainda no bar no cimo da montanha onde o deixaram — dissera eu, nada preocupada.

— Não, estou a falar a sério, Al — replicara ele. — O Tom saiu sozinho depois do almoço e não voltou.

Fora percorrida por um arrepio, embora ainda não estivesse indevidamente preocupada. Ele era bom esquiador e não era coisa invulgar nele ir fazer explorações. Olhei para o relógio e para o céu a pôr-se escuro fora da janela da sala, escolhendo não reconhecer que na Suíça era uma hora mais tarde.

— *Okay*, então aí passa das seis? — perguntara, o meu cérebro lógico tentando ignorar o sentimento de pânico que crescia dentro de mim. — É muito provável que esteja sentado no quentinho nalgum lado, tentando lembrar-se das horas a que supostamente se deveriam encontrar esta noite.

Um pesado suspiro insinuou-se através da linha. — Deveríamos ter-nos encontrado há duas horas — disse Leo baixinho.

— Ligaram a alguém? — perguntei. — Procuraram no quarto dele, no hotel, no restaurante? — Tentara tão desesperadamente manter a voz firme. — Há aí algum ginásio ou sauna onde ele possa estar?

— Ele não entregou os esquis de volta — dissera Leo, e todo o meu mundo começara a fechar-se à minha volta.

— Bem, têm de dar com ele — disse, com um laivo de histeria na voz. — Leo, *tens* de dar com ele.

— Já estivemos em todos os sítios de que nos lembrámos — dissera ele. — Vamos esperar mais uma hora e então dá-lo-emos como desaparecido.

— Não, não podem esperar mais uma hora — gemi. — Tudo pode acontecer nesse tempo. Ele pode estar caído algures, incapaz de se levantar. Pode ter caído por uma fenda e se nevar… Leo, mais uma hora pode ser a diferença entre a vida e a morte.

— Vou falar para a receção agora — dissera ele sombriamente. — Mas se ele te ligar entretanto, diz-lhe que se deixe de tretas.

Se o Tom estiver a tentar assustá-los, pensara eu, eu própria o mato.

Ficara sentada junto ao telefone, na expetativa de que tocasse, durante a hora seguinte. A ver avançar cada segundo no ponteiro à medida que girava, assinalando os minutos no relógio acima da lareira. — Vá lá, Tom — dissera em voz alta. — Onde estás tu?

Quando o número de Jules lampejou no ecrã, só pude imaginar que fossem más notícias. Os rapazes ter-lhe-iam delegado a tarefa, numa tentativa de mo dar a saber gentilmente.

— O que se passa, Jules? — dissera, mal conseguindo respirar.

Houve um excruciante silêncio do outro lado da linha.

— Jules? — berrei.

— Ainda nada — dissera ela gentilmente. — A equipa de resgate foi chamada e estão a tentar apurar onde o Tom foi visto pela última vez e a sua provável rota. O Leo ligará assim que souber mais alguma coisa. Queres que vá para aí?

Desejara dizer «sim», mas sentira que fazê-lo elevaria o que ainda podia ser uma brincadeira estúpida para uma crise declarada. Era como se reconhecer a gravidade da situação de Tom de algum modo a piorasse.

— Não, eu estou bem — dissera. — Tenho a certeza de que estaremos todos a rir disto amanhã de manhã.

Nem podia pensar em ir para a cama, mas devo ter passado pelas brasas uns minutos pois quando acordei recebera uma mensagem escrita de Tom, dizendo simplesmente, Envia ajuda.

— Ele enviou-me uma mensagem escrita, Leo — gritei ao telefone uns momentos depois. — Precisa de ajuda.

— Eu sei — respondera ele. — Eu também recebi uma, mas o tempo fechou-se sobre nós. É demasiado perigoso ir para o cimo da montanha no escuro.

— Por favor, faz *alguma coisa* — chorara eu. — E a equipa de resgate? Estão aí?

— Sim — disse ele. — Está toda a gente a fazer o que pode.

— Pois não chega! — enfurecera-me. — Ele pediu ajuda. Enviem um helicóptero, temos de chegar a ele.

— Não sabemos quando é que ele enviou a mensagem ao certo — disse ele. — Aqui em cima mal há rede, pelo que entre o telemóvel dele e o meu pode haver um considerável lapso de tempo.

— Não quero saber — chorara eu, abraçando os joelhos contra o peito. — Simplesmente encontrem-no antes que seja demasiado tarde. Por favor.

Os dias que se seguiram tinham sido uma névoa de visitas e flores. Os lírios brancos de longo caule que eu dantes adorava tornaram-se um sinal de esperança perdida, o seu doce aroma transformado no pungente odor de desgosto lancinante e solidão. As pessoas apareciam-me à porta com pesar e lasanha — eu não ouvia outra coisa senão «É só pôr no forno a 180 graus».

Cada toque de telefone tinha o potencial de trazer as melhores ou as piores notícias. Cada batida à porta podia ter sido Tom ou a Ceifeira com a sua gadanha, confirmando pessoalmente a sua morte. Era simultaneamente entorpecedor e excruciante.

Não podia dormir com medo de não ouvir quando ele ligasse e passava noite após noite de olhos fitos no telefone, intentando que tocasse. Mesmo depois de perdida toda a esperança; quando já não havia hipótese de ele ser encontrado vivo, recusei-me inicialmente a levar a cabo uma cerimónia fúnebre por ele. Como se pode comemorar a vida de alguém, quando não se tem a certeza da sua morte? Mas, ao que parecia, as pessoas precisavam de um escape, alguma forma de encerramento, de modo a poderem aceitar que ele não ia regressar.

A igreja estava fulgurante de cor, comigo a recusar deixar entrar fosse quem fosse trajando de negro. Era para ser uma celebração da sua vida, não uma confirmação da sua morte. Contudo, enquanto a minha alma ainda rezava para que ele entrasse pela porta, o meu ser lúcido sentia que eu o deixara ficar mal, aceitando o seu destino.

Ao longo das semanas que se seguiram, Sophia tornou-se uma lapa nos meus já exauridos recursos. «Porque é que o papá não volta?» «Onde é que ele está agora?» «Se ele não está morto, porque é que não está aqui?» «Quando é que volto a vê-lo outra vez?»

Minuto sim, minuto não, era passado a responder às suas perguntas o melhor que podia. Os minutos de permeio eram passados a abraçá-la contra mim, ambas demasiado assustadas para largar a outra, não fosse ela nunca mais voltar.

Um soluço gutural apanha-me de surpresa e as minhas recordações fazem-me recuar de volta com um safanão. Não consigo parar de chorar ao ler a única mensagem no quadro de notícias de Tom no Facebook.

> Hoje tive um almoço de truz em Verbier. *Potence* (carne grelhada ao fogo) e *fondue* de queijo. Vou fazer disto a minha dieta básica quando voltar para casa!

Há uma fotografia de um objeto de aspeto medieval, iluminado com nacos flamejantes de carne dele suspensos. Por baixo, Tom escrevera a legenda:

> A vida é boa!

— A vida *era* boa — corrijo-o.

Como poderia ele de todo ter sabido que dentro de umas horas a *sua* estaria acabada? Limpo as lágrimas com a mão, ao olhar a data em que foi postada. A noite anterior à sua morte teria sido 25 de fevereiro de 2009.

O sangue gela-se-me nas veias quando leio a data: 22 de junho de 2018.

Hoje.

13

— Desculpa o atraso — digo, entrando a correr no café do ginásio na manhã seguinte.

— Estás bem? — pergunta Beth com uma expressão preocupada.

Julgara ter feito um bom trabalho a ocultar os papos nos olhos, e esperara que carradas de rímel tivessem disfarçado a vermelhidão. Acabara por adormecer no sofá e tenho vagas reminiscências de Nathan me ajudar a ir para a cama de madrugada. Ele abraçara-me enquanto eu chorava silenciosamente.

— As últimas vinte e quatro horas foram… bem… — Não posso sequer terminar a frase pois não sei o que dizer. Deveria começar por não conseguirmos o projeto do Japão e Nathan querer comprar e fazermo-lo nós? Ou deveria saltar direita para a parte em que o fantasma do meu falecido marido está aparentemente a postar coisas no Facebook?

— O que é que aconteceu? — pergunta Beth.

— Tive um problema com o carro esta manhã — é tudo o que me sinto confiante para dizer sem me ir abaixo. Não é uma mentira.

— Oh! — é tudo o que ela diz.

Forço um sorriso. — Pois, acordei e dei com dois pneus vazios, pelo que tive de chamar a Range Rover e eles acabaram por pô-lo num camião e levaram-no. Não foi um começo de manhã fantástico.

— E aposto que pneus novos não saem barato.

— Exatamente.

— Pelo teu ar, pensei que fosses dizer que algo acontecera ao Nathan. Como correu isso? Está tudo bem?

— Humm — balbucio, por medo de que se disser quaisquer palavras reais, a minha ténue capa dê de si.

— Então, ele foi capaz de justificar as suas ações? — insiste ela. — Deste-lhe em cima com tudo o que tinhas?

Assinto. — Ele diz que não tem caso nenhum.

— Bem, isso podia eu ter-te dito — diz ela, com as feições contraídas. — Quando assumirão estes homens a responsabilidade pelas suas brincadeiras? Quando levantarão as mãos as mulheres que dormem com homens casados pela parte que lhes toca? Acham todos que podem fazer o que querem, magoem quem magoarem, mas tem de haver consequências. Têm de estar preparados para isso.

Os seus olhos vagueiam e imagino-a a visualizar o seu ex com a nova namorada, perguntando-se se terão consciência sequer da dor que causaram.

— É uma coisa boa eu acreditar no *karma* — diz. — O que vai, volta. De uma forma ou de outra, pagarão.

Forço um sorriso, perguntando-me qual o propósito disso se os estragos já foram feitos.

— Tu *queres* acreditar nele, não queres? — pergunta ela, olhando para mim.

— Claro — confesso. *Não sei em que mais acreditar,* é o que quero dizer.

Quero contar-lhe de Tom estar no Facebook. Não consigo parar de pensar nisso, imaginando-o algures, a viver uma vida sem nós. O pensamento é totalmente incompreensível, e contudo preferia que fosse verdade do que a Equipa de Apoio do Facebook ter razão ao dizer que devia ser uma falha técnica.

— Receio que haja mil e quarenta e cinco Tom Evans no *site* — dissera o operador na noite passada.

Mas apenas um deles está presumivelmente morto, desejara eu dizer.

— Não há nada que possam fazer? — implorara em vez disso. — Podem ao menos dizer-me onde é que este Tom Evans, o *meu* Tom Evans, está a postar?

— Por motivos de confidencialidade, não podemos fazer isso — dissera ele. — Já tentou contactá-lo diretamente?

Não pude dizer que não. Isso simplesmente far-me-ia parecer doida. Porque os teria eu contactado a saber onde estava, antes de lhe perguntar a *ele*? Mas fora isso que eu fizera — porque tinha demasiado medo de ir pela outra via, demasiado aterrorizada por poder vir a ter resposta.

— Tiveram notícias do Japão? — pergunta Beth agora, e eu fico-lhe grata por mudar de assunto.

— Não conseguimos. O construtor desistiu de comprar o terreno.

— Lamento… Querias mesmo aquilo, não querias?

Assinto. — Tanto, que o Nathan quase me convenceu de que devíamos comprá-lo e construir nós próprios.

— Uau! — diz ela, olhando para mim assombrada. — Vais fazê-lo?

Abano a cabeça. — Não, a AT Designs significa demasiado para mim. Foi criada por mim e pelo Tom, e se lhe acontecesse alguma coisa devido a uma má decisão tomada por mim sentiria que o tinha deixado ficar mal da pior das maneiras.

Penso em quão arduamente tínhamos trabalhado para levantar a empresa de raiz, mesmo quando Tom ainda tinha um emprego a tempo inteiro como engenheiro civil.

Fora desde há muito um sonho meu criar a minha própria empresa de *design* de interiores e logo depois de termos descoberto que eu estava grávida de Sophia, Tom convencera-me de que estava na altura de o tornar realidade. Pus um cartão meu em montras de lojas, distribuí panfletos, criei um *website*; tudo para pôr o meu nome na praça.

Um par de moradores na vizinhança encomendaram-me uma remodelação de uma sala ou duas, e uma creche local pedira-me que criasse um novo espaço-biblioteca para as crianças. Não que isso me fizesse ganhar grande coisa, pois quando acabei de pintar o mural de uma quinta em tamanho real eu estava a perder dinheiro, mas a expressão nas caras delas foi recompensa bastante para mim, no início.

Assim que Sophia nasceu, eu passava cada minuto que ela dormia a andar pé ante pé por entre os desenhos e as ideias que estavam espalhados pelo chão do quarto das traseiras do nosso apartamento. Mas ainda assim não havia tempo suficiente para acabar tudo antes que ela voltasse a acordar e muitas vezes dera comigo a pé às duas da manhã para manter o trabalho em dia. Uma noite em que as hormonas e o cansaço tinham levado a melhor sobre mim, Tom apertara-me nos braços e prometera estar mais presente do que já estava.

— Mas não podes — chorara eu. — Ocupado já tu estás com o teu trabalho. Não posso esperar que faças mais do que já fazes.

— Vou demitir-me — declarara ele. — Não quero ser engenheiro civil o resto da minha vida.

— Demitir? — dissera eu, tomada de pânico. — Mas precisamos do teu ordenado. A AT mal faz alguma coisa.

— Então usaremos a minha herança — dissera ele. — É o que a minha mãe e o meu pai teriam querido.

— Toda ela? — perguntara.

Ele fizera uma careta. — Porei um bocadinho de lado, para o caso de o Daniel alguma vez conseguir dar uma volta à sua vida.

— Mas se os teus pais tivessem querido deixar algum ao teu irmão tê-lo-iam feito.

— Sim, mas eles tomaram a sua decisão com base na vida que ele leva agora — dissera ele. — Se a dada altura ele sair da prisão e se endireitar, sei que eles quereriam que eu o ajudasse.

— Achas que é provável isso acontecer? — perguntara eu, avançando com cuidado, sabedora de que as opções de vida do seu irmão tinham trazido vergonha e embaraço à família.

— Porventura — dissera ele. — Precisavas de ter conhecido o Daniel para veres o potencial. Simplesmente de algum modo deixou-se enredar no mau caminho.

Tom era um bom homem e as nossas conquistas tinham sido uma fonte de grande orgulho para ele. Ainda nutro um enorme sentido de responsabilidade para com ele, e para com os seus pais, a fim de assegurar que assim permanecerá sempre.

Olho para Beth. — Pode ser que, se não fosse tudo o mais que se passa, eu me tivesse deixado convencer. Mas neste preciso momento não consigo distinguir a floresta das árvores. Parece *tudo* tão complicado.

— Com o Nathan, queres tu dizer?

— Parece tudo simplesmente um bocadinho demais com que lidar.

Beth abre a boca para falar mas parece pensar duas vezes.

— Então, como estão as coisas contigo? — pergunto. — Pensaste mais alguma coisa a respeito do pai da Millie?

— Humm, ela trouxe-o à baila outra vez no fim de semana — diz ela. — Tive uma conversa com ela, só para ver como se sente quanto a isto tudo e se quer realmente saber mais acerca dele.

— E quer?

— Tudo aponta para que sim — diz ela. — E eu suponho que quero saber onde ele está e o que anda a fazer.

Oiço o meu telemóvel tocar dentro da mala e sinto imediatamente a pulsação acelerar, perguntando-me se será Nathan, ou do escritório, ou da escola de Olivia. Desde quando quero evitar tanta gente?

É um número desconhecido e forço-me a atender. — Olá — digo a medo, alerta para as potenciais más notícias que me poderão vir parar à porta.

— Senhora Davies? — pergunta uma voz masculina.

Hesito antes de responder. Só vendedores de *marketing* se dirigiriam tão formalmente a mim. — Sim — digo, com um suspiro resignado.

— Fala Mark Edwards, da Range Rover. É só para lhe dar a saber que já tem o carro pronto à sua espera. Receio termos tido de mudar os quatro pneus.

Resisto à tentação de dizer, aposto que se estivessem a lidar com o *Sr.* Davies, apenas teriam sido dois.

— Porquê? Qual era o problema? — pergunto em vez disso.

— Bem, os dois pneus da frente já estavam vazios, como pôde ver, mas quando o carro nos chegou às mãos, ambos os pneus de trás iam também pelo mesmo caminho.

— Isso é um azar ridículo — digo, um tudo-nada sarcástica.

— Deveras — diz ele. — Poderá querer repensar onde estaciona o carro de futuro.

— Porquê?

— Porque ao que parece os quatro pneus foram golpeados com uma faca.

Sou percorrida por um arrepio ao imaginar alguém a dar a volta ao carro, enfiando uma lâmina na borracha.

— Fizeste-te branca — diz Beth quando desligo, entorpecida. — O que foi?

Forço um sorriso. — Provavelmente é porque me disseram quanto é que o arranjo do carro ia custar.

— Isso ensinar-te-á por comprares um pelo mesmo dinheiro que custaria uma casa — diz ela, rindo.

— É verdade — digo, envergonhada com a comparação.

Sei que ela está só a brincar, mas o comentário torna o fosso entre os nossos estilos de vida dolorosamente óbvio. Talvez tudo o que tem acontecido ultimamente seja a minha paga, um aviso para não dar tudo por garantido.

— Então, qual é o próximo passo? — pergunto, numa tentativa de afugentar a minha paranoia. — Como vai isso de tentares encontrar o pai da Millie?

— Bem, não tenho a certeza de que as vias oficiais vão ajudar grande coisa. Candidatei-me à pensão de alimentos há uns anos e eles abriram um processo, mas nunca conseguiram dar-lhe com o rasto. Nem sei se continuam à procura... não me parece que tenham tempo.

— E se alguém não quer ser encontrado...

— Mais que verdade — diz ela. — Mas dei uma olhada na internet, com a pouca informação que tenho.

Procuro na mala caneta e bloco-notas, regozijando-me com a ideia de ter os problemas de outra pessoa em que me focar em vez dos meus.

— Então, o que conseguiste até agora? — pergunto, virando para uma página em branco e escrevendo Beth antes de o sublinhar.

Ela sorri retorcidamente. — Então, ele teve o seu próprio negócio.

— E? — pergunto.

— Surpresa, surpresa, já não existe.

— *Okay*, então e os pais dele? — pergunto.

Perpassa um lampejo de qualquer coisa nos olhos dela, mas tão depressa como surgiu, desaparece de novo. — Não conheci nem um nem outro, pelo que por aí não há pistas.

Franzo o nariz. — Ele tinha alguns passatempos? Alguns sítios onde costumasse ir?

— Ele trabalhava que se fartava e andava muito por fora. Era imensamente ambicioso, e queria o melhor para nós. — Ri-se cavamente. — Ou eu assim pensei.

Cala-se e parece perdida nos seus pensamentos, como se só agora se fizesse luz nela que quando ele dizia que estava a trabalhar, estava na verdade com a outra mulher.

— Vocês tinham uma casa vossa? — pergunto, numa tentativa de a trazer de volta.

— Não chegámos assim tão longe — diz. — Ele estava apenas prestes a vir viver comigo.

— Então, não há qualquer rasto de papelada? — digo.

Ela abana a cabeça pesarosamente. — É embaraçoso. Como posso eu saber tão pouco sobre o pai da minha filha?

— Vá lá — digo eu. — Não te deites abaixo. É apenas uma dessas coisas, embora espere que saibas o seu nome.

Ela encara-me com ar murcho, mas há humor nos seus olhos. — Sim — diz. — E a sua data de nascimento, por acaso.

— Vês? — brinco eu. — Que mais precisas de saber?

Ela revira os olhos, mas dá para ver que aprecia que eu adote uma abordagem mais ligeira.

— Então vamos lá — digo, com a caneta a jeito. — Qual é o seu nome?

— Thomas Evans — declara ela sem rodeios.

Posso ver os seus lábios moverem-se e ouvir um som abafado, mas não chego sequer a processar o que ela diz. A minha cabeça enche-se de um calor que me dá a sensação de estar encurralada, sem saída. Preciso de ar para respirar, mas sou tomada de pânico que não consiga inspirá-lo suficientemente depressa.

Quero atirar-me por sobre a mesa e tapar-lhe a boca com a mão, para que nada mais possa dizer. Mas como não o faço, ela continua, ditosamente inconsciente.

— Data de nascimento, 21 de maio de 1976.

Inclina a cabeça de lado, com um ar preocupado no rosto, e eu tento levantar-me, mas sinto-me tão tonta que imediatamente me deixo cair de volta. Não consigo respirar, os pulmões não me deixam, e sinto o corpo a arder.

— Mas… mas não pode ser — titubeio. — Não é possível.

A última coisa de que me lembro é de Beth articular mudamente — Estás bem? —, aparentemente em câmara lenta. Depois tudo se põe negro.

SEGUNDA PARTE

NOVE ANOS ANTES — BETH

14

Fora um longo dia — tinha pelas costas a noite de pais e em mira trinta testes de inglês para ver. A tentativa de Jacob para reformular «*is pen pig the in my*» estava no topo da pilha; «*My penis in the pig*»[1] estava escrito na perfeição, mas não era propriamente o que eu pretendia. Não sabia se devia rir ou chorar.

— Vem só beber um copo — implorara Maria, e por um momento estivera seriamente tentada a ir beber três. Ralar-se-ia realmente uma classe de miúdos de 7 anos se eu não lhes corrigisse a gramática e simplesmente lhes desse um grande visto vermelho e estrela dourada em vez disso? Mas então lembrei-me da Sra. Pullman, que manifestara a sua preocupação de que a resposta do pequeno Bertie a *Em que poderias melhorar?* tivesse sido deixada passar. Como haveria eu de saber que ele escreveria *spillings?*[2]

— Não, é melhor pôr-me a andar — dissera. — Mas lá estarei sem dúvida na sexta-feira. Pago eu, tu escolhes.

— Não me vou esquecer disso — rira-se Maria ao vestir o casaco, e eu sorrira lastimosamente. Ainda estava a pensar que devia ter ido quando

---

[1] O que deveria possivelmente ser «a minha caneta está no porco» resulta, por uma falta de espaço entre palavras, em «O meu pénis no porco». *(N. de T.)*

[2] Termo que significa literalmente «vazamentos», «despejos», mas que em calão pode ter conotações menos ortodoxas. Aqui em trocadilho com *spelling*, «ortografia». *(N. de T.)*

seguia de carro pela A23, as mãos inquietas no volante, à espera de ver quem ganharia, Deus ou o Diabo.

Só um, dizia a sombria e ameaçadora figura sobre o meu ombro esquerdo.

Vai para casa corrigir os teus testes, intervinha a voz pura e angélica sobre o meu ombro direito, apenas um tudo-nada mais alto.

Congratulei-me por O ter ouvido a Ele, pois uma vez dentro de casa, trocadas a saia de xadrez e camisola de gola alta por robe e chinelos, senti-me feliz por ali estar, a salvo e ciente de que não teria de deixar o meu aconchego até à manhã seguinte.

Mas não prometera não beber um copo, pelo que me servi de um generoso copo de vinho tinto enquanto me preparava mentalmente para desatar o nó vocabular de Jacob. Só uma última olhadela ao telemóvel e então escondê-lo-ia debaixo de uma almofada e faria de conta de que detinha eu o controlo sobre *ele,* e não *ele* o controlo sobre mim.

Assim que vi a notificação do Melhor a Dois, um *site* de encontros em que me tinha inscrito, fiquei curiosa. O bastante para me fazer querer ler toda a mensagem, o bastante para me fazer adiar a correção de testes mais uns minutos.

Olá — li agora mesmo o teu perfil e pareces a fim de alguma diversão.

Parecia? Fora assim que a Maria me apresentara à população de encontros *online*? Uma rapariga à procura de alguma diversão?

Ela estava histérica de excitação ao incluir-me no *site,* tal como eu, mas por essa altura já tínhamos bebido duas garrafas de vinho, e *tudo* parecera divertido. Ela concordara em alterar as palavras «maníaca sexual» e «mulher emancipada que sabe o que quer» para «à procura de passar um bom bocado, a vida é demasiado curta para seriedades». Já nem me lembrava se fora este o perfil final em que assentáramos, mas calculo que tivesse sido se este tipo pensava que eu parecia estar a fim de «alguma diversão». Não sabia se havia de estar orgulhosa ou horrorizada. Supunha que enquanto estivesse atrás de um ecrã podia ser tudo o que quisesse.

O que tinhas em mente?, teclei, embora, assim que enviei, levasse uma almofada à cara e me contorcesse. Se me permitisse imaginar que estava num bar a ter esta conversa, via-me ali sentada, o meu corpo passando a linguagem certa, mas a minha mente em tumulto pelo que a minha mãe haveria de pensar. Não há como nos extraviarmos demais de uma educação católica romana.

Eu também não estou à procura de nada sério. Estás numa de nos encontrarmos?, replicou ele.

Não estava certa de que ele tivesse entendido os sentimentos por detrás das minhas palavras. Quando dissera que a vida era demasiado curta para grandes seriedades, não queria dizer que não queria uma relação séria. Estava apenas a tentar passar a atitude o diabo-que-o-carregue que pretendia ter. Tinha 28 anos, ovários aptos a estourarem, e uma mãe que fora à missa todos os domingos nos últimos dez anos, para que o padre Michael arranjasse maneira de casar a sua única filha quando a altura chegasse. Claro que queria uma relação séria, nem que fosse para apaziguar aqueles que por ela clamavam!

Convencera-me de que se calhar mais valia evitar o senhor. «A fim de alguma diversão», mas isso foi até ver a fotografia dele.

— Caramba! — disse bem alto, fazendo o *Tyson* saltar. Ele olhou para mim com os seus olhos cor de chocolate, fitando-me por entre as suas tontas orelhas caídas, à espera que a sua igualmente melosa dona desenvolvesse. — Bem, não *o* poria fora da cama numa noite fria — disse, enquanto *Tyson* inclinava a cabeça interrogadoramente para um lado.

Aqui estava um homem que sabia ao que vinha. A sua pose confiante, sentido de estilo, aqueles olhos «leva-me para a cama» e aquele sorriso. — Oh, aquele sorriso — disse eu para *Tyson* quando ele pousou a cabeça nos meus pés. — Importa *realmente* que ele não ande à procura de nada sério?

Quando?, replicara, descaradamente.

Esta noite?

Quase me engasguei com o vinho. Se nos encontrássemos na força toda desta conversa até o Marcus bateria o encontro às cegas que a Mel, outra professora da escola, me arranjara. Pelo menos tínhamos desfrutado de um namoro virtual de vinte e quatro horas antes de nos encontrarmos em carne e osso. Por este andar, já me via a acordar na sua cama de sonho amanhã de manhã.

Baixei os olhos para o meu robe e a nódoa que *Tyson* deixara quando saltara para cima de mim há uma semana, fazendo-me entornar a caneca de chá que tinha na mão. E para os meus chinelos, um dos quais todo roído na ponta pelo meu fidelíssimo, ainda que por vezes enfurecedor, peludo amigo. Não tinha um ar minimamente charmoso, mas não levaria muito tempo a pôr-me de volta em forma. Então lembrei-me de que estava com pernas de inverno — e sorriso *algum,* nem mesmo o de George Clooney, me teria justificado rapá-las agora.

Amanhã?, repliquei, contente comigo mesma por me fazer difícil.

Claro. Westbury Hotel, na cidade, mesmo ao pé da Bond Street? No Polo Bar às 19.30 h?

Fiquei momentaneamente à toa com o seu autoritarismo, não habituada a que me dissessem o que fazer, mas uma pequena parte de mim até que gostou.

Vemo-nos lá, disse, pensando já no que diabo haveria de vestir. Ele fizera-o parecer sofisticado sem sequer tentar.

— Então, vais simplesmente aparecer e… o quê? — disse Maria na manhã seguinte, boquiaberta. Ela dá a impressão de que se fosse solteira sairia à caça todas as noites, mas essa coragem toda deve-se apenas a ser casada e feliz, e viver a vida de solteira através de mim. A realidade dos encontros fá-la entrar em parafuso, como se eu precisasse de mais uma figura maternal superprotetora.

— Sim — disse eu simplesmente, pois não havia mais nada a acrescentar, embora soubesse que ela teria mais uma dúzia de perguntas.

— Mas, e se… quero dizer, o que acontece quando…? — Nenhuma das suas frases era terminada.

— Isto foi ideia *tua* — disse eu a rir. — Foste tu que me forçaste a entrar num *site* de encontros.

— Mas eu queria que conhecesses um homem encantador com quem casar, não que tivesses sexo com um estranho num qualquer hotel anónimo. — A sua expressão estava franzida e desaprovadora.

— Hã, desculpa — disse eu pretensamente ultrajada. — Alto lá ao hotel anónimo. Informo-te que o Westbury Hotel é um estabelecimento altamente respeitável.

Ela riu-se e lançou-me um pacote de batatas fritas através da sala de professores. — Sabes o que eu quero dizer — disse. — Simplesmente tem cuidado.

Brinco, mas apesar de rapar as pernas não fazia realmente tenção de dormir com ele nessa noite. Pelo menos até vê-lo. Até ver aquele sorriso, e então valia tudo.

15

—Costumas ir para a cama com homens no primeiro encontro? — perguntou o homem, que eu agora conhecia como Thomas, quando estávamos no meio dos lençóis e almofadas com o toque mais caro em que jamais me deitara.

— Costumas *contar* com isso? — repliquei, pois ele parecia-me ser um homem acostumado a obter o que queria.

Ele apoiou-se num braço e delineou-me o queixo com o dedo. — Isto não é coisa que costume fazer, mas contigo receio não me ter conseguido conter.

Revirei os olhos e fiz menção de me levantar, assumindo que ambos tivéramos aquilo para o que viéramos. Não havia realmente necessidade para lamechices pós-coito.

— Onde vais? — perguntou ele, agarrando-me o pulso.

— Para casa — respondi, de súbito desconfortável. Engraçado como deixar-me ser amarrada e tornada indefesa por este estranho à conta de fazer amor parecera de algum modo mais seguro do que esta inesperada invasão do meu espaço.

— Gostava de te ver outra vez — disse ele, largando-me.

Sorri. — Isso é muito cavalheiresco da tua parte, mas tanto tu como eu sabemos que é improvável que aconteça. Aqui não há honestamente necessidade de pretensões.

Ele pareceu magoado. — Acho que temos algo especial.

Ri ao enfiar-me dentro do vestido. Ele tê-lo-ia talvez visto como um aligeirar meu do tempo incrível que passáramos juntos, mas eu sabia que era a barreira de defesa a levantar-se, sempre pronta a levar com o golpe que eu tinha a certeza que aí vinha. Razão por que me certificava sempre de chegar lá eu primeiro.

— Olha, eu passei um belíssimo bocado — disse eu. — Um *realmente* belíssimo bocado, mas tu deixaste bem claro que apenas procuravas alguma diversão, e por mim tudo bem. A sério, mesmo. Não tornemos isto mais constrangedor do que tem de ser.

— Eu ando muito por fora — disse ele. — É por isso que não me posso comprometer com nada sério.

Ali estava uma que eu ainda não tinha ouvido.

— Mas se estivesse mais por cá, quereria definitivamente ver onde isto ia dar.

— Claro — disse eu, como que placando um aluno chateado na minha sala de aulas. — E se eu estivesse mais por cá também gostaria de ver onde isto ia dar, mas, enfim… — Recusei-me infantilmente a deixar que ele levasse a melhor, fazendo-o pensar que eu estava de alguma forma desapontada.

Sentei-me na cama e passei-lhe a mão pelo peito nu, pelo ombro tonificado e pelo braço tatuado abaixo. Se ele continuasse a sorrir assim teria de me despir e fazê-lo outra vez.

— Queres, não queres? — perguntou ele, como que lendo-me o pensamento.

Sorri. Claro que queria, mas não fazia mal nenhum deixá-lo a querer mais.

— Da próxima vez que estiveres na cidade, liga-me e logo se vê se nos podemos juntar. — Eu soava como se tivesse engolido um manual *Como Atuar com Pinta*. Ele puxou-me para cima dele, a sua língua buscando-me a boca. Foi necessária toda a minha força de vontade para me afastar.

— Surpreender-te-ei — disse ele quando cheguei à porta.

— Força. — Sorri, desejando que o fizesse, mas sabendo que não o faria.

Por isso dizer que fiquei estupefacta quando ele me enviou uma mensagem escrita uma semana depois é dizer pouco. Eu já estava a falar dele no pretérito com a Maria na manhã depois de me ter encontrado com ele no hotel, como se fosse simplesmente um sonho que tivera.

— Juro por Deus, ele era o homem mais provocante que eu já vi — cismara eu, enquanto deixava o chá ganhar cor. Maria ouvira, invejosa, sem dúvida imaginando-se no meu lugar. — Mas não tão provocante como o teu Jimmy — acrescentara.

— Quem estás tu a enganar? — dissera ela, dando-me no braço com um pano de loiça que estava na sala de professores há anos. Tive uma reminiscência de que já me devia ter calhado levá-lo para casa e lavá-lo uma vez por outra. Não me lembrava de tê-lo feito alguma vez. — *Qualquer* homem é mais provocante do que o meu Jimmy — prosseguiu Maria —, mas eu amo-o na mesma. Vais vê-lo outra vez?

— Oh, merda — dissera eu, ao avistar o negrume do chá e tirando a saqueta, queimando os dedos. — Claro que não. Foi uma proeza de uma noite e alegremente viverei dela o resto da minha vida.

Surpresa! — dizia a mensagem escrita dele, quase me fazendo deixar cair o telemóvel.

Fá-lo esperar, disse de mim para mim. *Não há necessidade de pareceres tão desejosa.* Se eu tivesse estado na sala de aulas, tudo bem, mas estava a preparar aulas na biblioteca, e cada segundo que passava parecia um dia. Fiquei silenciosamente impressionada por me ter aguentado mais de quatro minutos.

Quem é?, escrevi, sabendo mais que bem que só podia ser ele.

É o Thomas...

Desculpe? Por vezes sou a minha pior inimiga.

Da outra noite... encontrámo-nos no Westbury. Eu amarrei-te e depois...

Estava mesmo a pedi-las. Olhei a biblioteca à minha volta, imaginando que a conversa estava a ser reproduzida através de um altifalante, e corei furiosamente.

Escrevi e apaguei Ei, como vai isso? cinco vezes, antes de carregar em «Enviar».

Estou na cidade esta noite e quero ver-te.

Ele estava a perguntar-me ou a participar-me? Uma coisa ou outra, excitou-me e soube que lá ia eu, fosse qual fosse o compromisso que se me atravessasse no caminho.

Não tenho a certeza de estar livre, repliquei, sabendo que tinha a agenda em branco.

Não há problema, escreveu ele, desmascarando o meu *bluff*. Talvez noutra altura?

Porra.

Deixa-me confirmar, escrevi, muito rapidamente.

Esperei o que pareceu uma desmesurada quantidade de tempo, mas na realidade foram provavelmente só dois ou três minutos. *Quanto mais lhes bates mais gostam de ti — essa sou eu!*

Tenho um jantar marcado, escrevi. Mas posso ser capaz de mudá-lo. O que se passava comigo? Porque não dizia simplesmente *Sim, estou livre e adorava ver-te?*

Ótimo, eu vou ter contigo. Há um hotel simpático para os teus lados chamado Clarendon. Encontramo-nos lá às 19.30 h?

Para jantar?, perguntei presumidamente.

Ele ignorou a minha pergunta, inquirindo em vez disso, O que fazes?

Isso não era informação que deveríamos trocar à mesa de jantar? Encolhi-me ao lembrar-me de como caíra na cama com ele sem saber nada a seu respeito. Ele sabia ainda menos de mim. Mas isso fora quando eu honestamente acreditara que iria ser uma gloriosa aventura de uma noite, algo a que embaraçosamente me habituara ao longo dos últimos três anos.

Em minha defesa, enquanto os meus amigos viviam os últimos anos da adolescência e os vinte e poucos num redemoinho hedonístico, eu estivera a fazer de fiel esposa de Joel. Bem, não éramos casados, mas bem poderíamos ter sido, já que vivíamos a vida que eu contava viver cinquenta anos mais tarde. Ficávamos em casa quando toda a gente ia sair. Bebíamos chá enquanto eles emborcavam *shots*. E tínhamos o *Tyson* enquanto eles eram livres de responsabilidades e podiam saltar para um voo da Ryanair para Ibiza por dá cá aquela palha. Como eu ansiara por essa vida. Tanto que, ao fim de seis anos, meti o *Tyson* debaixo do braço e fui-me embora.

— Fica com tudo — dissera com um floreado de abandono.

— Mas não *podes* ir-te embora — disse Joel. — Não podes sair assim sem mais nem menos.

— Ambos merecemos melhor — dissera eu honestamente. — Ambos merecemos *mais*.

— Bem, deixa então o *Tyson* aqui — limitara-se ele a dizer, e eu soube que tomara a decisão certa. Ainda déramos de caras um com o outro ocasionalmente, mas ele mal conseguia dizer olá. Não porque eu me fora embora, mas porque levara o *Tyson* comigo.

A ideia de embarcar numa nova relação com Thomas deixava-me em pulgas. Agora sim, por *aquilo* valeria a pena ficar.

Sou professora, disse finalmente, em resposta à pergunta dele.

É melhor portar-me bem, então, de contrário terás de me deixar ficar de castigo depois da escola.

Sorri. Se calhar era isso exatamente que eu faria. Podia ser a professora exigente, feliz em exercer disciplina. Deleitar-me-ia em repreendê-lo pela sua fraca nota num teste e alegremente o poria de castigo por começar uma briga.

Resisti à tentação de investigar imagens de «professora *sexy*» no Google, mas não me consegui concentrar durante o resto da tarde enquanto revistava mentalmente o meu guarda-roupa, ao mesmo tempo que escutava os miúdos a lerem à vez *Henrique, o Terrível*.

Thomas não estava quando cheguei, pelo menos nos sítios em que procurei. Ele não especificou se estaria no átrio, no bar, no restaurante ou num quarto. Senti uma guinada no estômago ao imaginá-lo neste último, mas se fôssemos direitos a isso, o mais provável era eu sair dali sem saber mais nada acerca dele.

Acabara de pedir um *vodka* laranja quando senti uma presença silenciosa atrás de mim, um hálito quente no pescoço. Cheirou-me a *aftershave* caro, emanando de pele acabada de lavar.

— Desculpa chegar atrasado — sussurrou, antes de se inclinar de lado para me beijar na cara. — Estive só a acabar o trabalho de casa.

Olhei para baixo, através dos horrendos óculos de aumentar que Maria me tinha emprestado, para a minha saia-lápis e conjunto de malha rosa-pálido, agradada por os meus esforços terem resultado.

— Arranja-me um grande *gin* tónico? — disse ele para o *barman*, enquanto me acariciava a perna através do crepe. A sua mão parou de se mover quando os seus dedos sentiram o fecho das ligas e virou-se para me olhar com um sorriso rasgado.

— Fiz uma reserva para jantar, mas acho que vamos ter de remarcar para outro dia — disse, erguendo as sobrancelhas numa interrogação.

Assenti — foi necessária toda a minha força de vontade para não lhe desabotoar a camisa logo ali.

Segui-o para o elevador e afastei-me para o lado quando um casal de idade saiu. Ficámos ali, a uns centímetros um do outro, sem falar enquanto as portas se fechavam. Se imaginasse este cenário na minha cabeça teria apostado que desataria a rir; o desempenho de papéis e a minha mudez teriam mexido com o lado imaturo do meu caráter. Mas a atmosfera estava tão sexualmente carregada que nada mais senti do que um desejo avassalador de nos despirmos o mais depressa possível.

— Então que tal me portei, professora Russo? — disse ele a seguir, com um brilho maroto nos olhos.

Rolei pará o lado e apoiei a cabeça no braço dobrado.

— Diria que és um aluno muito interessado e ávido de aprender. A tua capacidade de te focares no assunto em questão é exemplar, precisando apenas da mais básica explicação para chegares a uma mais que satisfatória conclusão. Em geral, um desempenho excecional e anseio por te dar as boas-vindas de novo à minha turma dentro em breve.

Ele sorriu, os seus lábios cheios apartando-se muito ao de leve e revelando uma fiada de perfeitos dentes brancos.

— Jantar? — perguntei, com o apetite aguçado.

Os seus olhos perscrutaram os meus com uma intensidade que me provocou uma guinada nas entranhas. — Ou vamos simplesmente direitos à sobremesa?

Borboletas esvoaçaram-me no ventre quando ele me tocou. Não importava o que havia no menu, prato algum merecia perder isto.

16

— Não me contaste que tinhas um cão — disse Thomas quando veio ao meu apartamento pela primeira vez umas semanas mais tarde. Dado que só nos tínhamos encontrado quatro vezes e fôramos direitos para a cama em todas essas ocasiões, não era de admirar que ainda não tivéssemos tido oportunidade para grandes conversas.

— Este é o *Tyson* — disse eu orgulhosamente, como se estivesse a apresentá-lo ao meu filho.

Thomas não conseguiu deixar de se rir ao fazer-lhe uma festa. — Mas é o cão mais giro que eu já vi.

— Não te deixes iludir — disse eu. — Ele faz jus ao nome... os *cockapoos* podem ser implacáveis.

— Ele não é um desses cães territoriais, pois não? — perguntou Thomas, enquanto me plantava beijos nos lábios. — Do tipo que não te deixa ir para a cama com um homem... por mais escaldante que seja.

— *Pode* ser, mas contigo deverá portar-se bem.

Thomas sorriu e deixou as mãos vaguearem para o meu traseiro, dando-lhe um beliscão.

— Au! — ri-me, batendo-lhe no ombro.

— Então, vamos testar a tua teoria? — perguntou ele, começando a desabotoar-me as calças de ganga.

— Não — respondi, afastando-o jovialmente. — Primeiro vamos comer.

— Oh, a sério? — lamuriou-se ele, soando como um miudinho desapontado. — Não podemos só…

— Não, nem pensar. Se continuo a preterir a comida ao sexo, a minha mãe perguntar-se-á o que me aconteceu.

— Contarás à tua mãe uma coisa *dessas*? — perguntou ele incrédulo.

Não pude deixar de me rir ante o olhar horrorizado no seu rosto. — Não, referia-me a ela notar que emagreci.

— Oh, pois. — Mergulhou o dedo no molho bechamel dentro da panela.

— Sinceramente, és pior que os miúdos da minha turma — reclamei, enxotando-lhe a mão. — Porta-te bem por um minuto e tira o vinho do frigorífico.

— Tenho uma coisa para te perguntar — disse ele mais tarde, enquanto atacava a minha lasanha caseira.

— Humm — respondi, embora não estivesse de facto a ouvir, demasiado concentrada a verificar se as placas de massa estavam bem cozidas.

— Estou em pleno processo de fazer negócio com um cliente realmente importante.

— *O-kay* — disse eu, hesitante, perguntando-me o que poderia aquilo de todo ter a ver comigo.

— Ele vem a Londres daqui a um mês e é importante que eu dê a imagem certa. Tenho de apresentar-me como deve ser, percebes?

Franzi a testa e ele continuou. — Seria uma ajuda para a minha causa se ele pudesse ver que eu tenho namorada e que sou um tipo sério. — A minha expressão passou de confusão a surpresa, mas conquanto julgasse saber onde isto levaria, ainda queria ouvi-lo da boca dele. — Interrogava-me se estarias livre para, sabes, vir comigo.

— Estás a pedir-me para ser a tua namorada-troféu? — perguntei, tendo de impedir-me de rir, embora não saiba se de embaraço, se de excitação.

— Tudo bem, se… bem, não quiseres ir. Eu percebo. — Olhou para mim com olhos de corça, como o Gato das Botas do *Shrek*.

— Não saques dessa — ri-me eu. — Adoraria ir. O que tenho de vestir? Preciso ser uma namorada galdéria ou uma bonequinha chique? Oh, posso ser como a Vivian Ward de *Um Sonho de Mulher*: equipamento e mais nada.

Ele olhou para mim como se eu fosse completamente louca. — Podes simplesmente ser tu — disse, antes de sorrir e acrescentar: — Não terás de aliciar sacaninhas escorregadios para fora das conchas.

Ele sabia as deixas do meu filme favorito! Acho que deve ter sido nesse momento que comecei a apaixonar-me por ele.

Com o passar das semanas comecei a sentir-me mais confortável na companhia de Thomas e ousei confiar que tínhamos alguma coisa especial entre nós. Entrar de mãos dadas no restaurante ao encontro do seu sócio pareceu o grande passo seguinte, e senti-me tonta de excitação, consciente dos outros comensais a olharem para nós enquanto seguíamos o chefe de sala até à nossa mesa. Um homem bem-parecido, com pele cor de azeitona e olhos negros abrasadores, levantou-se quando nos aproximámos.

— Senhor Rodriguez, que bom vê-lo. Esta é a menina Russo.

O Sr. Rodriguez pegou-me na mão e levou-a aos lábios. — Muito prazer em conhecê-la.

— Igualmente — disse eu, olhando furtivamente à volta à procura da sua cara-metade.

— Infelizmente, a minha mulher teve um compromisso — disse ele. — Receio ser apenas eu esta noite.

Não sabia se ficar desapontada ou não. Senti um vislumbre de alívio por não ter de fazer conversa fiada, mas isso significaria então que teria de ouvi-los falar dos seus negócios.

Thomas olhou para mim, como que a dizer desculpa, e pediu uma garrafa de *rosé Laurent Perrier*.

Conforme veio a verificar-se, a conversa foi de facto muito elucidativa, e, se nada mais houvesse, senti que o meu estatuto social se elevara só porque agora sabia a diferença entre um *Mersault* e um *Petit Mouton*.

— Quem diria que o vinho pode parecer ainda melhor do que sabe? — disse, quando apanhámos à justa o comboio das 23.50 h em Waterloo. Era o último comboio de Londres para Guildford, pelo que ia atulhado de gente como sardinha em lata, com Thomas e eu comprimidos um contra o outro.

— Pois, desculpa lá aquilo — disse ele, o seu rosto não deixando trair o facto de que as suas mãos subiam sub-repticiamente pelo meu *top* de renda, para dentro do *soutien*. — Espero que não te tenhas chateado muito.

Fechei os olhos e o ar susteve-se-me na garganta quando os seus dedos habilmente me estimularam os mamilos. Se não fosse ilegal tê-lo-ia de bom grado deixado possuir-me ali mesmo, independentemente de quem estivesse a olhar.

— N-não, a sério — logrei dizer. — Achei mesmo interessante.

Ele ergueu sugestivamente as sobrancelhas. — Que parte? O sumo das uvas suculentas e maduras, ou o facto de poderes ganhar milhares de libras a comprar e vender vinho? O que mais te excita?

— Tudo — disse eu enquanto a sua mão me deslizava para dentro das minhas calças. Os seus dedos já iam no debrum de renda das cuecas quando lhe agarrei no pulso e olhei para ele de olhos arregalados.

— O que foi? — perguntou, por demais inocente.

— A paciência é uma virtude — respondi-lhe, entre dois beijos. — Dentro de uma hora, *todos* os teus sonhos se realizarão.

Só que não se realizaram. Em vez disso, passámos as primeiras duas horas desde que chegámos a minha casa à procura do *Tyson*, que tinha, ao que parecia, conseguido sair pela porta das traseiras.

— Mas é impossível eu tê-la deixado aberta — disse eu à beira da histeria, quando ainda não o tínhamos encontrado. — Tenho a certeza de que teria verificado que estava fechada antes de sairmos. Não te lembras de me veres fazê-lo?

Ele passou uma mão pelo cabelo. — Não posso dizer que vi, mas não estava propriamente a prestar atenção.

— É a última coisa que normalmente faço antes de sair — chorei. — Como posso ter sido tão estúpida?

— Ei, não te mortifiques à conta disso — disse ele gentilmente. — Havemos de encontrá-lo... ele não terá ido longe.

Mal o Sol nasceu na manhã seguinte, saímos ambos em direções diferentes, os nossos bafos evolando-se no ar frio quando gritávamos o nome dele. — *Tyson, Tyson!* Vamos lá a aparecer. — Engasgava-me a falar, furiosa comigo própria pelo estúpido erro que cometera e aterrorizada com o que lhe poderia ter acontecido. — Por favor, *Tyson* — implorei. — Por favor, vem para casa.

Thomas e eu encontrámo-nos de novo uma hora mais tarde no parque a que habitualmente levava o *Tyson* a passear.

— Sinal nenhum? — perguntei estupidamente, só querendo que o meu cão estivesse aos pés de Thomas.

Ele olhou para o chão, abanando a cabeça tristemente.

— Eu tenho de ir trabalhar — disse eu. — Temos de ir.

— Eu fico, se não houver problema — disse ele. — Tenho uma reunião que posso adiar, por isso gostava de continuar à procura.

— Oh, sim, Bem, claro que seria espetacular, se não te importares mesmo.

Nunca o tinha visto assim tão sombrio. — Eu também me sinto responsável. Se não fosse eu a distrair-te, talvez isto não tivesse acontecido.

Recuei em pensamento à noite anterior, quando pedira a Thomas para me apertar o colar.

— É lindo — dissera ele admirando o delicado diamante pendendo de um fio de prata.

Eu levara lá a mão instantaneamente, sentindo-lhe o peso com os dedos.

— Obrigada. Foi um presente do meu pai.

— Bem, ele tem obviamente muito bom gosto.

Eu não lhe dissera que ele tinha *tido* muito bom gosto. Em vez disso, afugentara as lágrimas que ameaçavam cair sempre que o meu pai era mencionado e fechara os olhos enquanto Thomas me beijava no pescoço. Os quinze minutos que então passámos a ter sexo em vez de nos arranjarmos significaram que eu estava doida de pânico para sair porta fora e apanhar o comboio. Talvez não tivesse tido tempo de verificar que a porta das traseiras não ficava entreaberta. Eu *podia* culpar Thomas, mas de que serviria? Fora uma distração que eu prontamente encorajara.

— Obrigada — disse, beijando-o no portão do parque, os seus lábios frios.

— Ligar-te-ei com quaisquer notícias — disse ele. — Se o encontrar, há algum café ou coisa do género onde possa esperar até voltares?

Havia? Vivia na zona há cinco anos, mas subitamente nem sequer me lembrava do estaminé onde habitualmente tomava café a caminho do trabalho.

— Deixa estar — disse ele, pressentindo a minha dificuldade. — Eu darei com algum lugar.

— Não, não… claro, desculpa, não estou a pensar direito. Toma, fica com a minha chave. — Esforcei-me por tirar a chave do porta-chaves que tinha uma fotografia gasta de mim e do meu pai. Estava preparada para dar a Thomas a chave de tudo o que mais estimava, mas não isso.

— Tens a certeza? — perguntou ele. — Há algum alarme ou coisa que o valha com que me deva preocupar?

— Não — disse eu baixinho, paranoica que alguém ouvisse como as minhas disposições de segurança eram frouxas.

— Mantém-me a par, sim? — pedi quando relutantemente o deixei.

Toda a manhã o meu pensamento alternou entre *Tyson* e um homem por quem rapidamente ficara caidinha, e quando chegou a hora de almoço sem que tivesse tido notícias, sentia-me prestes a explodir.

— Posso substituir-te se quiseres ir a casa — disse Maria esfregando-me as costas.

Abanei a cabeça. — Estou melhor aqui. Nada há que possa fazer em casa, a não ser esperar.

— A sério, posso dar as tuas aulas esta tarde; de nada serves aos miúdos estando assim.

— Tens a certeza?

— Sim, vai lá, vai — disse ela. — Eu direi ao diretor.

Ao andar da estação para casa, o meu estado de espírito animou-se um bocadinho à vista de cartazes de «PERDEU-SE» em candeeiro sim, candeeiro não ao longo da estrada. Pedia-se a qualquer pessoa que tivesse informações para telefonar para um número que não me era familiar.

— Parto do princípio de que tenho de agradecer-te pelos cartazes — disse a Thomas quando cheguei a casa. Não me atrevi a ligar para o número gravado no meu telemóvel pois arriscava-me a que aparecesse *Superbrasa*, o infantil pseudónimo com que eu o guardara. Tomei mentalmente nota para o alterar, embora não deixasse de *estar* correto.

— Sim — disse ele meio envergonhado. — Não te importas, pois não?

— Claro que não — exclamei. — É muito querido da tua parte.

— Ninguém ligou ainda, mas estou esperançado. Não sabia o que fazer mais.

— Obrigada — disse eu, beijando-o.

— Ficas bem se eu for a esta reunião? Consegui adiá-la por algumas horas, mas convinha-me realmente tê-la hoje, se não te importares.

Fiquei atónita que ele sentisse sequer necessidade de perguntar. — Claro que deves ir.

— Mas voltarei esta noite, se puder ser, e deixo-te o meu telemóvel não vá alguém ligar por causa do *Tyson*.

— Não sejas tonto — disse eu, abanando a cabeça. — Leva o telemóvel contigo.

— Não — insistiu, inflexível. — Não poderei atender se houver alguma chamada. Não podemos correr o risco de perdê-la.

— Mas…

— Fica com ele — persistiu ele, vestindo o casaco e passando-me o telemóvel. — Demorarei umas duas horas. Sente-te à vontade para atender qualquer chamada que surgir.

Foi uma sensação muito estranha ter o telemóvel de outra pessoa em minha posse, especialmente um que pertencia a um homem com quem saía tão casualmente e, contudo, conhecia tão intimamente.

Sustive o telemóvel diante dos olhos enquanto dava a volta ao parque, chamando pelo *Tyson*, e mostrando a todas as pessoas que encontrava uma fotografia dele. Quase podia sentir os meus olhos queimarem o ecrã de cada vez que olhava para ele, na esperança de que se iluminasse. Quando aconteceu estava eu a chegar ao portão, onde tinha sido colado outro cartaz, e atendi o mais depressa que pude.

— Está? — disse a medo.

— Oh, olá — disse uma voz de homem. — Estou a ligar por causa do cão.

O meu coração ganhou asas, fazendo-me sentir a ponto de me elevar do chão. Mas logo se seguiu a muito real possibilidade de me dizerem que alguma coisa lhe acontecera. — Sim? — disse, incitando o homem a falar, o meu peito estraçalhado de emoções.

— Há alguma recompensa? — perguntou ele, fazendo-me estacar de repente.

— Hã, não… não sei — gaguejei.

— Bem, há ou não?

— Isso importa? — disse eu, subitamente indignada. — Tem alguma informação ou não?

— Bem, tudo depende de quanto é a recompensa.

Afastei o telemóvel do ouvido e fitei-o consternada, horrorizada de que o regresso em segurança do meu adorado cão dependesse de quanto eu pagasse. Não equivalia isto a raptar e pedir um resgate?

A minha cabeça debateu-se em vão para ganhar a luta com o meu coração. Foi uma batalha mal travada.

— Mil libras — disse, subitamente consciente de quanto queria o *Tyson* de volta. A dor era tão profunda que pagaria cinco vezes mais. Pergunto-me se ele o terá ouvido na minha voz.

— Uau! — disse a voz. — Gosta mesmo deste cão, hein? — Permaneci em silêncio enquanto ele conduzia uma conversa abafada do lado de lá. — Pensaremos nisso e dar-lhe-emos a saber amanhã.

A chamada terminou abruptamente comigo a gritar «Dou-lhe cinco mil!» no vazio.

17

O meu sono foi intercalado por vívidas imagens de *Tyson*. Estava ao virar de cada esquina, a correr por cada prado. Podia ouvir-me rir enquanto ele vinha direito a mim, os meus braços estendidos prontos a abraçá-lo, mas quando ele saltava para eles, vinha um carro de qualquer lado e atropelava-o. Acordei com os meus próprios berros.

— Chh, está tudo bem, foi só um pesadelo — sussurrou Thomas envolvendo-me nos seus braços fortes. Tinha o coração disparado, e a respiração ofegante enquanto me esforçava por acalmar.

— Está tudo bem — repetia ele uma e outra vez, e por alguns momentos acreditei nele, mas logo veio a realidade de supetão quando os cruéis factos se apresentaram.

— Mas não está — chorei eu. — Não está tudo bem.

— Eu tratarei disso amanhã — disse ele. — Se esse homem tem o *Tyson*, prometo que o teremos de volta.

— E se não tiver?

— Eu recupero-o — foi a última coisa que me lembro de ele dizer, antes de me deixar dormir de novo.

Ele tinha desaparecido quando acordei, a minha mão estendendo-se instintivamente para o chão ao lado da cama, dando a *Tyson* o sinal para saltar. Aguardei momentaneamente uma lambidela na cara ou o inconfundível roçar de uma cauda a abanar de excitação. Foi como se me tivessem dado um soco quando me lembrei de que ele não estava lá. Doía-me o corpo de saudades e pensei, como faço tantas vezes, na passagem do tempo. Como pode acontecer tanta coisa em vinte e quatro horas — numa hora — num minuto. É quanto basta para que todo o nosso mundo gire no seu eixo. Num só momento tudo pode mudar, e a nossa vida nunca mais voltará a ser a mesma.

Fora isso que eu sentira quando o meu pai subitamente morrera. Coisa invulgar nele, tirara o dia anterior de folga, e saíramos no barco — só nós os dois. Foi o dia mais perfeito: o sol escaldava num luminoso céu azul e a ligeira brisa soprava a nosso favor enquanto velejávamos na minha homónima embarcação através do estreito de Solent. Ancoráramos ao largo da costa da ilha de Wight e chamáramos alguém que nos levasse a um dos restaurantes do meu pai.

— Como estás, meu amigo? — perguntou o chefe de cozinha, Antonio, beijando o meu pai em ambas as faces.

— Em plena forma — replicara o meu pai, a sua pronúncia tão mais italiana sempre que falava com um conterrâneo. — Não podia estar melhor.

— E, minha nossa senhora, como tu cresceste — disse Antonio para mim. — Lembro-me de ti quando ainda me davas por aqui. — Eu sorrira quando ele pusera a mão uns centímetros acima do chão. — Quantos anos tens agora? Uns 15, 16?

— Tenho 13 — rira-me eu, secretamente agradada que ele achasse que eu parecia mais velha.

— *Bellisima!* — disse ele. — E a Sra. Russo? Não vem convosco?

— Não, hoje sou só eu e esta aqui — dissera o meu pai, despenteando-me como se eu tivesse 3 anos. Alisei o cabelo, inibida. — Um tempo de pai e filha.

Se eu me tivesse zangado com ele por me tratar como uma criança, não duraria muito tempo, pois ele verteu uma quantidade ínfima de vinho branco num dos copos dispostos na mesa.

— Não digas à tua mãe — disse com uma piscadela de olho.

Lembro-me do Sol a brilhar e de o meu pai se oferecer para trocar de lugar comigo, pois ele tinha óculos escuros e eu não. Lembro-me das toalhas de mesa brancas e engomadas e do cheiro a azeite e alho à medida que pratos de esparguete de marisco passavam por nós a caminho dos outros comensais. Se não tivesse sido a última refeição que partilhámos, duvido que fosse capaz de lembrar-me do que comemos, mas como foi, vejo claramente a minha *carbonara* e a *arrabbiata* do meu pai serem colocadas diante de nós.

— A vida é isto — disse ele, quando atacámos. E era. Não podia imaginar tempo mais bem passado.

— Um dia isto será tudo teu — continuara ele, varrendo o braço pela varanda apinhada em que estávamos sentados. Não se podia ali enfiar mais uma mesa se se tentasse. Todos os seus restaurantes, o da ilha de Wight e os outros quatro no continente, estavam sempre completamente reservados, muito frequentemente com meses de antecedência.

— Mas não sei cozinhar — dissera-lhe, preocupada por não vir a estar à altura do empreendimento.

O meu pai rira-se gostosamente. — Quando é que alguma vez *me* viste numa cozinha?

— O tempo todo em casa — replicara eu, confusa.

— Mas não vou para o trabalho cozinhar, pois não?

Eu encolhera os ombros.

— Apenas tens de gerir o negócio — dissera ele. — Desde que os *chefs* possam seguir as receitas da avó, estarás bem.

Como sempre, Antonio juntara-se a nós para uma bebida após a refeição e, como sempre, eu passara a conversa deles quase toda em italiano fixada a observar as argolas de fumo que ele fazia.

Eu era fluente em italiano, mas não deixava de ser um esforço acompanhar, e fosse como fosse eles estavam apenas a falar de negócios, pelo que me abstraí. Agora, claro, quem me dera ter-me concentrado em cada palavra que o meu pai proferiu, por mais enfadonho que eu achasse que era, pois desde então a sua é a única voz que eu anseio ouvir.

Na manhã seguinte, em casa, ele acordara, fizera à minha mãe uma chávena de chá e tombara prostrado no chão da cozinha com a colher de chá ainda na mão. Ela tentara reanimá-lo, e a ambulância veio rapidamente, mas já era demasiado tarde. Tivera uma hemorragia cerebral com apenas 49 anos.

A casa enchera-se de gente, mesmo antes de eu acordar, e eu saíra até ao patamar para os gritos e pânico vindos do andar de baixo. Percebi que algo acontecera, mas não me ocorreu que tivesse alguma coisa que ver com o meu pai. Como podia ser? Acabáramos de passar o melhor dia de sempre juntos. Ele estava perfeitamente normal, e deixara-me beber um bocadinho de vinho. Era o nosso pequeno segredo. Como podia ele não estar já ali para partilhá-lo?

A minha mão pendia ainda ao lado da cama, na esperança de sentir o *Tyson,* quando o meu telemóvel tocou, fazendo-me dar um pulo. No ecrã iluminado apareceu *Superbrasa.* Tinha mesmo de alterar aquilo.

— Olá — disse ele, contido.

— O que se passa? — perguntei, imediatamente consciente do seu tom seco.

— Aquele homem ligou outra vez — disse sombriamente. — Estou com vontade de chamar a polícia...

— A dizer o quê? As pessoas estão sempre a oferecer recompensas pelo regresso em segurança dos seus animais de estimação. Não é crime aceitá-las.

— Mas nós não oferecemos uma recompensa — disse ele.

— Pois não, mas eu tê-lo-ia feito se tivesse pensado nisso. Este tipo está obviamente a lançar o isco, mas se ele tem o *Tyson,* então eu de bom grado pagarei o que for preciso para o ter de volta.

— Ele diz que o tem e quer duas mil libras — disse Thomas.

— Acreditas nele? — perguntei.

— Acho que o devemos levar a sério, na ausência de qualquer outra coisa. Tenho a morada dele.

— Então, o que devo fazer? — perguntei, faltando-me a voz. — Qual é o próximo passo? Devo ir levantar o dinheiro?

— Por Deus, não. Não quero que apareças em casa de um estranho qualquer na posse de tanto dinheiro.

Engoli em seco. — *Eu?* Queres que vá *eu?*

— Bem, não... — Calou-se. — Não se não te sentes confortável.

— Olha, sei que te estou a pedir muito — disse eu —, especialmente depois de tudo o que já fizeste, mas importavas-te de ir *tu?* Conheces o *Tyson...* saberás se é ele. Eu dar-te-ei o dinheiro e entregas-lho quando vires que é ele.

Fez-se luz em mim do quão ridículo tudo isto soava. — Meu Deus, olha só para nós — continuei. — Parece uma coisa tirada de um filme!

Ainda me sentia pouco à vontade quando nos encontrámos à porta do banco e eu sub-repticiamente entreguei a Thomas um envelope castanho recheado com cem notas de vinte libras. — Sinto-me no meio de uma rusga de droga — disse, rindo nervosamente. Mas Thomas esfregava o queixo, embrenhado em pensamentos.

— Tens a certeza de que não te importas de fazer isto? — perguntei.

— Nada me dará maior prazer — disse ele.

Vi um lampejo de qualquer coisa perpassar-lhe pelas feições, uma contração do maxilar, uma escuridão toldar-lhe momentaneamente os olhos. Nunca lhe tinha visto essa expressão.

— Não farás patetice nenhuma, pois não? — disse, sentindo-me insegura.

— Claro que não — replicou ele, um nadinha rapidamente demais.

Não convencida, esperei junto ao telemóvel, ansiosa por notícias. Não sabia o que me deixava mais nervosa; não se tratar do *Tyson*, ou Thomas descobrir que era tudo um ardil e dar uma sova ao tipo.

Quando tocou, exclamei uma rápida ave-maria por uma e outra coisa.

— Já o tenho — disse Thomas.

Levei a mão à boca, aliviada, e o meu peito pareceu colapsar ao livrar-se do stress e ansiedade que lá contivera.

— Oh, graças a Deus — gritei. — Correu bem? Houve algum problema?

Seguiu-se uma pausa suficientemente longa para me fazer pensar que não estava tudo bem e fui tomada de pânico outra vez.

— Quando lá cheguei, o gajo disse que não o entregava por nem um centavo menos que três mil.

— Oh — disse eu, mais preocupada onde fora Thomas buscar os mil suplementares do que por ter de pagar mais para ter *Tyson* de volta. Quantia alguma de dinheiro teria sido um preço demasiado alto.

— Portanto, como é óbvio, o idiota ficou a perder. Deveria ter-se ficado pelo preço original, porque a sua audácia me deixou tão lixado que acabou só com mil.

— Foi *tudo* com o que ele ficou? — perguntei cautelosamente.

— Vou já levá-lo — disse ele, ignorando a pergunta.

O bater à porta veio logo depois das sete, e eu corri para ela, por pouco não pisando a bola toda roída com que *Tyson* adorava brincar. Vê-lo ali com Thomas no limiar da porta, de rabo a abanar, fez-me sentir o coração a ponto de rebentar.

Abri-me num sorriso quando *Tyson* pulou a saudar-me. — Onde tens tu estado?

Caí no chão enquanto ele rodopiava num turbilhão, sem saber se havia de saltar para cima de mim, meter-me o focinho no cabelo ou lamber-me a cara.

— Obrigada — agradeci, levantando os olhos para Thomas. — Muito obrigada.

— Lamento ter-te custado tanto tê-lo de volta — disse ele.

— Pagaria muito mais — disse eu, rindo, enquanto afagava *Tyson* atrás das orelhas. — Entras?

— Não, tenho de ir ver a minha mãe. — Olhou para o chão e eu senti que devia dizer alguma coisa. Ele não divulgara qualquer informação quanto aos seus antecedentes ou família… atenção, nem eu tão-pouco.

— Ligo-te amanhã — disse, deslizando para cima da mesa da entrada o envelope com o que parecia o dinheiro que sobrara, antes de se inclinar para me levantar do chão.

— Não te posso agradecer o suficiente — sussurrei, as nossas caras quase se tocando.

— Fico muito feliz por ter podido trazer-to de volta.

Os seus lábios roçaram os meus e desejei desesperadamente que ele ficasse. Não fosse ele ir ver a mãe, teria feito tudo ao meu alcance para convencê-lo. Estava assim tão perto de dar-lhe a saber o que sentia, independentemente das consequências. Se ele corresse na direção oposta, deixá-lo, mas eu precisava de expressar o efeito que ele tinha em mim, pois nada tinha a ver com o que eu alguma vez sentira.

Como ele não ligasse no dia seguinte, e o fim de semana tivesse sido passado a olhar para o telemóvel, desejando que ele tocasse, convenci-me de que fizera algo terrivelmente errado. O que dissera eu? Nada, *ainda*. Mas o poder da palavra não proferida jamais deveria ser subestimado. Percebera ele o que eu estava a ponto de dizer? Estaria assustado que eu quisesse levar a relação um passo mais longe? Ainda não sabia o que era aquilo, mas não podia deixá-lo ir. Embora, talvez, ao *não* dizer alguma coisa, já o tivesse dito.

— Tens a certeza de que ele não é casado? — perguntou Maria no *pub* depois do trabalho.

— Não faço a mais pequena ideia — disse eu, tendo-me perguntado exatamente a mesma coisa na noite anterior.

— Continuarias a vê-lo se descobrisses que sim?

— Claro que não — respondi, levando a mal que ela sentisse sequer necessidade de perguntar. — Jamais pisaria esse risco, e além disso não é dessa espécie de relação que ando à procura.

— De que espécie de relação *andas* tu à procura? — perguntou ela.

— Pois, sinceramente, neste preciso momento parece que esta é baseada em sexo.

— Mas é sexo bom *a valer*, M — suspirei.

Maria revirou os olhos, mas não conseguiu suprimir um grande sorriso. — Não podes deixar que isso te tolde o julgamento — disse. — Há mais numa relação do que orgasmos arrebatadores.

Ergui as sobrancelhas como a questionar a validade da sua afirmação. — Há?

— Uma relação não pode sobreviver só de sexo; tem de ter mais alguma coisa. Há que se ser compatível na *vida*, não só na cama.

— Nós estamos em harmonia de muitas formas — disse eu. — Falamos…

— Umas quantas palavras pós-coito não constituem uma conversa — disse ela, rindo.

— Nós temos algo mais profundo que isso. Bem, pelo menos eu pensava que tínhamos.

— Ele sabe disso?

Fiz uma expressão pesarosa.

— Oh, fantástico — disse ela, levantando as mãos, com frustração. — Pois agora sofres como um cachorrinho doente de amor por um homem que nem sequer sabe que te apaixonaste por ele. Já alguma vez foste assim tão longe sem falar?

Assenti.

— Então, nada mudou a não ser a forma como te sentes. E só porque agora decidiste que queres mais, é suposto que ele salte?

Assenti docilmente.

— Caramba, o pobre homem não é telepático, Beth!

— Eu sei, eu sei — disse eu. — Eu *falarei* com ele, se chegar a ter oportunidade.

Ela pegou-me na mão. — Escuta, isto pode não ser o que queres ouvir neste momento, mas estou a falar a sério quando digo que tem de haver mais numa relação do que…

— Eu percebo a tua preocupação — disse-lhe, dando-lhe uma palmadinha na mão como a minha avó costumava fazer-me.

134

— Para de gozar — riu ela, retirando-a.

— Ficarias admirada como também nos achamos intelectualmente estimulantes.

— Calculo — disse ela, revirando os olhos.

— Estou a falar a sério! — exclamei. — Falámos a fundo sobre o valor do vinho, o seu potencial de investimento e as vantagens de revendê-lo.

Ela olhou inexpressivamente para mim. — Nem sei sequer do que estás a falar.

— A-ah! Vês? Nós estamos ligados a um nível muito mais cerebral do que nos julgas capazes.

Achei sensato não mencionar que logo a seguir à dita conversa, ele quase me levara ao clímax num comboio apinhado.

O meu telemóvel tocou, e sorrindo mostrei a Maria que o *Superbrasa* estava a ligar. — Parece que está na hora da minha chamada para a brincadeira — disse, fazendo-a engasgar-se com o vinho.

— Bem, se estás minimamente a sério com este tipo, sugiro que mudes isso para o seu nome real.

— Ei, sou eu — disse ele, enquanto eu deitava a língua de fora para Maria.

— Eu? — inquiri, fazendo-o crer que podia ser um de cem.

— Tens muitas caras de homens enterradas entre as pernas? — perguntou ele.

Touchée.

Ainda assim, permaneci em silêncio durante alguns segundos, como que à espera que se fizesse luz. — Oh, olá — disse, por fim. — Como estás?

Julguei ouvi-lo rir-se à socapa. — Estou bem, e tu? Como tem passado o *Tyson* depois da sua pequena aventura?

— Está ótimo — disse eu. — Graças a ti não parece nada afetado, pelo que me é dado ver. O que se passa contigo?

— Simplesmente estava aqui sentado a pensar em ti e interroguei-me se não estarias livre esta noite para curtir?

— Esta noite? — repeti, em benefício de Maria, embora imediatamente o lamentasse já que a voz da razão abanava a cabeça e me admoestava com o dedo. — Hã, não posso mesmo fazer nada esta noite. Estou no *pub* com a minha amiga Maria.

— Até que horas ficas? — perguntou. — Podia ir ter contigo depois.

Senti uma guinada muito real no estômago à ideia de «curte». Devia tê-lo estampado na cara pois Maria revirou teatralmente os olhos e lan-çou os braços ao ar, exasperada.

— Porque não vens aqui? — disse eu, lançando a bola ao ar, não pensando por um segundo que ele a atirasse de volta a rematar. Maria arregalou os olhos e olhou-se a si própria antes de abanar a cabeça.

— Claro, onde estás?

Oh. Meu. Deus, articulei mudamente para Maria, enquanto me re-vistava mentalmente a mim própria. Que roupa interior tinha? Quando é que tinha rapado as pernas pela última vez? A casa estava decente?

— Estamos no Tiger's Head em Woking — disse eu, a minha voz desmentindo o pânico que sentia. — No que dá para o parque.

— *Okay*, estarei aí dentro de uns quarenta minutos — disse ele.

— Fixe, cá te espero.

— Bem, fizeste-te difícil — disse Maria depois de eu ter desligado. — E agora puxaste-me o tapete também. Olha só para a minha figura.

— Estás deslumbrante — disse-lhe, afofando-lhe os caracóis escu-ros. — Seja como for, achei que não estavas a fim daquela conversa fia-da. Não se trata de aparência e atração física, Maria. Meu Deus, és *tão* superficial.

Ela bateu-me no braço, provavelmente mais que ciente de que eu apenas estava a gozar com ela para me impedir de sofrer uma combustão instantânea de tanta excitação.

— Oh, aí está ele — disse ela passado um bocado. Admirei-me bre-vemente como é que ela sabia estando de costas para a porta, mas percebi que o meu sorriso rasgado me deve ter traído.

— Olá — disse, com entusiasmo a mais. Inclinei-me para o beijar na cara, mas ele virou-se e deu-me um beijo nos lábios. — Esta é a Maria.

— Prazer em conhecê-la — disse ele, estendendo a mão. Ela pareceu um bocadinho vexada por não ter direito a um beijo e eu tive de reprimir uma risadinha.

— E eu a si — disse ela, na sua voz seca de telefone.

Duas garrafas de vinho depois e a ancestral pronúncia cantada esco-cesa de Maria já se fazia ouvir. O meu sotaque, por outro lado, tornara-se aparentemente mais italiano, conforme Maria observou a rir.

— Então, está no negócio do vinho, não é? — perguntou ela a Thomas. — Quanto custaria este... — Deu uma olhada ao rótulo. — Então, em quanto ficaria este *Merlot*?

Ele sorriu quando ela pronunciou o T. — Bem, esta garrafa não valeria mais do que pagaram por ela, embora contassem pagar vinte libras mais num restaurante e cinco libras menos num supermercado.

— Então, qual é o prisma das grandes fortunas? Porque eu e o meu Jimmy estaríamos a fim de tentar.

Olhei para ela e revirei os olhos. Ela e Jimmy mal chegavam com dinheiro ao fim do mês, mas talvez isso fosse ainda mais uma razão para investirem.

— Bem, tem tudo a ver com vinhos bons — disse ele. — Os seus valores sobem e descem, e apenas há que saber quando é a altura certa de comprar e vender, mais ou menos como títulos e ações, suponho eu. Só que isto é muito mais tiro e queda do que alguma vez seria a Bolsa de Londres.

— Então, compraríamos vinho? — perguntou Maria.

— Sim, mas não para beber. — Ele riu-se. — Guardá-lo-iam em local seguro, a temperaturas ótimas, até o quererem vender. Todos os meus clientes têm um retorno superior a duzentos por cento, no mínimo.

— Mas a quem venderíamos? — pergunta ela, com uma expressão confusa.

— Bem, habitualmente vende-se a quem dá mais, e como eu tenho sempre clientes que procuram investir grandes somas de dinheiro, sou normalmente capaz de dar mais do que qualquer um pois tenho pessoas em fila a querê-lo.

Ela deu-me um toque nas costelas. — Então, nós não precisaríamos realmente de fazer *nada*, o teu *Superbrasa* faria tudo por nós.

— *O-kay*, está na altura de irmos — disse eu, não querendo que a língua solta de Maria revelasse mais segredos.

Ela baixou a janela já dentro do táxi. — Vão lá, seus pombos sortudos, divirtam-se — disse, atirando-nos beijos. — Vão lá dar um ao outro múltiplos orgasmos.

Virei-me para Thomas, de olhos esbugalhados e a rir. — Peço *mil* desculpas. Ela tem um limite ao álcool que jamais deveria ser ultrapassado.

— Não te preocupes — disse ele, puxando-me para ele. Tirou-me o fôlego ao beijar-me, as mãos enredadas no meu cabelo. Quase antecipou a necessidade de amparar-me quando os meus joelhos ameaçaram ceder. — Então, e que tal? — sussurrou-me ao ouvido.

— Que tal o quê? — perguntei, esbaforida, não querendo que ele parasse.

— Vamos dar um ao outro múltiplos orgasmos.

18

Eu estava demasiado ocupada a ser beijada enquanto pescava a chave na mala para reparar que a porta da frente de casa estava entreaberta. Só quando ia para enfiar a chave na fechadura é que se me gelou o sangue.

— Vá lá, porque estás a demorar tanto? — perguntou Thomas beijando-me o pescoço, aparentemente alheio ao ladrar frenético de *Tyson*.

— Olha — deixei escapar da boca para fora, não pensando sequer que poderia alertar quem estivesse lá dentro. — Está aberta.

Thomas olhou e instintivamente contornou-me, de modo a ficar entre mim e a porta. — Chama a polícia — disse autoritariamente, estendendo um braço para me impedir de avançar.

— Não — disse eu, sustendo o ar na garganta quando ele empurrou a porta lentamente. — Pode estar alguém lá dentro.

Numa fração de segundo de pânico, corri as coisas que um ladrão poderia levar e que jamais poderiam ser substituídas: o colar do meu pai, a sua aliança de casamento, as nossas fotografias emolduradas na cornija da lareira. Pude vê-las a todas muito claramente, sendo descuidadamente atiradas para um saco, o seu valor tão insignificante para todos menos para mim. A simples ideia foi suficiente para me provocar um alastrar de dor no peito e me fazer tremer o lábio inferior.

— Chama simplesmente a polícia — repetiu Thomas, e eu assenti, num frenesim de adrenalina, que me deixou as mãos a tremer.

Mal conseguia segurar o telemóvel na mão, quanto mais fazer uma chamada.

— Por favor, tem cuidado — implorei quando ele entrou na escuridão, enquanto eu esperava no degrau da frente, retendo as lágrimas.

Os segundos transformaram-se em minutos enquanto observava as luzes a acenderem-se uma a uma. Quando o ladrar e latir de *Tyson* por fim esmoreceu, percebi que Thomas devia tê-lo alcançado. Permiti-me pensar que se *eles* estavam bem, estava *tudo* bem. Que se calhar tinha deixado a porta aberta. De novo.

Constatei que estava a suster a respiração quando Thomas voltou com uma careta de preocupação no rosto.

— Lamento muito — disse ele, e o meu coração sofreu um baque. — Foste assaltada e está tudo remexido. O *Tyson* está bem, só um pouco abalado. Parece que foi fechado na cozinha... quase fez a porta em tiras.

Não teria ficado mais sóbria com um golpe de marreta.

Ele puxou-me para si e beijou-me no topo da cabeça. — Lamento muito.

— Ainda não chamei a polícia — disse. — Estava com esperança de que fosse um falso alarme.

— Receio que não — disse ele. — O ladrar do *Tyson* pode ter acabado por assustá-los. Mas duvido que tenham remexido assim tudo e não tenham levado nada.

— É definitivamente seguro?

Ele assentiu. — Parece que entraram e saíram pela porta da frente. — Passou um dedo pela moldura da porta e pude ver que estava ligeiramente lascada.

— Patifes — cuspi, antes de o seguir a medo lá para dentro.

Nada nos pode preparar para a sensação de ter a casa violada. Ver todos os nossos bens pessoais, coisas pelas quais se trabalhou arduamente, espalhados pelo chão. Cada gaveta fora puxada para fora e revirada e cada armário esvaziado, numa tentativa de encontrar... o quê? Era uma vulgar casa térrea de duas assoalhadas, bastante básica, nada de especial. Mas era minha, e saber que lá estivera alguém, a revistar-me as cartas, a remexer na gaveta da minha roupa interior e a servir-se do que lhe agradava, fez-me sentir agoniada até à boca do estômago.

Caí de joelhos no chão onde a minha caixa das joias fora virada ao contrário, demasiado temerosa de lhe mexer, não fosse dar-se o caso de não conseguir ver o que tão desesperadamente desejava. Forcei-me a inspirar fundo.

— Pus o *Tyson* na cozinha até o resto da casa estar minimamente endireitado — disse Thomas entrando no quarto. — Estás bem?

Assenti e contei mentalmente até três, preparando-me psicologicamente. *Por favor, não me faças isto*, rezei silenciosamente fosse a que Deus fosse que estivesse à escuta. *Se simplesmente puseres tudo bem, prometo passar a ir mais à igreja.*

— Consegues ver se levaram alguma coisa? — perguntou ele gentilmente enquanto eu virava a caixa.

— Sim — solucei, de coração destroçado. — O colar que o meu pai me deu, a sua aliança de casamento, alguns brincos. — Passei a mão pela carpete, tentando sentir com os dedos os objetos sentimentais que eu mais estimava. — O resto das coisas não importa, mas as recordações do meu pai... — não pude reter mais.

— Chh, está tudo bem — disse Thomas ajoelhando-se no chão e embalando-me nos seus braços. — Vamos chamar a polícia, pode ser que eles consigam reavê-lo.

— Não, não conseguem... nunca conseguem.

— Tentarão, pelo menos. Há mais alguma coisa?

Levantei-me e cocei a cabeça, tentando afugentar a fúria e a frustração. Nem me lembrava sequer do que ali havia apenas há umas horas. Ainda tinha aquela máquina fotográfica boa com que me brindara há uns dois anos? Ou tinha-a emprestado a Maria? O meu portátil estava em casa ou na escola? Não conseguia pensar direito.

A sala de estar ainda se encontrava em pior estado: cada pedaço de papel fora aparentemente tirado da cómoda, onde criara o meu sistema de arquivo ao acaso, e atirado para o chão.

Olhei à minha volta para o mar de faturas, contas e recibos que jazia aos meus pés. O testamento da minha mãe, que ela me tinha dado sob o estrito acordo de não o abrir até à sua morte, jazia ao lado do envelope rasgado. Depois de estar durante vinte anos sob a minha guarda, eu permitira que viesse um estranho destruir essa confiança.

Até ver os cartões que os meus alunos tinham feito para mim, ali desoladamente espalhados no chão, me fez chorar. As suas cores alegres e palavras amáveis destoando tanto do revoltante cenário de que faziam agora parte.

— É difícil dizer — funguei.

Thomas assentiu e premiu alguns dígitos no seu telemóvel. — Está, gostaria de participar um assalto — disse, antes de dar o meu endereço. — Eles poderão vir daqui a cinco minutos ou cinco dias — disse depois de desligar. — Não resta muito pessoal na brigada de assaltos por estes dias.

— Podes ficar? — perguntei.

— Claro.

Só quando realmente olhei o caos que me rodeava é que constatei quantos segredos continha a minha casa. Considerava-me uma pessoa reservada, só deixando entrar os mais próximos, e contudo, numa questão de minutos, um criminoso descobrira tanta coisa a meu respeito. Sabia que eu era professora primária em St. Mary, em Guildford, e quanto ganhava. Tinha agora todos os detalhes da minha conta bancária e o meu saldo atual. Até os aparentemente inócuos detalhes a meu respeito, tais como o meu eclético sentido de moda, o meu amor pelo amarelo, o livro que estava a ler, e a minha predileção pelas irmãs Brontë estavam todos postos a nu, fazendo-me sentir manifestamente vulnerável. Só quando os meus olhos deram com o papel timbrado do solicitador, ao qual estava apenso o testamento da minha mãe, é que constatei que o filho da puta sabia igualmente coisas que eu própria desconhecia.

Abri fastidiosamente caminho através dos destroços, recusando-me a permitir que as minhas emoções se sobrepujassem à tarefa em mãos. Mas por mais que tentasse, tudo me parecia contaminado, sujo pelo toque de um estranho.

— Queres continuar a fazer isto agora? — perguntou Thomas enquanto ia pondo todos os meus livros de volta na estante. — Podemos fazer o resto de manhã.

Olhei para ele e tive vontade de chorar de novo.

— Queres uma chávena de chá? — perguntou-me.

— Obrigada.

— Porquê?

— Simplesmente por seres tão amável.

Ele desviou os olhos, aparentando embaraço.

Fui à cozinha e abri o frigorífico, tirando uma garrafa de vinho da prateleira da porta. — Prefiro isto.

— Sim, boa — anuiu, seguindo-me, observando as minhas mãos trémulas a tentar abrir o selo que cobria a rolha.

— Espera, deixa-me fazer isso — disse ele, e eu fiquei a ver o seu forte braço tatuado tirar-me das mãos o peso da garrafa. Não me conseguia lembrar de quando me sentira tão segura pela última vez, o que era irónico dado que jazia em plena cena de um crime.

19

— Fala-me da tua família — disse ele, já deitados na cama mais tarde nessa noite.

Pareceu-me memorável, não só por estarmos a falar devidamente, como por ser a primeira vez que estávamos na cama sem termos arrancado a roupa um ao outro para lá chegar.

— Não há muito que contar — disse eu. — O meu pai morreu tinha eu 13 anos e desde então somos apenas eu e a minha mãe. — Só de falar dele ficava com a garganta embargada. O pensamento de a única parte dele que me restava — a sua aliança e o colar que ele me comprara — estar nas mãos indiferentes de outra pessoa qualquer dava-me a volta ao estômago.

— Então, não tens irmãos ou irmãs? — perguntou ele.

— Nada, sou uma filha única mimada — disse eu, forçando uma risada.

— Eu também. Embora aposte que não fui tão mimado como tu — brincou ele.

Sorri, sabendo que ele tinha provavelmente razão. Não havia muitas meninas que tivessem recebido um pónei pelo seu sétimo aniversário, e um barco com o seu nome. Ainda me posso lembrar dos arquejos das colegas de escola quando chegavam a minha casa para as festas de aniversário. Se não era o longo caminho de entrada que as embasbacava, era a piscina e os vastos jardins. De ano para ano, os festejos tinham temas

143

mais extravagantes, de animais a atuações da Disney ou de circo, até ao meu favorito, o verdadeiro calhambeque mágico *Chitty Chitty Bang Bang* a levar-nos a todas para uma volta.

A minha mãe olhava, silenciosamente embaraçada, enquanto o meu pai, o *showman* italiano, assumia o protagonismo, tornando todos os sonhos da sua filha realidade. Mas logo no dia a seguir, no entanto, tornou-se tradição ele levar-me a dar a volta pelos seus restaurantes e respetivas cozinhas, onde o trabalho árduo realmente tinha lugar.

— Por mais sorte que tenhamos, nunca devemos perder de vista o que custou a chegar aqui e de onde viemos — dizia-me ele.

As suas sábias palavras tinham pegado, já que raramente faltara a um dia de trabalho desde então. Mesmo quando estava genuinamente doente, pensava nas crianças que estavam à minha espera e arrastava-me até à escola.

— Não fui assim *tão* mimada — disse, defendendo-me.

— O quê? Com o pai que tinhas? — disse ele, rindo. — Acho muito difícil acreditar nisso.

Endireitei-me e acendi a luz. — Não me lembrava de ter falado do meu pai — disse, com voz cortante.

— O quê? — disse ele, rindo ainda.

— Quando é que eu te falei do meu pai? — Não tinha motivo para desconfiar, mas não pude deixar de me sentir desconfortável.

— Depois de termos jantado com o Diego Rodriguez — afirmou.

— Não me lembro disso.

— Estavas um bocado entornada — replicou ele, sorrindo, delineando-me os lábios com o dedo. — Deve ter sido algures entre a estação de comboio e chegar a casa, porque, se é que te lembras, estivemos bastante ocupados em todas as outras alturas. — Ergueu sugestivamente as sobrancelhas.

Senti-me corar à lembrança de nós colados um ao outro no comboio e da avassaladora urgência de chegarmos a casa. Todos os detalhes de permeio eram nebulosos.

— Estávamos a falar do negócio do vinho e contaste-me que o teu pai era um bem-sucedido empresário de restauração e que, numa outra vida, eu e ele faríamos sem dúvida negócios juntos.

Isso soou como algo que eu diria, sempre acendendo uma vela ao espírito empreendedor do meu pai.

Sorri. — Ou ele te compraria vinho a ti, ou te venderia a sua coleção. Ele tinha faro para um bom vinho.

— A tua mãe alguma vez voltou a casar? — perguntou ele.

— Credo, não. O meu pai foi o amor da sua vida. Nenhum outro homem tinha qualquer hipótese.

É engraçado. Eu desejara desesperadamente partilhar este tipo de informação com ele, pensara que não éramos realmente um casal como deve ser até que o fizéssemos, mas agora que o fazíamos não me parecia certo, e a minha barreira de proteção erguia-se de novo.

— E os teus pais? — perguntei, desviando a conversa para ele.

— A minha mãe tem demência e está num lar, e o meu pai vive em Sydney com a nova mulher.

— Lamento ouvi-lo. Costumas vê-la muitas vezes?

— Tanto quanto posso — disse ele tristemente. — Tento ir algumas vezes por semana.

— Isso deve ser mesmo difícil. Ela sabe quem tu és? É capaz de reconhecer as pessoas?

— É um pouco como calha — disse ele. — Tem dias bons e dias maus, mas infelizmente está a piorar dia a dia — A voz embargou-se-lhe na garganta. — A tua mãe é saudável?

— É, sim — confirmei, assobiando e batendo no rebordo de madeira da cabeceira da cama. — É feita de bom estofo e até me envergonha.

— Em que sentido? — perguntou ele.

— Em *todos* os sentidos. Está ocupada vinte e quatro horas por dia, sete dias da semana; a praticar ioga, a passear o cão de um vizinho, a ajudar na igreja, como voluntária na sopa dos pobres. Se eu tiver metade da energia e um quarto da consciência que ela tem quando chegar à sua idade, dar-me-ei por muito satisfeita. É uma força a ter em conta.

— Então, ela não trabalha na verdadeira aceção da palavra? — perguntou ele.

— Não, não no sentido de ganhar dinheiro, embora provavelmente trabalhe as mesmas horas de um emprego a tempo inteiro. Mas não é por isso que ela o faz. É simplesmente uma pessoa abnegada, que retira uma grande satisfação ao ajudar os outros. Tornar o dia de alguém mais fácil é recompensa suficiente para ela.

— Então não tem com que se preocupar, a nível financeiro?

Ri-me. — Cruz-credo, não. A única pressão financeira de que sofre é gastar mais. Ainda está na casa em que todos vivemos em família, mas que precisa que se gaste aí algum dinheiro. Ela vive essencialmente apenas nas divisões do andar de baixo, e mesmo assim não liga o aquecimento ou muda as decrépitas janelas que só deixam passar correntes de ar frio. A piscina não é usada há anos e os estábulos estão abandonados. Eu adoraria vê-la regressar à sua antiga glória, mas ela acha que é feliz assim, tal como está.

— Então, em que gasta ela todo o dinheiro? — perguntou ele, incrédulo.

— Sem dúvida que dá uma parte dele para causas merecedoras e tenho a certeza de que há uma razão para o padre Michael ficar com um brilhozinho nos olhos de cada vez que a vê.

Thomas ergueu travessamente as sobrancelhas.

— Oh, não, não me referia…

— Então, não achas que seja por ela tocar no seu órgão todos os domingos? — disse ele.

— Isso é ultrajante — guinchei, batendo-lhe com uma almofada. — Sabes o que eu quero dizer.

— Ela deve receber um retorno de algum lado. Não faria sentido deixá-lo inativo.

Abanei a cabeça. — Está tudo numa instituição financeira, ganhando uma insignificância de juros. Podia ser aplicado, de forma a ela fazer dinheiro sem perder qualquer do seu capital, mas ela é um osso duro de roer.

— Ela deveria investir no negócio do vinho — disse ele, rindo.

— O quê, e dar todo o seu dinheiro a um obscuro personagem como tu? Nem pensar.

— Tentarei não levar isso a peito — disse ele, através de um sorriso. — Fá-lo-ia como um favor.

— E o que obterias *tu* disso?

Ele sorriu. — Bem, normalmente trabalho à comissão, mas para ti… — Desceu pela cama, os seus lábios incendiando-me a pele pelo caminho. — Para ti, podia fazer uma oferta especial.

— Que espécie de oferta especial? — perguntei, arqueando involuntariamente as costas.

— Bem, se continuares a deixar-me fazer-te isto… — O ar susteve-se-me na garganta quando senti a sua língua. — Então ficaria *muito* feliz por receber pagamento em espécie.

146

20

—A mãe tem mais vida social do que eu! — Estava a olhar para o calendário dela pendurado na cozinha, a parte de baixo movendo-se muito suavemente com a corrente de ar que entrava pelas janelas.

— O quê, querida? — perguntou ela abstraída, desaparecendo na despensa. *Tyson* esperava pacientemente cá fora, sabendo que uma guloseima vinha certamente a caminho.

— Como é que há de todo horas suficientes no dia para fazer tanta coisa? — perguntei, olhando para a listagem de eventos codificados por cores. — O que significa sequer isto tudo?

— Bem, na verdade é bastante simples — disse ela, fazendo por parecer enxofrada. — Azul é para a igreja, laranja para os amigos e cor-de-rosa para mim.

— Como é que isso ajuda? — perguntei, incapaz de perceber o sistema.

— Significa tão-só que posso estabelecer prioridades com um simples olhar de relance — disse ela. — Então, se aparecer uma coisa azul e já houver uma cor-de-rosa agendada para a mesma hora, sei que posso alterá-la para conciliar com a azul.

Ela é realmente abnegada a esse ponto, mas senti ainda assim necessidade de confirmar. — Então, se houvesse uma coisa azul e aparecesse uma coisa cor-de-rosa realmente importante, o que faria?

— Não consigo pensar numa coisa cor-de-rosa suficientemente importante para tomar precedência — disse, tirando-me qualquer dúvida.

Tremi arrepiada e aconcheguei o casaco ao corpo, ao sentir a corrente de ar de novo, e não consegui deixar de arrancar a tinta da parede a descascar.

— Mãe — disse cuidadosamente —, acho que a casa está a precisar de umas obras.

Ela estacou imóvel, com a mão no ar, segurando uma colher de chá com açúcar. — Porque dizes isso?

Não achava que tivesse de explicar o óbvio, mas mesmo assim tentei. — Está muito frio aqui. Veja… as cortinas estão a mover-se. E devíamos ver aquelas manchas de humidade… não lhe podem fazer bem ao peito.

— Não tenho problema nenhum no peito — disse ela indignada.

— Pois não, mas terá se aquela parede permanecer assim.

— Custará demasiado dinheiro — disse ela.

— Mas valerá a pena — disse eu, passando-lhe um braço pelo ombro. — De qualquer maneira não faz nada com o dinheiro. Está simplesmente depositado.

— Bem, é assim que eu gosto dele — afirmou, eriçando-se, e eu não pude deixar de rir.

— Para que está a poupar o dinheiro? — perguntei, repentinamente séria.

— Para uma necessidade — disse ela, afastando-se de mim para pôr uma panela com uns aromáticos bagos no velho fogão. — E seja para o que for que precisares no futuro, quando eu já cá não estiver.

— Mas eu não quero que me sustente, quero que gaste o dinheiro consigo. A assegurar-se de que está em forma e saudável, segura e quente… Quero que tenha prazer em viver aqui.

— Eu tenho prazer em viver aqui — disse ela, com a voz a tremer muito ligeiramente. — Claro que não é a mesma casa que era, quando tu e o teu pai aqui estavam, mas…

— Quer ficar aqui? — perguntei, sabendo que, se levantasse os olhos, ela estaria a fitar-me, horrorizada por eu precisar sequer de perguntar.

— Claro — exclamou.

— Mas que tal comprar algo mais pequeno, mais comportável? — perguntei.

— Oh, não — disse ela, abanando a cabeça. — A única forma de sair daqui é numa caixa de madeira.

— *Okay*, sendo esse o caso, talvez pudéssemos então fazer algumas obras, não só para a tornar mais confortável para si, mas para a deixar realmente encantadora de novo — disse-lhe, por demais entusiasmada. — Podíamos impermeabilizar todas as paredes e pintá-las de cores alegres. Talvez até deitar abaixo uma ou duas. Imagine isto como um grande espaço com uma ilha e um forno novo.

— Oh, não me vou livrar do meu *Aga* — disse ela na defensiva. — E não podes deitar essa parede abaixo, por causa da garrafeira lá atrás.

Espreitei pela porta para a arrecadação sem janelas ao fundo do corredor, as suas paredes de tijolo em bruto contendo garrafas indistinguíveis.

— O que tem ali dentro? — perguntei, dirigindo-me para lá. A minha mãe seguiu-me, e baixámos ambas a cabeça para não batermos na viga baixa.

— Isso aí não foi tocado desde que o teu pai… realmente não sei porque as conservo, já devem bem ter passado do tempo. — Tentou rir, mas pude sentir a sua dor.

— Oh, santo Deus, mãe, nem sequer posso ler o que são, estão cheias de pó. — Um acesso de tosse entalou-se-me na garganta e esforcei-me por evitar que os olhos se me enchessem de lágrimas ao pegar numa garrafa ao acaso.

— Bem, esta aqui é de conhaque — disse ela, tirando-ma e limpando-a com o pano da loiça que tinha na mão. — O teu pai adorava este conhaque. Convidávamos todos os seus fornecedores para um grande jantar, e todos eles se lembravam de trazer uma garrafa disto ou um bom uísque. Tu eras muito pequena para te lembrares, mas eram acontecimentos faustosos.

Recordava-me vividamente de estar sentada no cimo da grande escadaria, a espreitar pelo corrimão as mulheres nas suas peles a chegarem com homens bem-sucedidos que pareciam bem mais velhos que elas. Já então via a clivagem nas suas relações; a bonomia entre os homens, que desapareciam na sala de visitas, e as esposas que pareciam contentes por ser deixadas a sós para conversa fiada no *hall* de entrada. Só a minha mãe olhava melancolicamente para o marido, desejando ir ter com ele em vez disso.

— Pode ser que possamos fazer alguma coisa com isto — disse, sacando de outra garrafa com um selo de 1966.

— O que queres dizer? — perguntou-me.

— São capazes de valer alguma coisa — disse eu. — Conheço uma pessoa que seria capaz de vendê-las. Só se a mãe quisesse, claro.

— Quem quereria esta velharia? — perguntou ela.

— Ficaria admirada.

— Bem, se achas que valeria a pena… — disse. — Mais importante, quem é essa pessoa? — Olhou para mim com um brilho maroto nos olhos e senti as faces ruborizarem-se. — Oh, santo Deus, há muito tempo que não te vejo ficar assim.

Baixei a cabeça. — Não é nada — disse, não enganando ninguém, especialmente a minha mãe. — É apenas um amigo.

— Bem, fica à vontade para o convidares a vir cá — disse ela. — A ver se alguma coisa lhe cai no goto.

Sorri e segui-a de volta para a cozinha.

— Queres um bocado? — perguntou, tirando um bolo de limão do forno e pousando-o numa grelha para arrefecer.

— Levo uma fatia comigo se puder ser. Não quero dar cabo do apetite antes do churrasco da Maria.

Não lhe disse que o Thomas ia comigo ao dito churrasco e que me sentia agoniada até à boca do estômago à ideia de ele conhecer os meus amigos. E realmente de eles o conhecerem a ele. Queria mesmo que corresse bem.

Soube que havia algo de errado assim que abri a porta. Enquanto *eu* estava aperaltada como se fosse para uma festa no jardim do Palácio de Buckingham, Thomas trazia calças de ganga e uma expressão preocupada.

— Estás bem? — perguntei, inquieta.

— Peço imensa desculpa, mas vou ter de deixar o churrasco para outro dia.

— O quê? Porquê? — disse eu, lutando contra o desapontamento que lentamente se fazia sentir em mim.

Ele olhou para os pés. — É a minha mãe.

— Oh, meu Deus, ela está bem? — perguntei, fazendo-o entrar e fechando a porta.

— Não passou muito bem a noite e está muito confusa e desorientada hoje. — Olhou para mim com olhos tristes. — Desculpa, simplesmente sinto que preciso de estar lá.

— Claro — disse eu, massajando-lhe as costas, embora não saiba de que serve tal coisa. — Claro. Deves ir.

— Lamento mesmo desapontar-te — disse ele. — Estava cheio de vontade de conhecer os teus amigos.

— Não importa… podemos fazer isso noutra altura.

— Vais na mesma?

Fui apanhada de surpresa pela pergunta. Não me tinha ocorrido não ir. Deveria?

— Bem, sim — disse.

— Ah, está bem, apenas me perguntava se quererias vir comigo. — Olhou para os pés, apoiando-se ora num, ora noutro.

— Ir *contigo?* — disse, admirada. — O quê, agora?

— Isto vai soar mesmo estranho, mas não sei quanto tempo lhe resta, e por muito diferente que esteja da pessoa que conheci como minha mãe, gostaria muito ainda assim que a conhecesses, antes… bem, tu percebes…

Senti-me como se me tivessem puxado o tapete debaixo dos pés quando se fez luz sobre a magnitude do que ele dizia. No intervalo de uns quantos minutos, eu percorrera toda uma panóplia de emoções, desde excitação a desapontamento egoísta, e preocupação a total surpresa. Não fazia ideia qual delas a minha boca escolheria transmitir.

— Eu… eu… Bem, claro, adorava ir — hesitei. — Se achas que pode ser.

Os seus olhos pareceram iluminar-se ao assentir.

— Mas não queria causar-lhe mais ansiedade.

— Vai correr bem — disse ele, esboçando um diminuto sorriso. — Alegrarás o seu dia.

21

— É melhor manter a conversa simples — disse Thomas quando parámos no parque de estacionamento do lar. — E é sempre sensato concordar com ela, por mais absurdo que soe. — Ele tentou rir, mas não soou verdadeiro.

— Seguiremos a rotina normal. Ela não saberá quem eu sou, eu recordá-la-ei, ela lembrar-se-á e imediatamente se esquecerá. — Pigarreou antes de continuar. — Embora, a ter em conta a noite passada, ela possa estar ainda mais confusa do que habitualmente.

Baixou a cabeça e eu pousei a mão na dele. Se tivesse as palavras certas, oferecer-lhas-ia, mas não queria que ele me achasse condescendente.

— Olá, Elise — disse ele jovialmente quando entrámos na receção profusamente iluminada. — Está com bom ar.

A rapariga, mais nova que eu, soltou uma risadinha coquete e tocou imediatamente no cabelo. Eu ainda nunca o tinha visto dialogar com outra mulher e o seu efeito era óbvio. Ela ainda não registara a minha presença e eu esperei que ele me apresentasse.

— Onde está ela hoje? — disse ele em vez disso.

— Está na sala comum — respondeu Elise, com os olhos ainda iluminados.

Ele conduziu-me pelo corredor atapetado, o cheiro fazendo-me lembrar a casa dos meus avós. Seja ele qual for, não é bom nem mau: apenas velho, mais ou menos como o de um antiquário ou um alfarrabista.

Lamentei imediatamente não ter trazido flores quando entrámos numa grande sala com janelas a toda a largura das paredes e cadeirões direitos com cores e estilos diferentes. Havia jarras nas mesinhas entre eles, cada qual contendo um tristonho ramo de flores, descuidadamente dispostas. Esperava que não fosse uma indicação de como os vulneráveis residentes eram tratados.

Segui-o até ao canto, onde uma senhora pequenina estava sentada a olhar melancolicamente pela janela para os jardins lá fora. Só olhar para ela partiu-me o coração e tive uma esperança egoísta de que ela não fosse a pessoa que vínhamos ver.

— Mãe? — chamou Thomas, a medo. Ela olhou imediatamente para ele, os seus olhos em busca de alguma espécie de reconhecimento. — Sou eu.

Ela sorriu e assentiu.

— Esta é a minha amiga Beth.

Avancei e estendi a mão, mas ela não correspondeu. Olhei para ele, receosa de ter feito algo errado. Ele piscou-me o olho e abanou a cabeça.

— Venha sentar-se — disse ela para mim, dando uma palmadinha na cadeira ao seu lado. — Daqui tem uma linda vista do jardim… é o meu lugar favorito.

— É encantador — anuí.

— Não conte a ninguém — disse ela, inclinando-se com ar conspirador —, mas muitas vezes venho aqui quando ainda está toda a gente a dormir, até as enfermeiras. Vê-se tantas coisas maravilhosas a essa hora da manhã: os esquilos saem à procura de comida, os melros brigam nas poças de água. Às vezes até consigo ver um rododendro a abrir ao longo do dia. Devagarinho, devagarinho, as suas pétalas estendem-se para o sol…

— Então, o que tem feito desde a última vez que a vi, mãe?

— Bem, o Frank veio ver-me — disse ela baixinho. — Foi bom.

— O quê, o pai? — perguntou Thomas, lançando-me um olhar e erguendo as sobrancelhas. — O que tinha ele a dizer?

— Oh, sabes como é. Estivemos a falar dos tempos em que íamos dançar. Ele levava-me ao Salão de Baile Rivoli e éramos os primeiros a ir para a pista de dança e os últimos a sair. — Soltou uma pequena risada, os seus olhos iluminando-se. — Falei-lhe da vez em que os Beatles lá foram, mas ele não se lembra. Quero dizer, como é que se pode esquecer de ter visto os Beatles?

Inclinou-se para mim, pousando-me uma mão no regaço. — Tu lembras-te dos Beatles, não lembras, Sarah?

Ia para corrigi-la, mas pensei melhor. — Claro, eles eram os maiores.

— Exatamente. Vês? Aí tens, Frank — disse. — A Helen lembra-se. Os meus pais não me deixavam ir, pois não, Frank?

Soltou uma risadinha como uma colegial marota e desejei pegar nela e metê-la no bolso. Levá-la deste ambiente estéril, que por mais que tentassem fazê-lo parecer diferente se assemelhava ainda assim à sala de espera de Deus.

— Então, ele vinha e esgueirava-se pelo caminho das traseiras, à espera que eu mudasse da camisa de noite para a minha minissaia minúscula. — Riu-se de si para si. — O meu pai ficou fora de si quando me viu pela primeira vez: «Não vais sair assim vestida.» De maneira que eu correra intempestivamente lá para cima e voltara com uma roupa que me cobria do pescoço aos tornozelos. «Assim está melhor», disse ele. Nunca descobriu que eu metera a minha minissaia num saco, juntamente com uma garrafa de vinho que roubara do armário das bebidas.

Riu-se mais uma vez, e eu não pude deixar de me juntar a ela. De bom grado a escutaria todo o dia e já estava a arquitetar maneira de vir vê-la mais vezes.

— A tua tia Sheila veio ver-me — disse, olhando para Thomas. Ele lançou-me um olhar de lado, tendo o cuidado de manter o sorriso estampado na cara. — Ela é muito infeliz naquele sítio em que está — prosseguiu. — Diz que tratariam melhor um cão do que a tratam a ela.

Thomas ficou ali sentado, assentindo tristemente com a cabeça.

— Eu não quis vangloriar-me e dizer-lhe como o meu filho é maravilhoso — continuou, dando-me um toque com o cotovelo. — Não estaria aqui se não fosse ele. Mais ninguém quis saber; simplesmente meter-me-iam num desses lugares horríveis onde ela está e deixar-me-iam lá a apodrecer. Mas não o meu rapaz; ele olha pela sua mãe.

Senti o coração elevar-se quando olhei para ele. — Ele é um bom homem — disse.

Ela deu-me uma palmadinha na mão.

— Agora, veja ali a seguir ao arbusto de rododendros roxos, há um delfínio, pois fui eu que o plantei na primavera e olhe só para ele agora. O jardineiro disse-me: «Joyce, não devia pôr isso aí, ficará à sombra do choupo.»

— A minha mãe adora as suas plantas — disse Thomas, sorrindo.

— Mas eu fiz finca-pé — continuou ela. — E veja como está lindo.

Ela certamente parecia saber as suas coisas, já que a janela emoldurava na perfeição o canteiro silvestre inglês que ela ajudara a criar.

— É por isso que gosto sempre de me sentar aqui. Este é o meu lugar especial. — Olhou saudosamente lá para fora, aparentemente perdida em pensamentos.

— O que foi que jantou ontem, mãe? — perguntou Thomas.

Ela sorriu. — Tivemos um chá dançante ontem à tarde, por isso comemos sanduíches e *scones* e veio uma banda tocar. Oh, Frank, terias adorado: cantaram todas as nossas canções favoritas. Lembras-te da canção que tocou no nosso casamento? «Raindrops Keep Fallin' On My Head»[3] Bem, eu dancei essa com a Eileen, porque tu não estavas cá, mas imaginei que eras tu.

— Eu lembro-me — disse Thomas, lançando-me um olhar pesaroso.

Olhei para ele, subitamente ciente de quão dolorosamente difícil isto devia ser. Quem podia de todo imaginar que a mulher que nos embalou nos braços, se enroscou junto de nós na cama para nos ler uma história e foi a única pessoa capaz de nos reconfortar quando caíamos e nos magoávamos, alguma vez nos confundiria com outra pessoa qualquer? Ou, por vezes, olharia a direito através de nós como se nunca nos tivesse visto antes? A crueldade da doença abalou-me até ao âmago e senti um novo amor e respeito por Thomas enquanto fingia ser o marido de quem a mãe se separara há mais de vinte anos.

— E que canção era aquela que costumávamos cantar ao nosso menino? — continuou Joyce. — Sabes, aquela... *dom, dom, onde foi que começou...* — Thomas encolheu os ombros e desviou o olhar, embaraçado, à medida que ela cantava mais alto. — *Não podes de todo saber...*

— «Sweet Caroline»[4] — gritou a vizinha mais próxima, cuja cabeça eu não conseguia ver acima da cadeira.

— É isso mesmo, Maude, junta-te a nós.

Joyce pegou-me na mão e erguemos os braços acima das cabeças, à

---

[3] Canção e música de *Butch Cassidy and the Sundance Kid — Dois Homens e um Destino,* em Portugal —, vencedora dos Óscares de melhor canção e banda sonora original, Globo de Ouro de melhor banda sonora original, BAFTA de melhor música original e Grammy de canção do ano (1969) e melhor canção contemporânea. *(N. de T.)*

[4] Grande sucesso de Neil Diamond, lançado em 1969. *(N. de T.)*

medida que o coro improvisado ganhava ímpeto. Claramente Maude era a que tinha a voz mais alta, apesar de os seus pés não chegarem ao chão.

Até uma das enfermeiras, que andava a distribuir comprimidos em pequenos copinhos de plástico, cantava de todo o coração. Não pude deixar de sorrir ao juntar-me ao coro, a cena reminiscente de algo tirado de *Voando sobre Um Ninho de Cucos*.

— Porque não te juntas a nós com a *tua* canção? — acicatei Thomas, enquanto ele parecia cada vez mais desconfortável.

— Agora seria boa altura para irmos — disse ele, sorrindo e revirando os olhos. — Nós vamos embora, mãe — disse acima da cantoria.

Subitamente os olhos dela semicerraram-se ao olhar para ele.

— Quem é você? — disse abruptamente. — O que quer?

— Mãe, sou eu — disse ele ajoelhando-se em frente dela, tomando-lhe a mão nas suas.

— Afaste-se de mim — berrou ela, chegando o corpo para trás na cadeira. — Enfermeira, enfermeira, socorro. Alguém me acuda!

O pânico dela aumentava a cada sílaba e eu saí do caminho quando duas enfermeiras de farda correram para ela.

— Está tudo bem, Joyce — disse uma delas enquanto a prendiam. — Está segura.

— Mas ele está aqui, ele está aqui — gritava, as mãos trémulas, enquanto esbracejava.

— É melhor irem — disse uma delas, virando-se para nós.

Não pude evitar que as lágrimas me assomassem aos olhos, a minha confusão aparentemente semelhante à de Joyce.

— Temos de acalmá-la — disse a enfermeira. — Seria melhor que fossem embora.

Ela continuava a gritar *Ele está aqui, ele está aqui*, enquanto nos afastávamos rapidamente pelo corredor fora.

22

— D esculpa lá aquilo — disse Thomas enquanto nos afastávamos de carro do lar. O seu maxilar contraía-se involuntariamente, dando a sensação de que lutava para conter os seus verdadeiros sentimentos.

— Estás bem? — perguntei.

Ele mordeu o lábio e virou-se. — É tão difícil vê-la assim — disse. — Ela era uma mulher tão diferente quando... — A voz faltou-lhe. — Quando era minha mãe.

Pousei uma mão sobre a sua, assente na caixa de mudanças automáticas. Nada havia que eu pudesse dizer, mesmo que conseguisse contornar o aperto que tinha na garganta.

— Ela era incrível — disse ele sufocado. — Era a mulher que se lembrava do aniversário de toda a gente e tinha um cartão e o presente perfeito embrulhado e pronto no dia anterior. Era a esposa que fazia voltar cabeças sempre que entrava numa sala, pelo braço do seu orgulhoso marido. Era a mãe que ficou a pé toda a noite para me fazer um fato de *Gremlin*, só para chegar à escola na manhã seguinte e descobrir que o dia de máscaras era na semana seguinte!

Pressenti uma elevação no seu tom de voz. — Parto do princípio de que ela te levou a casa para trocares de roupa?

Ele abanou a cabeça e sorriu. — Não, achou que me faria bem... que me faria mais consciente. Foi a lição mais dura que já tive de aprender.

Imagina estar ali sentado, entre os meus amigos de uniforme, embrulhado em pele e com enormes asas de morcego de cartolina à laia de orelhas. Nunca mais voltei a trocar os dias.

— Estive a falar com a *minha* mãe hoje de manhã — disse eu. — Não sei se interessa ou não, mas ela tem algumas garrafas de conhaque, uísque e umas quantas de vinho a que disse que podias dar uma olhada... sabes, se tiveres algum tempo livre...

— A sério? — perguntou ele, arregalando os olhos.

— Sim, talvez possamos passar por lá, quando vieres cá outra vez.

— Porque não vamos *agora*? — perguntou ele, entusiasmado. — Ela não vive muito longe, pois não? Estará em casa?

— Bem... sim, provavelmente, mas acho que não... — comecei, enquanto me debatia para perceber como passáramos nós do desapontamento de ele não conhecer os meus amigos, para agora, eu conhecer a mãe dele e a possibilidade de *ele* conhecer a *minha*. As coisas atropelavam-se e isso extasiava-me e aterrorizava-me em igual medida.

— Porque não aparecemos em casa da Maria e do Jimmy em vez disso? — disse eu, ganhando tempo. — Pode ser que ainda tenham algumas salsichas na grelha.

— Importavas-te se não fôssemos? — perguntou ele, com os olhos na estrada à nossa frente. — Não estou propriamente com disposição para festas. Mas posso deixar-te lá, se for isso que preferires.

Eu não queria estar em lado nenhum sem Thomas. — Não, vamos então a casa da minha mãe — disse eu, hesitante. — Tenho de ir lá buscar o *Tyson,* seja como for.

Ele olhou-me de frente. — Podemos deixar isso... se achas que é demasiado cedo...

Como podia ser, quando eu acabara de conhecer a mãe *dele*?

Enviei uma mensagem escrita a dar a saber à minha mãe que íamos aparecer e ela respondeu: Então é melhor pôr o *glacé* no bolo!

— Caramba — cismou Thomas, quando virámos nos portões da minha casa de infância. Assobiou baixinho enquanto percorríamos o caminho, a casa ainda não visível.

Encolhi-me, embaraçada com o que parecia ser a nossa riqueza.

A minha mãe estava à porta quando parámos e eu apressei-me a entrar, contando que Thomas me seguisse. Em vez disso ficou a olhar à sua volta, impressionado com o que o rodeava.

— Mãe, este é o Thomas — disse, num esforço de o fazer acordar.

— Senhora Russo — disse ele, quase ficando em sentido. — Que prazer conhecê-la.

Observei enquanto a minha mãe o avaliava e percebi pela expressão dela que estava silenciosamente impressionada. Deixei escapar o ar que sustinha.

Depois da troca de cumprimentos, eu disse: — O Thomas pode dar uma olhada ao vinho enquanto aqui está. — Peguei nas últimas migalhas de bolo de limão e meti-as na boca. Era um sacrilégio deixar sequer algum pedaço que fosse. — Se quiser que ele o faça?

— Bem, só se tiver tempo — disse ela, já levantada da cadeira e encaminhando-se para a garrafeira.

Revirei os olhos e fiz-lhe sinal com a cabeça para a seguir, enquanto eu me servia de outra fatia de bolo.

— Então? — sussurrei quando ela reapareceu de fugida uns minutos depois, claramente tão desejosa como eu de transmitir os seus pensamentos.

— Oh, ele é encantador, Beth — declarou entusiasmada. — Um autêntico cavalheiro.

Sorri e senti-me reconfortada por dentro. Era a esse ponto que a opinião da minha mãe contava.

— É sério? — perguntou ela.

Assenti. — Acho que sim… Espero que sim. Gosto mesmo dele.

— E ele gosta *mesmo* de ti — disse ela, sabedoramente. — Dá para ver pela forma como olha para ti.

Soltei uma risadinha de colegial, só me recompondo quando Thomas reapareceu na sala. Era tão óbvio que estávamos a falar dele que me senti corar quando ele ergueu interrogadoramente as sobrancelhas.

— Então, querem as boas notícias? — quebrou ele o silêncio constrangido.

Tanto eu como a minha mãe assentimos.

— Tem ali uma coleção muito boa, senhora Russo.

— Por favor, chame-me Mary — disse ela, a sua voz semelhante à voz afetada de telefone que me fazia gozar com ela quando era mais nova.

— Alguns não têm qualquer valor — prosseguiu Thomas —, mas tem uns quantos que eu adoraria vender-lhe.

Olhámos para ele, expectantes.

— Apostaria, numa estimativa conservadora, numas cinco mil libras.

— Cinco mil libras? — guinchámos eu e a minha mãe em uníssono.

— Há lá uns conhaques *vintage* e um ou dois uísques pelos quais alguém estará disposto a pagar bem. Até pode subir mais.

— Uau — disse eu, olhando para ele e para a minha mãe alternadamente. — Tem estado sentada numa arca do tesouro.

— Santo Deus, nem consigo acreditar — disse ela. — Então, seria capaz de os vender por mim? De nada me servem ali.

— Se é isso que quer, então terei muito prazer em vender-lhos.

Olhei para a minha mãe e ambas assentimos.

— *Okay*, então deixem-me ir só catalogá-los a todos devidamente e vejamos o que conseguimos.

— Não te importas que ele faça isto? — perguntou a minha mãe em surdina. — Dizem que nunca se deve misturar negócios com prazer. Não quero que ele se sinta constrangido se eles não valerem tanto como julga que poderão valer.

— Tudo há de correr bem — disse-lhe. — Ele é muito profissional. Já o vi lidar com clientes e sabe o que faz. Se não chegar a tanto, não é perda nenhuma, pois não? Estão ali a apanhar pó há mais de vinte anos, por isso tudo o que obtivermos será um bónus.

A minha mãe assentiu pensativamente.

— *Okay*, já tenho tudo de que preciso — disse Thomas ao voltar à sala. — Verei quem há no mercado e conseguir-vos-ei o melhor preço que puder.

— Então, é isto que faz para viver? — perguntou a minha mãe.

— Sim — disse ele, sorrindo.

— Deve ser interessante. Não fazia ideia de que existisse tal coisa.

— É uma indústria em crescimento — disse ele. — Nos anos 80, era algo que se fazia por ostentação e pretensiosismo, quando toda a gente se julgava Gordon Gekko. — Todos nos rimos, lembrando-nos da personagem de Michael Douglas a fazer negócios sem ética de rápido enriquecimento[5].

— Mas tem-se tornado um pouco mais sério nos últimos anos — continuou Thomas. — Agora, tem na verdade a ver com vinho e conhecedores genuínos, que sabem o que estão a comprar. Agora é dinheiro *real*, usado para fazer investimentos *reais*, por pessoas apaixonadas pelo que fazem.

---

[5] *Wall Street,* de 1987, com uma sequela em 2010, *Wall Street: Money Never Sleeps — Wall Street: o Dinheiro Nunca Dorme,* em Portugal. *(N. de T.)*

— Então, vivem disto? — perguntou a minha mãe, ligeiramente assombrada.

Ele assentiu. — *Vivem. Eu* vivo. Para algumas pessoas é apenas um jogo de que se gosta, a par dos empregos como deve ser. Mas, para mim, é um negócio muito a sério.

Observámo-lo ambas quando se dirigiu lentamente às portas francesas que davam para o jardim. Não pude deixar de me sentir embaraçada pelos painéis estragados e a madeira a descascar, recordando-me de como dantes eram o atributo desta outrora impressionante sala de visitas.

— Então, isto é *tudo* seu? — disse ele olhando lá para fora. Era mais uma afirmação do que uma pergunta. — Onde é que acaba?

A minha mãe levantou-se para se juntar a ele. — Bem, é a perder de vista, de facto. Desaparece num vale além do horizonte e depois corre direito ao rio em Godalming.

Ele assobiou entredentes.

— Claro que já não é o que era — disse ela. — Tínhamos um estábulo ali para a direita, pelo que havia sempre cavalos no campo, e a piscina era o centro de muitas festas, tanto de adultos como das crianças.

— Aposto que passaram aqui uns bons tempos — disse ele.

Ela assentiu. — Era uma casa muito social, sempre cheia de gente, embora fôssemos apenas uma família de três. Estava cá sempre alguém: família, amigos, colegas. Houve um ano em que até pusemos amigos da igreja na casa da piscina. Lembras-te disso? — perguntou ela, olhando para mim.

— Vagamente — cismei. — Não eram uns refugiados que o padre Michael trouxe para cá?

— Sim — disse a minha mãe, com uma risada. — O teu pai achou que eu era completamente louca, mas eu não os podia rejeitar. Não está na minha natureza.

— Não gostava de pôr a casa de volta como era? — perguntou Thomas à minha mãe, enquanto eu esperava com interesse pela resposta.

— Claro, mas custaria uma terrível quantia de dinheiro fazer isso — disse ela.

— Mas podíamos pelo menos pôr a casa mais confortável para si — disse eu. — Tem dinheiro para isso... está depositado sem servir para nada.

— Sim — concordou a minha mãe. — Mas quando se começa uma coisa assim, tende a rapidamente descontrolar-se. Quanto mais obras se faz, mais problemas se descobrem, especialmente com uma casa deste tamanho e idade. Temos dinheiro para começar, mas não temos o poço sem fundo de que sei que precisaríamos para acabar. Além disso, eu preciso de viver, Deus querendo, por todo o tempo que puder.

— Importava-se que eu fizesse uma pergunta pessoal? — disse Thomas.

A minha mãe e eu olhámos para ele, nenhuma de nós objetando.

— Tem uma hipoteca sobre esta propriedade?

— Santo Deus, não! — disse a minha mãe, abanando veementemente a cabeça, como se ele tivesse perguntado se ela estava a ter um caso com o Papa.

— A minha mãe não acredita em créditos de qualquer espécie — adiantei eu, à laia de explicação.

— O meu marido nunca pediu um centavo emprestado a ninguém — disse ela, orgulhosa. — A sua família construiu o negócio à força de trabalho árduo e determinação, primeiro em Itália e depois aqui. As pessoas pensavam que ele era da máfia. — Os ombros tremeram-lhe ao rir-se da lembrança. — Deviam pensar que ele extorquia dinheiro! Mas era apenas um homem honesto e trabalhador, que não devia nada a ninguém. Costumava dizer, *Se não tens, não gastes,* e revolver-se-ia no túmulo se eu fosse agora contra isso.

— Então, porque não investimos o dinheiro que *tem?* — disse eu, sem saber ao certo de onde viera a ideia. Soava absurdo antes sequer de terminar a frase, mas ainda assim deixei-me ir. — Se conseguirmos duplicar esse dinheiro, poderemos fazer as obras *e* terá o bastante para viver.

Olhei para Thomas em busca de confirmação. — Há por aí muitas oportunidades de investimento — disse ele. — Eu, por mim, nunca tive um cliente que acabasse com menos de cem por cento de retorno. Mesmo logo no primeiro negócio.

A minha mãe olhou para mim com olhos esbugalhados. — Está a sugerir que eu aplique *tudo* em vinho?

— Achas que é a toda a prova, não achas? — perguntei eu, virando-me para Thomas.

— Bem... sim — disse ele —, mas...

— Conta à minha mãe do Rodriguez — disse-lhe. — Conta-lhe com quanto ele começou e quanto o ajudaste a ganhar.

— Ele não é provavelmente o melhor exemplo — corrigiu.

— Porquê? — perguntei, interrogando-me o que fora que eu tinha percebido mal.

— Porque eu tenho clientes que se saíram ainda melhor do que ele.

— Oh — disse eu, corrigindo-me. — Bem, porque não contas então à minha mãe a respeito deles?

— O Rodriguez é um cliente novo e está de momento apenas a molhar o pé na água, mas já converteu trinta mil em cem mil numa questão de meses. A Beth conheceu-o uma noite destas, e ele está muito satisfeito com o que eu estou a fazer por ele, não está?

Assenti entusiasticamente.

— Mas o meu maior cliente, Seamus Harrison, começou com um orçamento de vinte mil há dois anos, e atualmente já ultrapassa o milhão. Pôde desistir do emprego na City e voltar para a Irlanda, onde passa o tempo a treinar cavalos de corrida. Jamais teria sido capaz de fazê-lo sem investimentos astutos.

— E suponho que faça o seu dinheiro a partir dos lucros deles? — perguntou a minha mãe.

— Trabalho à comissão, sim — disse ele. — Adoro o que faço, sendo o maior estímulo as absurdas quantias de dinheiro que consigo levantar para os meus clientes.

A minha mãe assentiu pensativamente e, quando troquei um olhar com ela, ergueu as sobrancelhas, como que colocando silenciosamente a pergunta que eu podia ouvir alto e bom som. *Estás absolutamente certa de que sabes o que estás a fazer?*

— Vamos ver primeiro como nos saímos com os vinhos que temos para vender? — disse eu, em resposta. — Se for um sucesso, poderemos então falar de mais investimentos.

— Parece um plano sensato — disse Thomas. — Comecemos a partir daí.

23

Bem, foi relativamente indolor — disse eu, enquanto acenávamos do carro.

— Ela é encantadora — disse Thomas, brindando-a com um sorriso rasgado e deitando a mão fora da janela enquanto nos afastávamos, restolhando na gravilha.

— Ela também gostou de ti — disse eu, incapaz de parar de sorrir.

As duas pessoas mais importantes da minha vida gostavam uma da outra, e ao apoiar a cabeça contra o assento tive a sensação de que tudo no meu mundo estava alinhado. Grandes tentáculos de felicidade alastravam pelo meu corpo, abrindo caminho até às pontas dos meus dedos, fazendo-os formigar. Queria manter este sentimento enquanto pudesse, sabendo que dentro de uns segundos algo poderia acontecer para mo arrebatar.

— Só vou trabalhar amanhã mais tarde — disse, sonhadora.

— Oh, porquê? — perguntou ele.

— Devo ser eu a planear a viagem de atividades ao ar livre que iremos fazer daqui a duas semanas.

— Ah, sim, são os cinco dias de inferno em Snowdonia[6]? — Fez uma careta. — Com trinta miúdos ranhosos, que vão ficar acordados toda a noite, e estragar o dia todo.

---

[6] Parque Nacional Snowdonia, no País de Gales, cujo nome deriva de Snowdon, a montanha mais alta de Gales. *(N. de T.)*

Ri-me. — Podes vir se quiseres.

— Preferia espetar alfinetes nos olhos — disse ele, estremecendo.

— Não queres filhos? — perguntei, apanhando-me a mim própria de surpresa.

A pausa que se seguiu, enquanto ele considerava a resposta, foi o suficiente para rebentar a precária bolha de felicidade em que eu me metera. *Pisei o risco. Ele acha-me muito metediça. Porque fui estragar tudo?*

— A seu tempo — disse ele. — Mas só na altura certa, quando souber que estou com a mulher com quem quero ficar para o resto da minha vida.

Pressenti-o a voltar-se para olhar para mim, mas mantive-me focada na estrada à nossa frente, demasiado assustada para ver a expressão nos seus olhos, não fossem dizer que não era eu.

— Então — disse, por demais casualmente —, perguntava-me se poderíamos ir a tua casa esta noite. Adorava ver onde vives… ter algum sítio para te imaginar quando não estamos juntos.

— Ah, seria fantástico, mas amanhã levanto-me ao raiar da alvorada.

Pude sentir a minha bolha esvaziar-se ainda mais, como se fosse uma coisa muito real e tangível. Mas, em vez de me espojar na minha paranoia, tomei um caminho diferente.

— Tudo bem, eu levanto-me contigo e vou para casa.

— Não vai dar — disse ele. — É a Lei de Murphy. Noutro dia qualquer seria ótimo, mas preciso de estar no aeroporto às cinco e meia da manhã.

Virei-me no assento. — No aeroporto? Não me disseste que ias viajar. — Pude ouvir o tom acusatório na minha voz e encolhi-me. Ele não me devia nada.

— O quê…? Disse, sim. Disse-te que ia passar uns dias a Espanha.

De súbito, não tinha a ver com ele *ir*, mas com ele não me *dizer* que ia.

— Quando? — perguntei, sabendo perfeitamente que ele não dissera uma palavra.

— Na outra noite, depois do assalto. Disse-te que ia a Espanha encontrar-me com um investidor que tinha algum *rioja vintage* para vender.

Se ele se tivesse referido a outra altura qualquer, teria acreditado. Mas depois do assalto eu estava a sentir-me particularmente vulnerável, e tenho a certeza de que se me dissesse que se ia ausentar, lembrar-me-ia… nervosa com a ideia.

— Não disseste — disse eu. — Esta é a primeira vez que oiço falar disso.

Ele riu-se. — Disse-te de certeza. Comentaste que era uma pena não estarmos fora ao mesmo tempo. Seja como for, qual é o drama?

— Não há «drama» nenhum — disse, pondo a palavra entre aspas. — Simplesmente não me disseste, é tudo.

— Bem, lamento se não te lembras, mas estou a dizer-te de novo. Vou para Espanha amanhã e volto na quarta-feira.

— Não fales comigo como se eu fosse uma criança — admoestei-o, a minha voz elevando-se. — Não me ralo que vás para fora. Podes *fazer* o que bem entenderes, *ir* onde bem entenderes, com *quem* bem entenderes, mas não me digas que eu já sabia de uma coisa quando não sabia.

— Credo, porque estás tu tão stressada? É por não teres ido ainda a minha casa?

— Não tem nada a ver com isso — embora tivesse de admitir que isso não ajudava. Ele já fora a minha casa uma dúzia de vezes, tínhamos estado em Londres provavelmente o mesmo número de vezes, e no entanto a casa dele, que ficava alegadamente mesmo a oeste da cidade, de alguma forma conseguira escapar-nos.

— Ouve, quando eu voltar de Espanha faço um jantar em minha casa — disse, soando conciliador. — *Isso* deixar-te-ia feliz?

— Não te atrevas a ser condescendente comigo — guinchei, fora de mim. — Pores-te com coisas como se me estivesses a fazer um favor.

— Estás a ser ridícula — disse ele, parando à minha porta e desligando o motor.

— Não te incomodes a sair — gritei, enquanto tirava o *Tyson* da mala. — É melhor ires para casa para o teu sono de beleza.

— Estás a falar a sério? — perguntou ele incrédulo, através da janela aberta. — Vais mesmo deixar ficar as coisas assim?

— Faz boa viagem — disse-lhe, sem olhar para trás.

24

Quando *Superbrasa* lampejou continuamente durante todo o meu almoço no dia seguinte, tive de virar o telemóvel para baixo.

— Problemas? — perguntou Maria a meio de uma dentada na sanduíche de presunto.

— Não propriamente — respondi acidamente, incapaz de impedir que o azedume que sentia transbordasse.

— Não posso crer que ainda o tens guardado como *Superbrasa* no telemóvel — riu-se ela, numa tentativa de aligeirar a atmosfera. — Ele sabe?

Encolhi os ombros e senti a tensão insinuar-se da nuca para cima. — Estou a pensar seriamente renomeá-lo «Imbecil».

— Ai-ai — entoou ela. — Sarilhos no Paraíso. Este é o vosso primeiro arrufo de namorados? O que foi que ele fez?

— Brigámos quanto a ir a casa dele — respondi. — Ele fez de uma coisa tão simples uma complicação.

— Quanto a *ir* a casa dele ou *não* ir? — perguntou ela.

— Eu queria ir, mas ele disse que não era conveniente. — Só de dizê-lo, soava imaturo. — De maneira que, quando chegámos à minha, eu proibi-o de entrar.

Maria engasgou-se com a sua sanduíche. — Um bocado extremo, não?

— Ele foi um *extremo* cretino, pelo que a punição se adequou ao crime.

167

— Então, aqui está ele, a tentar rastejar de volta para as tuas boas graças — disse Maria, assentindo para o meu telemóvel, que continuava a avançar, vibrando, ao longo da mesa de café da sala de professores.

— Ele voou para Espanha esta manhã, pelo que presumo que me esteja a ligar para dizer que chegou bem. Mas que ligue o que quiser, porque eu me estou nas tintas.

Maria revirou os olhos e pegou no meu telemóvel, que estava em perigo de vibrar da mesa para fora.

— Credo, ele ligou vinte e três vezes — disse. — Acho que já se penitenciou, não te parece? — Começou a tocar de novo, e ela atendeu antes de me passar o telemóvel.

— Sim — vociferei para o telefone, com toda a impertinência que consegui congregar.

— Sou eu — disse ele.

— Dá para ver. O que queres?

— Tive um acidente — disse ele. — Estou no hospital.

O sangue gelou-se-me e perdi momentaneamente a capacidade de me focar. — O quê? Onde? — foi tudo o que consegui dizer.

Maria chegou-se instintivamente a mim, a sua presença sendo uma âncora bem-vinda no mar tempestuoso em que me vira subitamente mergulhada.

— Estou em Espanha — disse ele com voz arrastada. — Fui atropelado por um carro.

— Oh, meu Deus — disse, levando a mão à boca. — Vais ficar bem? Onde estás? Eu vou aí ter.

— Não, está tudo bem — respondeu. — *Estou* bem, apenas com uns hematomas e dorido. Eles vão fazer um raio X. Desconfiam que tenho um braço partido e mantêm-me cá esta noite, só por precaução.

— E o carro? — perguntei, embora não saiba porquê.

— Bem, ficou com uma mossa com a minha forma — disse ele, tentando rir antes de dizer: — Au, dói. — Perguntei-me como é que as pessoas com dores tinham espírito para dizer «Au».

— Eu posso ir aí — disse, enquanto Maria assentia em concordância, dando a entender que me substituía. — Posso estar aí esta noite, se conseguir arranjar voo. A sério, eu...

— Não — disse ele com surpreendente vigor, embora fosse provavelmente o melhor que tinha a fazer visto que eu já estava a balbuciar e a lutar para não chorar.

— Ficas bem? Eles disseram quando poderias voar para casa?

— Ainda não, mas não parece que vá sair já daqui. Apenas me preocupa não estar de volta a tempo de te ver antes de ires na tua viagem.

Deixei-me cair para trás no sofá da sala de professores. — Ouve, quanto à noite passada... — comecei.

— Desculpa — disse ele, cortando-me a palavra. — Foi uma discussão estúpida e lamento que se tenha descontrolado.

— Também lamento — disse eu. — Abespinhei-me e tornei-me completamente irracional.

— Não tornaste — disse ele. — Tens razão quanto à minha casa. Assim que estivermos os dois de volta, porque não passarmos o fim de semana juntos? Ficamos em minha casa e eu mostro-te os encantos de Maida Vale.

Agora que ele o propunha, não parecia tão importante assim. Não interessava onde ficávamos, desde que estivéssemos juntos. O facto de ele ter tido um acidente pareceu deitar por terra ainda mais a questão da casa.

— Tens a certeza de que não queres que eu vá para aí? — disse.

— Não, sinceramente, quero que fiques onde estás. Mas antes de desligar tenho boas notícias.

— Oh?

— Consegui vender a coleção de vinho da tua mãe, mesmo antes do acidente. De facto, era por isso que estava ao telemóvel e provavelmente sem prestar atenção ao atravessar a rua.

Se eu não me sentisse já culpada, certamente senti-me agora.

— Adivinha quanto consegui? — continuou.

— Não, diz lá — disse-lhe, perguntando-me se isso interessava sequer ainda.

— Sete mil — respondeu, tão excitado quanto se pode estar quando se está provavelmente em tração e sustido à custa de pinos de metal. Recordei-me da minha tendência para dramatizar.

— Uau — disse eu, apaticamente. — Que espetáculo.

— O que significa que ela poderá avançar com as obras — afirmou ele. — Pelo menos dar-lhe uma volta até a obra em grande chegar. Isto se ela decidir fazê-lo, claro.

— Falamos quando voltares — disse-lhe. — Tens a certeza de que não queres que eu vá aí?

— Sinceramente, estou bem — garantiu. — Só queria dar-te a saber e pedir desculpa. Ligo-te mais tarde, assim que tiver mais notícias.

— *Okay.*

Fez-se uma pausa antes de ele dizer: — Amo-te.

Nessa fração de segundo quase soube que ele ia dizê-lo, e contudo ainda não estava preparada para isso e não soube o que responder. Achar-me-ia ele fraca se eu dissesse o mesmo de volta? Odiar-me-ia por não o fazer? Eu queria fazê-lo, pois era o que sentia, mas o meu cérebro travava uma guerra contra si mesmo, pesando os prós e os contras de ser honesta.

— E eu a ti — foi o que acabei por dizer, e imediatamente o lamentei. Não era o suficiente — ele merecia mais.

— Vemo-nos, então — disse ele desanimado, e eu desliguei o telemóvel, furiosa por tê-lo deixado inseguro só porque queria, o quê? Salvar a face? Não consegui impedir que uma lágrima me escorresse pela cara.

— Ei, ei… — disse Maria, retirando cuidadosamente uma bolacha do chá e comendo-a de uma vez antes de vir sentar-se ao meu lado. — O que se passa?

— Ele disse «amo-te» — deixei sair da boca.

Ela bufou. — E é por *isso* que estás tão incomodada?

Assenti. — Eu não lho disse de volta — solucei, e imediatamente constatei quão ridícula soava.

Para ser justa com Maria, ela não fez o que eu teria feito se estivesse no seu lugar. Absteve-se de me dar um estalo na cara e dizer-me que me recompusesse.

— *E* teve um acidente de carro — chorei, como se isso fosse secundário relativamente a não lhe dizer o que sentia.

— Muito bem, pois *agora* tenho vontade de te dar um estalo — disse ela, fazendo-me rir.

— Eu fá-lo-ia a mim própria se conseguisse — disse, fungando.

— Nada te impede — sorriu ela. — Parto do princípio de que ele está bem, se estás capaz de dar ênfase a tretas inconsequentes.

Assenti, envergonhada.

— Então, ele passou de ser um perfeito imbecil há dois minutos para alguém que amas tanto que não lho consegues dizer?

— Algo assim — anuí, sorrindo.

M al podia esperar para ver Thomas quando ele finalmente regressou, quatro dias mais tarde. Apesar da promessa de irmos ao seu apartamento, perguntou-me se eu podia só ter paciência por um pouquinho mais pois não estava apresentável, e enquanto tivesse o braço ao peito ele não conseguiria arrumá-lo.

— Mereces mais — disse ele ao telefone. Mas por essa altura eu já não queria saber onde nos encontrávamos, só precisava de o ver.

Saltei-lhe para cima quando abri a porta, abraçando-o com as pernas, aspirando-o, não querendo soltá-lo.

— Calma aí — riu-se ele. — Atenção ao braço.

— Amo-te — sussurrei, entre beijos. A boca dele abriu-se num sorriso rasgado, e todas as emoções reprimidas, que sem saber guardara dentro de mim, foram libertadas. Como um bando de pássaros levantando voo.

Fizera jantar, mas sabia que o nosso apetite sexual precisaria provavelmente de ser saciado antes que o nosso desejo de comer se fizesse sentir. Sem interromper o nosso beijo, e algures entre a *t-shirt* dele ser despida e as minhas calças de ganga serem desabotoadas, guiei-o até à cozinha e habilmente baixei a temperatura do forno.

— Tu és incrível — disse ele a seguir, enquanto jazíamos esgotados na cama.

Ainda sem fôlego, ele levantou-se da almofada e inclinou-se para me dar um levíssimo beijo. — Amo-te e nunca mais quero voltar a estar longe de ti — sussurrou.

Senti um nó no estômago quando constatei que teria de lembrar-lhe que estava prestes a ir para fora durante cinco dias. Interroguei-me se haveria alguma maneira de me poder safar da viagem da escola. Pela primeira vez na minha vida, considerei seriamente dar parte de doente. A minha ânsia de estar com Thomas sobrepunha-se claramente à minha consciência, normalmente resoluta.

— Não te esqueceste de que me vou embora na segunda-feira, pois não? — disse baixinho, não querendo realmente que ele me ouvisse. Porque se ele não me ouvisse ainda tinha tempo para pensar numa razão para não ir.

Ele afastou-se de mim. — Merda!

Já era suficientemente difícil assim, não precisava que ele o piorasse ainda mais.

— Mas é só por cinco dias.

— Merda, tinha-me esquecido por completo disso. — Recostou-se pesadamente na cabeceira e passou uma mão pelo cabelo.

Não o digas. Por favor, não o digas.

— *Tens* mesmo de ir?

Disse-o.

— Não posso desiludir os miúdos, pois não? — Não sabia quem estava a tentar convencer.

— Mas vão outros professores?

— Sim, claro, mas há uma proporção muito rigorosa entre adultos e crianças e eu sou supostamente a chefe de equipa, pelo que não é fácil saltar fora, especialmente não tendo uma razão válida.

O sobrolho dele franziu-se. — Eu não sou uma razão suficientemente válida?

Não sabia dizer se ele estava a falar a sério ou não e lancei as pernas para fora da cama numa tentativa de mudar a atmosfera.

— Matou-me estar longe de ti esta semana — disse ele. — Não quero fazê-lo de novo.

Ajoelhei-me na cama e beijei-o. — São só cinco dias — disse, meio a rir. — Cá te arranjas.

Ele sentou-se ainda mais direito. — Escuta, tenho estado a pensar.

Isto soou agoirento. Sentei-me de volta junto dele.

— Quero que vivamos juntos — disse ele. — Porque quando estou longe de ti, só consigo pensar em quão depressa poderei voltar.

Senti o coração a ponto de saltar-me do peito. — A sério? — guinchei. — O quê? Aqui, ou na tua?

— Eu posso trabalhar em qualquer parte — disse ele —, e a minha mãe não está muito longe daqui... é viável. Mas tu tens *toda* a tua vida aqui e se viesses viver comigo em Maida Vale terias de mudar de emprego e ficar mais longe dos teus amigos e da tua mãe. Faz sentido que viva eu aqui. Contribuirei para a tua hipoteca... partindo do princípio de que tens uma?

Assenti. — Sim, infelizmente não partilho da escola de pensamento da minha mãe quanto a dívidas. Bem, partilharia se tivesse escolha, mas...

— *Okay*, então eu pagarei a hipoteca e podemos dividir despesas e alimentação... o que achas? — Ele soava excitado, mas inseguro, como se não quisesse mostrar demasiada emoção, não fosse ter-se enganado. Não aguentei esperar um segundo mais para acabar com a sua miséria.

— Sim, sim, sim — gritei, encavalitando-me em cima dele e beijando-o profundamente. Não me lembrava de alguma vez ter estado tão feliz. — Quando o fazemos? Assim que eu voltar? E que tal no próximo fim de semana?

Ele riu-se e fez-me rolar, o seu peso retendo-me de costas. — Eu mudo algumas coisas enquanto estiveres fora, se não te importares. E quando chegares a casa na sexta-feira preparo-te um banho, faço amor contigo e cozinho-te a melhor refeição que já tiveste na vida.

Guinchei. — Por essa ordem?

— Completamente! Nessa altura terás passado uma semana num *hostel* sem água corrente!

Bati-lhe no braço tatuado e ele caiu em cima de mim, beijando-me o pescoço e fazendo-me cócegas nos flancos até eu mal conseguir respirar.

— Deste à tua mãe a boa notícia? — perguntou ele, quando finalmente implorei por misericórdia.

— Oh, meu Deus — disse, recompondo-me e arredando o cabelo da cara. — Com tudo o que se passou contigo esta semana, esqueci-me completamente.

Tomara ter mentido e ter-lhe dito que ela ficara extasiada, porque logo na manhã seguinte vimo-nos em casa dela em vez de ficarmos na cama, tão excitado estava Thomas para lhe contar.

— Oh, santo Deus, que notícia maravilhosa — disse a minha mãe, batendo palmas. — Quem teria pensado que algumas garrafas empoeiradas languescendo numa garrafeira poderiam ser tão valiosas?

— Foi uma pequena loucura — disse Thomas. — Estive em Espanha esta semana e ofereceram-me algumas coisas realmente excitantes; havia uma caixa de *Moncerbal* e uma dúzia de *Les Manyes* que serão ouro em pó para os investidores. Eu já sei que conseguirei vendê-los por cinco vezes mais do que darei por eles.

— Então parto do princípio de que vai comprá-los? — perguntou a minha mãe. — Se sabe que a coisa é segura.

— Sem dúvida — disse ele, sorridente. — É uma oportunidade demasiado boa para ser recusada. Já estou a ser perseguido por algumas pessoas que ouviram rumores vindos da adega.

Se ele não tivesse olhado para mim expectante ao rematar a história, ter-me-ia passado completamente despercebido.

— Que coisa horrível — grunhi.

— Os velhos são sempre os melhores — riu-se ele.

— Então não irá tê-los consigo por muito tempo? — perguntou a minha mãe.

Thomas abanou a cabeça. — Infelizmente, duvido que chegue a tê-los em minha posse de todo. Vendê-los-ei desde já, provavelmente no mesmo dia em que os comprar.

— Por quanto os comprará? — perguntou a minha mãe, subitamente decidida.

— Cento e cinquenta mil asseguram o negócio — disse Thomas. — E um cliente na Rússia já me ofereceu quatrocentos e cinquenta mil. Mas vou esperar por mais.

— Então um investidor irá comprá-los através de ti e tu irás depois vendê-los a alguém que irá honestamente pagar essa quantia de dinheiro? — dei comigo a perguntar.

— É mais ou menos isso. Eu tiro a minha comissão de dez por cento e toda a gente fica feliz.

Olhei para a minha mãe, tentando ler-lhe o pensamento.

— Porque não podemos *nós* comprar o vinho? — Não sei se era minha intenção expressar os meus pensamentos em público.

— O quê? — exclamou Thomas, embora eu reparasse que a minha mãe permaneceu em silêncio. — Onde vais tu arranjar tanto dinheiro?

Olhei mais uma vez de relance para a minha mãe e ela fez-me um assentimento.

— Nós podemos fazer isso — disse. — Deixar-nos-á praticamente lisas, mas se for apenas por vinte e quatro horas, e retornar multiplicado por cinco, terá sido um dia de trabalho e tanto.

— Significaria certamente eu poder fazer as obras todas e não ter de me preocupar mais — ajudou a minha mãe.

Thomas olhou da minha mãe para mim e de volta. — Isto não é o negócio certo para si, Mary. Terá de se realizar mais depressa do que conseguirá pô-lo em marcha e, não sei, simplesmente parece-me…

— Posso fazer a transferência na segunda-feira logo de manhã — disse ela, sentando-se mais direita na cadeira, como se estivesse realmente decidida a fazer negócio.

— Acho que devia começar mais devagar — disse ele. — Haverá muitas outras oportunidades. Eu saberei qual é a certa quando a vir.

Todo o corpo dela pareceu encolher, como se alguém lhe tivesse aberto a válvula de ar.

— Nós queremos fazer *este* — disse eu determinadamente. — Se tens a certeza absoluta de que podemos duplicar o dinheiro…

— No mínimo dos mínimos — disse ele.

— Então quero fazê-lo — disse eu. — *Queremos* fazê-lo. Mãe?

— Se estás feliz, então eu estou feliz — disse ela.

Thomas sorriu e abanou a cabeça. — Vocês duas têm ousadia suficiente para um exército.

A minha mãe e eu entreolhámo-nos, encarando-o como um cumprimento.

— Mas se é isso que querem…

— Completamente — respondi, antes de me virar para a minha mãe e rir-me. — E se tudo correr mal, eu vendo a minha casa e reembolso-a.

— Olha que bem posso cobrar-te isso — disse ela, sorrindo.

2 6

O despertador disparou, acordando-me de um sonho que estava a ter com o príncipe Harry. Estávamos a assaltar um banco, a exigir dinheiro, com espingardas de canos serrados. A balaclava dele caiu e ele rapidamente pôs uma máscara, mas com a fotografia *dele*. Mas que raio era aquilo?

— Toca a acordar — disse uma voz sonolenta a meu lado.

Gemi. Não podiam ser horas de me levantar — tinha a certeza de que acabara de adormecer.

— Não quero que vás — disse-me Thomas ao ouvido ao enroscar-se por trás de mim.

As suas palavras sobressaltaram-me, recordando-me que daí a umas horas estaria num autocarro, tentando convencer trinta crianças a não comerem demasiados doces, e a segurar num saco de enjoo para aquelas que não me dessem ouvidos.

— Não podes dizer que estás mesmo doente?

— Não! — exclamei, levantando-me de supetão. Isto já era suficientemente difícil sem ele a exercer pressão sobre mim. — Eu não sou assim.

Ele estendeu o braço para me acariciar as costas nuas, provocando-me um arrepio pela espinha abaixo. — Mas hoje é um grande dia. Assim que o negócio for para a frente, temos de ir celebrar.

Esquecera-me momentaneamente do que mais se ia passar hoje. Talvez o meu sonho tivesse a ver com isso. Seria um aviso?

— Podemos fazê-lo na sexta-feira à noite — disse-lhe, inclinando-me para beijá-lo. — Teremos muita coisa que celebrar então, pois também estaremos oficialmente a viver juntos.

— Humm, não te esqueças de me deixar uma chave. Levarei os próximos dias a mudar as minhas coisas para aqui.

Depois de deixar *Tyson* na minha mãe, passáramos o dia anterior a esvaziar o quarto livre para dar espaço para as coisas de Thomas, embora ele me assegurasse que não eram muitas. Ainda assim, eu queria que ele sentisse que a casa era tanto dele como minha, por isso encorajei-o gentilmente a trazer o que quisesse.

— Dir-me-ás assim que o dinheiro da minha mãe chegar à tua conta? — disse, quando ele me beijou à porta. Não sei o que me causava mais estranheza: deixá-lo em minha casa, ou tê-lo em posse das poupanças de toda uma vida da minha família. Ainda bem que confiava nele.

— Manter-te-ei a par a cada passo do caminho — disse ele. — Num mundo ideal, ambas as vertentes do negócio aconteceriam hoje, mas se o dinheiro da tua mãe não ficar logo disponível então pode ser que tenhamos de esperar por amanhã.

— E então teremos *realmente* algo que celebrar — disse eu, sorrindo. — Amo-te.

Ele beijou-me profundamente. — E eu amo-te a ti. Vemo-nos na sexta-feira.

— Ei, mãe — disse eu ao telefone, assim que virei a esquina e perdi Thomas de vista.

— Olá, querida, estás bem?

— Sim, vou a caminho da escola.

— Ansiosa pela viagem?

— Sim e não — disse honestamente. — Se fosse uma semana normal, estaria, mas o Thomas vai trazer parte das suas coisas cá para casa e...

— Ah, vai? — brincou ela. — Então, isso está a ficar sério.

— Espero bem que sim — ri-me. — A mãe está prestes a entregar-lhe cento e cinquenta mil libras!

— Vamos definitivamente para a frente com isso? — perguntou ela, ligeiramente mais baixinho. — Eu ia ligar-te imediatamente antes de sair para o banco, sabes... bem, só para reconfirmar que ainda estás a fim.

Apesar de estar *mais* que segura de que estávamos a fazer a coisa certa, sentia-me ainda assim quase agoniada de nervos.

177

— Completamente — respondi, ignorando-os. — Isto vai permitir-nos fazer tudo o que precisamos fazer à casa.

— Bem, saí ontem e comprei algumas revistas — disse ela, soando como uma miúda excitada. — E sinceramente, Beth, há por aí casas verdadeiramente lindas.

Ri-me. — A *sua* é verdadeiramente linda… apenas precisa de alguns cuidados.

— Bem, acho que encontrei a cozinha que quero. É um estilo retro despojado com puxadores à antiga e bancada de granito branco. Estava a pensar arranjar um micro-ondas também… todas as casas nas revistas parecem ter um. Provavelmente não o usarei, mas encaixa no estilo atual de cozinha, não é? Devias ver o que se pode fazer hoje em dia, Beth, e nem me faças falar em casas de banho… agora têm áreas de duche à parte, nada de cortinas bolorentas à volta de uma banheira. As minhas ancas agradecer-me-ão, isso te garanto!

Ela até podia estar a gracejar com aquilo tudo, mas eu não avaliara realmente, até agora, a forma como ela vivia. As obras fariam uma enorme diferença.

— Diga-me assim que transferir o dinheiro — disse. — Pode ser que possamos ir no fim de semana dar uma vista de olhos ao que há e tirar mais ideias.

— Isto é tão excitante — disse ela sem fôlego. — Ligo-te assim que tiver ido ao banco. Diverte-te, sim?

E diverti. Até ao segundo dia, depois de não ter notícias de ninguém.

— Tiveste algum problema com o teu telemóvel? — perguntei a Maria ao pequeno-almoço.

As crianças estavam por perto, a comer as suas papas de aveia, ainda que contra vontade. Quando o *chef* ouviu uma delas reclamar que sabia a papelão, disse que faria às professoras algo um «bocadinho mais de crescido». Eu não sabia se rir ou chorar quando ele serviu a mesma papa, com um frasco de compota de morango vigorosamente pousado em cima da mesa entre nós.

— O serviço aqui é uma porcaria — disse Maria, e por um momento não percebi se ela estava a falar da rede de telefone ou da refeição que nos fora servida. — O Jimmy enviou-me um *e-mail* a dizer que tem estado a tentar ligar e enviar mensagens escritas, mas nada passava. Acho que não recebi nada de ninguém desde que aqui chegámos.

— Isso explica tudo então — disse eu, sentindo-me aliviada, embora ainda não conseguisse afugentar o mal-estar que sentia na boca do estômago. Empurrei para longe a tigela do que parecia ser massa de cimento. — Eu contava ter notícias da minha mãe e de Thomas, mas não ouvi um pio.

— Liga-lhes do fixo na receção — disse ela.

— Boa ideia.

Liguei a Thomas primeiro, mas foi diretamente para o atendedor de chamadas. Ele normalmente tinha uma saudação pessoal no *voice-mail*, pelo que desliguei e tornei a ligar quando ouvi uma mensagem automática.

Uma mulher com voz de robô atendeu. «*...Deixe mensagem depois do sinal.*»

— Oh, olá — disse, ainda não segura de ter ligado para o número certo. — Sou eu, a Beth. Só queria dizer-te que nenhumas mensagens nem chamadas me chegam aqui. Espero que esteja tudo bem e que o negócio tenha ido para a frente. Se pudesses ligar para o *hostel* e deixar uma mensagem para mim, só para que eu saiba que está tudo bem, seria ótimo. Se não tiver notícias tuas, parto do princípio de que esvaziaste a minha casa e fugiste com o dinheiro. — Forcei uma gargalhada antes de pousar o telefone.

Quando liguei para a minha mãe, ela atendeu imediatamente. — Oh, graças a Deus — disse, com a voz ligeiramente em pânico. — Tenho estado a ligar-te e enviar-te mensagens escritas. Fiquei um pouco preocupada ao não ter notícias tuas.

Não percebi se isso seria por ela pensar que eu tinha caído por uma montanha, ou porque algo correra mal com o negócio.

— Não, está tudo bem — assegurei-lhe. — O meu telemóvel não funciona aqui em cima, pelo que estou a ligar-lhe de um fixo.

— Desde que esteja tudo bem — disse ela, antes de acrescentar: — O Thomas recebeu o dinheiro?

— Sim — foi a minha resposta imediata.

— Então, correu tudo bem? O que ganhámos afinal? Tenho estado morta por saber.

— Correu lindamente — disse eu, sem saber porque mentia. — Ainda não consegui falar com o Thomas esta manhã, mas ele terá os números finais para me dar quando conseguir.

Ouvi-a suspirar do outro lado da linha. — Bem, isso é um alívio. Mal preguei olho esta noite com preocupação.

— Não há nada com que se preocupar, mãe. Assim que falar com ele ligo-lhe de volta.

— *Okay* querida, sinto-me melhor por ter falado contigo.

A náusea continuou a revolver-me as entranhas, lentamente amarinhando em direção à garganta.

— Com licença — consegui dizer para Maria quando nos cruzámos à porta da casa de banho das senhoras. Mais um segundo e teria levado com o conteúdo do meu estômago em cima.

— Estás bem? — perguntou ela a medo através da fina porta.

— Hã, não — logrei dizer, afirmando o óbvio. — Não me sinto lá muito bem.

— Oh, Deus, não achas que foi da papa, pois não? Estaremos todos aqui dentro de um minuto.

— Acho que não vou conseguir fazer canoagem esta manhã — disse, mesmo antes que a ideia de fazê-lo me provocasse outro acesso de náusea.

— Nada de preocupações, queres que fique aqui contigo? — perguntou.

— Não, eu estou bem — disse, abrindo a porta do cubículo.

— Credo, estás com uma cara de bosta — exclamou ela. — O que achas que se passa?

— Não sei — disse honestamente, duvidando que a sensação crescente de ansiedade quanto ao negócio me pudesse deixar fisicamente doente. — Se me pudesses encobrir ficar-te-ia mesmo grata.

— Claro — disse ela, massajando-me as costas. — Conseguiste apanhar o Thomas?

Apenas logrei abanar a cabeça. — Ainda não, tentarei de novo mais tarde.

— Porque não voltas para o teu quarto e descansas um bocado? Eu vou ver-te à hora de almoço, para saber como te sentes.

Consegui despachar as crianças com um sorriso na cara, tentando ignorar a minha consciência culpada quando o pequeno Theo disse: — Mas, professora Russo, não será tão divertido sem si.

— Claro que será — respondi, passando-lhe a mão pelo cabelo. — Esta tarde temos rapel e eu não o perderia por nada deste mundo.

Só que o mundo, ao que parece, é um lugar precário. Um ligeiro inclinar do eixo e vamos todos parar ao mar.

— Não receberam de certeza quaisquer mensagens para mim? — perguntei no átrio do *hostel*, mesmo antes de almoço. — Alguém poderá ter atendido uma chamada?

O homem abanou negativamente a cabeça.

— Lamento imenso, mas acho que não vou ser capaz de cumprir o programa — disse quando Maria me veio visitar ao quarto. Não era estritamente verdade — eu poderia ter ficado como observadora —, mas não me sentia suficientemente bem para andar a escalar montanhas e construir uma jangada no meio de um lago. Quando muito teria de ficar sediada no *hostel*, que era pouco acolhedor na melhor das alturas, quanto mais quando se está doente e a querer a própria cama. Não desabafei que me sentia compelida a ir para casa o mais rapidamente possível, só para confirmar que estava tudo bem com Thomas. Uma vez satisfeita regressaria, livre da apreensão que lentamente envenenava o meu corpo.

Mantive o telemóvel no colo durante a viagem de táxi para a estação, aguardando impacientemente que o indicador de rede se iluminasse. Estávamos a uns bons seis quilómetros do sopé de Snowdonia quando o meu telemóvel entrou em ação. Foi um ressoar de *ping* atrás de *ping* enquanto o motorista dava estalidos de língua, sem dúvida habituado a citadinos inquietos e irritadiços, ávidos de voltar à civilização.

Está tudo bem?
Concretizou-se?
Podes ligar-me quando puderes, por favor?
Vi uma cozinha maravilhosa
Informa-me só quando estiver feito
Estou preocupada — por favor liga-me

Mensagem após mensagem iluminava o ecrã. Todas da minha mãe.

27

Quando cheguei a London Euston já ligara a Thomas dez vezes e estava à beira da histeria. Se é que não estava morto, bem que poderia ter uma desculpa boa como o raio.

Quando virei a esquina da minha rua, e vi o seu carro estacionado à porta de casa, senti todo o ar abandonar-me de supetão. O facto não excluía que ele tivesse tido um acidente, ou pior. Mas *significava* que ele estava ali, continuávamos juntos, e ele não nos enganara com o dinheiro da minha mãe, porque certo ou errado, eu não conseguira pensar noutra coisa.

Senti-me invadida de vergonha ao recordar a já turva viagem. Era incapaz de acreditar que os pensamentos que eu deixara infiltrarem-se-me na mente fossem verdadeiramente meus. Ao vê-lo sair pela porta da frente, com o saco de viagem casualmente preso no ombro, ia para o chamar. Mas detive-me, dando-me só mais uns segundos para me recompor. Para lavar a culpa, que estava certa seria óbvia, da minha cara.

O rosto dele abriu-se num sorriso rasgado ao chegar ao carro e interroguei-me se ele já me teria visto, mas estaria a fingir que não, para não estragar a surpresa. Tentei andar mais depressa, contrariada pelas rodas da minha mala sobre o pavimento irregular.

Estaquei de súbito quando Thomas se inclinou para a janela do passageiro do carro. Desejei vê-lo a falar com um colega homem ou talvez até com a minha mãe, que ele atenciosamente levasse a almoçar para celebrar o negócio. Desejei ver *fosse quem fosse* exceto a atraente loura que ele estava a beijar.

Sentindo que levara um soco no estômago, agachei-me instintivamente atrás da sebe da entrada de outra casa. Não sei se por as pernas cederem ao meu peso ou por estar com medo de ser vista. Como poderia tudo voltar alguma vez a ficar bem se eu admitisse o que vira? Se Thomas soubesse que eu o apanhara?

Precisava de pensar antes de agir, mas não tinha muito tempo. Ouvi o motor do carro a ligar e organizei ideias. *Pensa. Pensa. Pensa.*

Levantei-me, mesmo a tempo de ver passar o carro, a mulher sorridente a olhar para mim pela janela do passageiro ao passar. Não houve nela qualquer expressão de reconhecimento. Qualquer compreensão de que o homem que acabara de beijar era meu namorado. Tudo o que terá visto em mim foi uma jovem mulher que regressava de viagem, talvez contente de estar em casa e ansiosa por ver o seu bem-amado. Tudo o que eu vi nela foi a cabra que mo acabara de arrebatar.

Já sem ar do choque e do desgosto, apressei-me rua fora o mais rapidamente que as minhas pernas de chumbo me permitiam. Tive um pensamento momentâneo, ao levar a chave à porta, de que ele podia ter mudado a fechadura, mas porque o faria ele? Estava a trair-me. Não estava a tentar arrebatar-me a minha vida, embora eu temesse que fosse tudo a mesma coisa.

Corri para o quarto livre, contando ver os seus estimados pertences a encherem o espaço familiar, mas nada mudara desde que ali estivera pela última vez. O meu guarda-roupa, onde as suas roupas tinham estado alegremente penduradas com as minhas, estava esvaziado das suas camisas e calças. Só o seu levíssimo odor perdurava, a provar que ele alguma vez existira.

O meu cérebro devastado não conseguia processar o que estava a acontecer. Teria ele ido passar uns dias com a amante? Iria ele voltar na sexta-feira, fingindo que estava tudo bem e partindo do princípio de que eu nada percebera? Ou fora eu testemunha dele a sair da minha vida?

Fiz por pescar o telemóvel da mala, mas os dedos pareciam-me trapos enquanto o coração me batia contra o peito. As lágrimas toldavam-me os olhos *e* o julgamento.

— Não quero saber dela — disse em voz alta. — Podemos superar isto, simplesmente regressa para casa, por favor.

Liguei-lhe de novo, e a já familiar voz de mulher enunciou a banal informação.

— Tens de ligar-me, *já* — sibilei, mal capaz de respirar. — Se não tiver notícias tuas dentro de uma hora, vou chamar a polícia.

Deslizei pela parede para o chão do meu quarto, o quarto que até há apenas uns dias fora o lugar onde fizéramos amor, onde ele dissera que queria que vivêssemos juntos, onde ele me implorara que não o deixasse. Fora *tudo* uma mentira?

Não, não podia ter sido. Ele não podia ter fingido amar-me tão bem. Ele não podia ter simulado o que tínhamos. Era impossível.

Mas então lembrei-me do seu golpe de despedida. Fora tudo *sempre* uma questão de dinheiro?

Visualizei o rosto sorridente da minha mãe, entusiasmada com o restauro da sua adorada casa para a sua antiga glória. Pude vê-la no fulgor cálido da sua cozinha, a divisão em que o meu pai costumava fazê-la rodopiar, e pude ouvi-la dizer que jamais sairia dali. Que enquanto o tivesse a ele, a mim e ao bater do seu coração, jamais deixaria que alguma coisa acontecesse à casa que todos adorávamos.

A garganta contraiu-se-me e corri para a casa de banho, onde o meu estômago prontamente despejou a sanduíche que conseguira engolir no comboio. Com a cabeça pendendo ainda sobre a sanita, reparei que onde haviam estado duas escovas de dentes juntas, no copo sobre o lavatório, só uma permanecia agora.

Assim que me senti capaz liguei à minha mãe, sem saber o que iria dizer.

— O dinheiro chegou a sair da sua conta? — deixei escapar da boca para fora antes sequer de ela parar de recitar o seu número de telefone.

— Oh, olá querida — disse ela, soando perplexa. — Sim, porquê?

— Mas confirmou *de facto*? — O pânico na minha voz fê-la soar mais cortante do que era minha intenção.

— Sim, porquê? — repetiu ela hesitante, assimilando a minha angústia. — O Thomas não o recebeu? Julguei que tinhas dito que o recebera.

Fiquei sem saber o que seria melhor contar. Devia dizer-lhe que mentira? Havia alguma hipótese de o dinheiro de alguma forma ter ido parar a outra conta por engano? Poderia Thomas ser exonerado de qualquer delito, a não ser de beijar uma mulher que não era a sua namorada? Devia dizer-lhe que tínhamos sido vítimas de uma falcatrua? Precisava ela de saber que cada centavo seu ia provavelmente a caminho do Rio de Janeiro?

Quando se está prestes a partir o coração da pessoa que mais se ama no mundo, qual a melhor forma de fazê-lo?

Sabia que não podia contar-lhe pelo telefone — ela merecia mais que isso, pelo que saltei para o carro e passei o percurso para lá a rever e rever o que se estava a passar. A tentar pensar numa só razão lógica para Thomas ter feito o que fizera. A minha própria dor empalidecia numa insignificância, quando a comparava com a da minha mãe. O seu orgulho perdido. A sua promessa quebrada ao meu pai. O futuro que ela julgava ter, arrebatado sem mais...

E era *tudo* culpa minha.

28

Não me lembro sequer de conduzir até Treetops, o lar da mãe de Thomas. Mas dei comigo parada no cruzamento, a nem um quilómetro de distância, no meio de apitos e buzinadelas.

Tens mais uma hipótese, disse de mim para mim, ao premir *chamar* o número de telemóvel de Thomas.

Soou um toque baixo e contínuo, como que de falta de linha. Até a mulher-robô desistira dele.

— Porra! — disse, batendo no volante.

Não sabia o que fazer. Mantive-me no cruzamento, dividida quanto a que caminho tomar. Virar à direita, ir para casa da minha mãe e contar-lhe o que fiz — o que *ele* fizera. Virar à esquerda, e ir na direção da única ligação que tenho com Thomas. O carro atrás de mim buzinou com impaciência — olhei pelo espelho retrovisor e vi um homem agitado a acenar com as mãos para mim, forçando uma decisão.

Estava uma rapariga diferente na receção quando me aproximei do balcão, sentindo-me agoniada de ansiedade. Se ela me dissesse que eu não podia ver Joyce, receava desatar a chorar. Inspirei fundo — precisava de me manter calma e sob controlo.

— Oh, olá — disse, tentando soar casual, como se estivesse sempre a vir aqui. — A Elise não está?

A rapariga olhou dissimuladamente para ambos os lados. — Foi despedida — sussurrou.

— Oh — repliquei eu, chocada. — Porquê?

Ela inclinou-se para diante. — Aparentemente não estava a verificar credenciais. Deixava praticamente toda a gente entrar... nem sequer tomava nota dos nomes.

— Isso não é bom, pois não? — questionei. — Há que ter muito cuidado.

— Exatamente — disse ela. — Por isso estamos a pedir a todos os visitantes que escrevam o seu nome e quem vêm ver.

Peguei na caneta com hesitação, deixando a minha hiperativa imaginação interrogar-se se eles já teriam sido postos sob alerta. Tê-los-ia Thomas avisado de que eu podia vir aqui à sua procura?

À cautela, escrevi um nome falso e afastei-me devagar do balcão, como que à espera de que alguém saltasse sobre mim. *Mas eu não fiz nada de mal*, contrariei mentalmente. *A emboscarem alguém, devia ser a ele.*

— A Joyce está no lugar do costume? — perguntei displicentemente.

— Ah! — disse ela, e eu quedei-me petrificada, esperando que o meu coração começasse a bater de novo. — O filho dela já cá está. Julgo que estão no salão.

De todos os cenários que eu previra, Thomas estar aqui não era um deles. *Merda.*

Pensei fugazmente em fugir. Mas eu viera aqui à sua procura, e chocantemente, apesar de estarmos juntos há quase seis meses, este lar e o seu número de telemóvel eram a minha única esperança de dar com ele.

Vi Joyce no seu cadeirão, junto à janela, falando animadamente com um homem de costas voltadas para mim.

Desejei correr direita a ele, rodear-lhe o pescoço com os braços e implorar-lhe que me dissesse que eu percebera tudo mal. Que algo lhe acontecera ao telemóvel. Que ele não tinha caso nenhum. Que ele investira sensatamente o dinheiro da minha mãe. Que ele ainda era o homem por quem eu me apaixonara.

O meu passo acelerou quando me aproximei. A minha respiração entrecortada tornou-se mais arquejante quando a enormidade dos segundos que se seguiriam fez luz em mim. Ditariam o resto da minha vida.

— Thomas? — A minha voz não soava de todo como minha.

Ele virou-se para me olhar.

Não era ele.

Nessa fração de segundo tentei tudo para transformar este homem

187

na pessoa que eu queria ver. Que *contava* ver. Se ao menos tivesse olhos azuis, e não castanhos, um nariz mais direito, um maxilar mais firme, *poderia* ter sido ele. Mas não era.

— Posso ajudá-la? — perguntou o homem.

Olhei para Joyce em busca de ajuda, mas ela estava a olhar para mim como se nunca me tivesse visto.

— Desculpe, quem é o senhor? — perguntei.

Ele pareceu apanhado de surpresa, as suas feições toldando-se. — Eu sou Ben Forrester. E a senhora?

— Deve haver algum engano — disse eu, ignorando a sua pergunta.
— A senhora na receção disse que era filho da Joyce.

— E sou — foi tudo o que ele disse, circunspetamente.

— Tem então um irmão? — perguntei, atirando no escuro.

— Não, não tenho, só uma irmã. Posso saber o que vem a ser isto?

Senti um baque nas entranhas, como se uma minúscula picareta estivesse a escavar as minhas mais profundas crenças, a minha moralidade, a minha autopreservação, lentamente destruindo tudo o que eu tinha como verdadeiro.

— Joyce — disse eu, esbaforida, inclinando-me junto à sua cadeira.
— Lembra-se de mim? Estive aqui há uns dias com o seu filho Thomas.

— Alto aí, espere lá um minuto — disse o homem, fazendo menção de se levantar enquanto Joyce abanava a cabeça receosa.

Vasculhei o cérebro tentando lembrar-me do que ela me chamara. O meu verdadeiro nome nada significaria para ela. — Sou... a Helen — disse, lembrando-me. — Estive aqui com o Thomas. Falámos do Frank e dos Beatles. A senhora contou-me como se esgueirava de casa de modo que o seu pai não a visse de minissaia.

— *Okay*, basta — disse o homem, agarrando-me o braço firmemente e fazendo-me endireitar.

— Joyce, eu estive aqui com *ele* — gritei quando ele me puxou dali.
— A Joyce chamou por ajuda. Disse que era ele. Não parava de dizer «Ele está aqui».

Senti a mão no meu braço apertar-se mais. — Por favor, Joyce. Tente lembrar-se.

— Com *quem* esteve aqui? — perguntou Ben Forrester, com as narinas dilatadas.

— Não sei — respondi, soluçando quando a verdade das palavras se fez sentir. — Honestamente não sei.

29

A minha mãe lançou-me um olhar e fez-me entrar à pressa no *hall*.

— O que diabo aconteceu? — perguntou, passando-me um braço em torno das costas.

— Eu não consigo… simplesmente não consigo…

— Acalma-te — apaziguou-me ela enquanto me conduzia para a cozinha. — Vá, senta-te aqui. — Deslocou um monte de revistas de decoração para o lado da mesa, cada uma delas impecavelmente marcada com *post-its*.

Senti o coração quebrar-se.

— É o Thomas… — solucei.

Ela puxou-me para si e encostou-me a cabeça contra o seu estômago, embalando-me gentilmente. — O que se passa, minha querida? O que aconteceu? — Interroguei-me fugazmente como podia não adivinhar, mas se ela tivesse esse tipo de cinismo, então para começar jamais teria concordado com este plano louco. Ou teria eu concordado por ela? Certamente assim parecia.

— Ele desapareceu — disse em voz sufocada. — Desapareceu com o dinheiro todo.

O embalar parou abruptamente e ela susteve-me à distância, fitando-me, os olhos sem pestanejar. Podia apenas imaginar o aperto de torno que lhe espremia as entranhas, impedindo-a de respirar.

— O que... o que queres dizer? — fraquejou ela. — O que estás a dizer?

— Ele é um vigarista, mãe. Levou-me, e depois a si, a acreditar que o fazia por *nós*... que tinha no coração os *nossos* melhores interesses.

— Onde está ele? — perguntou ela prosaicamente.

— Não sei.

— Bem, onde é que ele vive? Esse podia ser um bom lugar para começar. — Havia uma nota de acidez na sua voz. Um tom acusador. — Já tinhas pensado nisso? Ele não pode simplesmente evaporar-se, pois não?

Deixei cair a cabeça nas mãos. — Eu não sei onde ele vive.

— O que queres *dizer*, não sabes onde ele vive? — perguntou ela friamente. — Há meses que andas com ele.

— Nunca fui a casa dele — admiti.

Ela atirou os braços ao ar antes de se afastar e pôr-se às voltas na cozinha, embrenhada em pensamentos.

Eu sabia que a pergunta vinha aí, mesmo antes de ela a formular.

— Então, onde é que ele trabalha? — acabou por dizer.

— Ele não tinha escritório. Podia trabalhar em qualquer lugar... desde que tivesse o telemóvel.

— E tu achaste que isto *tudo* o fez parecer uma boa aposta? — perguntou ela, elevando a voz. — Sinceramente, não posso crer no que estou a ouvir.

O seu desapontamento em relação a mim era palpável, o que doía muito mais do que o meu coração destroçado, ou o dinheiro roubado.

Lembrei-me da última vez que a desapontara. Tinha 14 anos e ela encontrara um cigarro no bolso do casaco do meu uniforme escolar. Eu quisera que ela me pusesse de castigo. Quisera que ela gritasse comigo. Mas tudo o que ela disse foi, *Desiludiste-me*. Era a pior punição possível e jurei nunca mais a desapontar. E não o fizera, até hoje.

— Eu *tratarei* disto — disse, uma repentina fúria irrompendo de mim para fora. Como ousava ele aparecer na minha vida, qual bola de demolição, destruindo tudo o que me era querido?

A minha mãe deixou-se cair desanimadamente numa cadeira. — E como tencionas fazer isso?

A despeito de tudo, eu acreditava tolamente que *ela* encontraria uma solução. Como sempre fizera. Na minha mente, ela era a adulta e eu a criança, pelo que ingenuamente não contara que a pergunta e a responsabilidade recaíssem sobre mim.

— Não deixarei que ele se safe com isto — disse. — Darei com o rasto dele e fá-lo-ei pagar pelo que fez.

A minha mãe ficou ali sentada, abanando tristemente a cabeça. — Podia ter sido pior — disse, em pouco mais que um sussurro. — Podia ter havido crianças envolvidas.

Visualizei-me inclinada sobre a sanita, e interroguei-me subitamente porque não tomara eu consciência de que tinha cinco dias de atraso. Toquei instintivamente no ventre, tentando desesperadamente abafar a voz que dizia, *Pode ser que haja.*

TERCEIRA PARTE

ATUALIDADE — ALICE E BETH

30

Alice sente o estômago revolver-se ao preparar-se para sair do carro. A sua mãe é que fora à escola nos últimos cinco dias, enquanto Alice estava de cama supostamente com um vírus. Ninguém precisava de saber que ela estava mergulhada em desespero, devastada pela revelação de que o seu bem-amado Tom tinha um caso. Que tivera uma filha com a sua melhor amiga.

Olha o seu reflexo no espelho retrovisor, mal podendo reconhecer a pele pálida e as faces afundadas.

— *Okay*, Olivia, vamos lá — incentiva o mais que pode.

Caminham as duas rapidamente, Alice de cabeça baixa e Olivia saltitando para a acompanhar.

— Estás a provocar-me uma cãibra — geme.

Alice avista o carro de Beth estacionado lá adiante e pensa em dar meia-volta. *Não consigo fazer isto,* diz de si para si. *Mas a Livvy tem de ir para a escola,* contraria mentalmente, forçando-se a continuar a andar.

— Precisamos de falar — diz uma voz, quando Alice passa pelo velho *Volkswagen* de Beth.

Alice puxa Olivia pela mão e quase desata a correr.

— Alice, por favor — chama Beth ligeiramente mais alto. — Não podemos fingir que isto não está a acontecer.

— É isso exatamente o que vamos fazer — diz Alice em surdina.

É a única forma de ela aguentar levantar-se de manhã, porque se

195

admitir os factos — que o seu falecido marido e a sua melhor amiga a traíram da pior forma possível — sentir-se-ia aterrorizada pelos danos que isso poderia causar.

Não importava que Beth pudesse não ter sabido que Tom era casado. Não importava que à época ela e Beth nem sequer se conhecessem. A sensação de traição ainda lhe perfurava os pulmões, dando-lhe a sensação de que não conseguia respirar.

— Isto não vai desaparecer sem mais — diz Beth apanhando Alice e Olivia.

A rapariguinha levanta os olhos para a mãe, perplexa por ela não dar ouvidos a Beth.

— Estás a ser muito malcriada — diz ela. — A mãe da Millie quer falar contigo.

Só então é que Alice estaca, de repente, e se vira para encarar a mulher que lhe arrebatou tudo o que ela sabia ser verdade. Ela sabe que Millie está postada ao lado de Beth, mas não pode permitir-se olhar para ela, com medo de subitamente ver Tom tão claramente nas suas feições que desate a chorar. Uma dor muito real trespassa-lhe o coração.

— Obrigada — diz Beth calmamente. Os segundos alongam-se como horas enquanto as duas mulheres se olham pela primeira vez desde a confissão de Beth. Assim que Alice acordara do seu desmaio, insistira em vestir-se e conduzir para casa, apesar de o socorrista do ginásio lhe dizer que ficasse onde estava. Por um momento, julgara ter tido um sonho estranhíssimo, mas o rosto de Beth perscrutando a sua bolha, qual feia caricatura, fizera-a voltar com um choque ao mundo real. Alice tivera de se afastar para o mais longe possível, o mais rapidamente possível, quando o pânico se abatera sobre ela. Não conseguia lembrar-se de como chegara a casa ou do que lhe disseram nos dias que se seguiram. Limitara-se a ficar deitada na cama, com a cabeça debaixo do edredão, sem ver e sem ouvir enquanto se debatia com a desmesurada traição de que fora vítima.

— Não tenho parado de te ligar — diz Beth baixinho.

— Não há nada a dizer — afirma Alice, a sua voz nada mais que um chiado. Aclara a garganta, determinada a não mostrar a sua verdadeira dor.

— Não fazia ideia de que o meu Thomas era o teu Tom — assegura Beth. — Como podia fazer?

— Devias tê-lo guardado para ti — diz Alice em voz sufocada, quando as lágrimas imediatamente lhe assomam aos olhos. — Devias ter sabido que o homem com quem… o homem com quem andavas era casado. Como podias não ter sabido?

— Porque ele foi muito bom a escondê-lo — diz Beth. — Não te esqueças de que eu também fui enganada em tudo isto. Pensei que o pai da minha… — Para e olha para Millie. Alice recusa ainda seguir-lhe o olhar.

— Porque não vão as duas brincar? — diz Beth para as miúdas. — A campainha tocará dentro de um minuto.

Ambas se chegam para dar um beijo às suas mães e afastam-se a correr. — Por mais ingénua que agora saiba que sou — continua Beth —, não me ocorreu nem por um segundo que ele fosse casado.

— Mas disseste que o tinhas visto com alguém — diz Alice. — Devia ser eu. A menos que me vás dizer que havia outras.

É a primeira vez que o pensamento ocorre a Alice e agarra-se-lhe ao peito.

Beth olha para o chão. — Não sei se a mulher que vi eras tu. Aconteceu tudo tão depressa que não me lembro. Ela era loura e linda, mas eu achei que ele estava a enganar-me a *mim*. Que a vítima era *eu*. Se tivesse sabido que havia outra mulher, outra família…

— Eu não sou simplesmente *outra* mulher — sibila Alice, mais que ciente das outras mães à volta delas. — E nós não somos simplesmente *outra* família. O Tom era meu marido e pai da nossa muito amada filha.

— Lamento — diz Beth. — Mas ele era igualmente pai da Millie.

Alice bufa de escárnio. — Ele nem sequer chegou a ver a Millie, por amor de Deus, portanto não te ponhas a inventar que ele foi o pai do ano.

— Mas agora sei porque nos deixou ele tão subitamente — grita Beth.

— Ele sabia ao menos que estavas grávida? — pergunta Alice, semicerrando os olhos ao encarar a némesis a que chamava sua melhor amiga. — Ele soube antes de morrer?

Beth abana solenemente a cabeça. — Não cheguei a ter oportunidade de lhe dizer. Durante todo este tempo achei que ele estaria nas suas sete quintas, sem pensar no que me fizera, mas lá no fundo sabia que não me teria deixado assim. — Olha para Alice antes de continuar. — Estávamos demasiado apaixonados para ele simplesmente se levantar e desaparecer. Agora sei que não foi escolha sua e isso faz-me sentir melhor.

Alice sente exatamente o oposto. Achara que não se podia sentir pior relativamente à morte de Tom. Tinha a certeza de que chegara ao fundo do poço e se esgatanhara de volta, deixando marcas na parede pelo caminho. Serviam como lembrete de onde estivera e de como faria tudo para se impedir de deslizar de volta para o fosso de desespero, com uma dor simplesmente tão grande como quando ele morrera.

— Quanto tempo durou? — pergunta Alice, com uma voz fria.

— Conhecemo-nos seis meses antes de eu ficar grávida e depois ele simplesmente desapareceu.

Alice vasculha o seu já exausto cérebro, tentando processar a logística. A princípio, descartara-o por completo como sendo uma total impossibilidade — uma noção de que só podia ser uma coincidência de um num milhão. Mas à medida que as datas e os factos se lhe entranhavam na pele, a probabilidade de o *Thomas* de Beth e o seu *Tom* serem a mesma pessoa tinha-se tornado demasiado difícil de ignorar.

— Não vou fazer isto aqui — diz Alice, virando-se e afastando-se.

— Não podes simplesmente ignorá-lo — diz Beth. — Temos de falar disto.

Alice estaca e dá meia-volta, as suas feições endurecidas, a sua voz não soando de todo como sua. — Não precisamos de falar de nada. Eu era mulher dele. Sophia é sua filha. Isso jamais mudará e é tudo o que precisamos de discutir.

Dirige-se a correr para o carro, deixando Beth especada na berma.

— Cheguei! — grita Alice o mais jovialmente que consegue, quando abre a porta da frente.

— Ei! — berra Nathan. — Estou cá em cima.

Ela sobe as escadas devagar, levando cada degrau a fixar o sorriso no rosto. Não sabe se o faz por Nathan ou por Sophia.

— Estás bem? — pergunta, espreitando para o quarto de Sophia.

— Humm — responde ela, sem levantar os olhos do telemóvel.

Alice aguarda, esperando uma reação mais eloquente da sua inteligente e bem-educada filha. Mas é deixada a fitar o topo da sua cabeça. De novo.

— Acho mesmo que temos de falar desta questão do telemóvel… — começa Alice, mas Sophia já revira os olhos. — Apreciaria igualmente um bocadinho de respeito.

— Sim, mamã — diz ela, pousando-o no colo e sentando-se direita. Alice tem a certeza de conseguir ver a sua mão em pulgas para lhe pegar de novo.

— Não me importo que o uses para uma comunicação normal entre os teus amigos, os teus amigos *reais*, mas não para os setecentos que tens no Facebook ou seja lá o que for.

Sophia reprime um sorriso afetado. — Já ninguém está no Facebook. É o Snapchat.

— *Okay*, seja o que for então, preferia que passasses o tempo na vida real e não na inventada nas redes sociais.

— Eu não invento nada — protesta ela.

— Espero que não, mas todos os outros lá provavelmente o fazem.

Ela dá um estalo com a língua e Alice lança-lhe um olhar.

— As vidas dessa gente são falsas — diz Alice pegando no ofensivo objeto. Sophia olha para ele como se fosse um bebé que a sua mãe está prestes a atirar para a estrada. — Não são vidas a que possas aspirar porque não são reais, e acho que vos está a pôr a vocês, miúdos, sob uma enorme pressão de *serem* de determinada forma e *parecerem* de determinada forma.

— Eu não levo a sério toda essa me… — Alice ergue as sobrancelhas para impedir a filha de terminar a frase. Ela desvia os olhos, envergonhada. — Aqui também há coisas úteis, nem tudo é lixo e falsidades.

— Dá-me um exemplo — incita Alice.

Sophia estende a mão e Alice relutantemente passa-lhe o telemóvel. Ela agarra-o e esquiva-se. — Então, por exemplo, posso ver onde estão os meus amigos todos.

— Em que medida isso é útil? — dispara Alice, um pouco mais alto do que era sua intenção. Embora não possa deixar de perguntar-se, se houvesse uma ferramenta assim quando era casada com Tom, se a teria alertado para ele ter um caso com Beth. Mas então pensa que se uma coisa assim *existisse*, talvez tivessem podido encontrar Tom na montanha, e ele teria vindo para casa e para ela apenas com uns arranhões a mostrar o seu contratempo. *Ter-me-ia ele deixado de qualquer maneira?*, interroga-se. *Teria ele voltado para Beth assim que descobrisse que ela estava grávida e deixado a família que já tinha para estar com ela?*

Escorraça o pensamento, pois já não é importante. O que ela acreditara ser verdade ao longo dos últimos dez anos é uma mentira e ela odeia-se por viver metade da vida que poderia ter vivido. Poderia ter sido qualquer pessoa, poderia ter ido a qualquer lado; em vez disso tem estado paralisada, eternamente temerosa de que algo acontecesse a um ente querido ou a arrebatasse dos que dela precisavam.

Bem, já não. Ela irá ser a pessoa que perdeu há tantos anos; viver com abandono, afugentar a paranoia que a assolou durante tanto tempo. Irá amar o marido que tem, não o que perdeu. Irá ser a mulher que Nathan deveria ter tido este tempo todo, não a versão oca por dentro que maioritariamente tem sido.

— Olhe — diz Sophia, pacientemente mostrando o seu telemóvel a Alice. — É assim que eu posso verificar onde andam os meus amigos todos. — Alice foca os olhos para ver personagens animadas em miniatura espalhadas por um mapa. — Aqui é a Hannah. Está num carro a circular na Upwood Road.

Alice olha um pouco mais de perto e fica atónita ao ver um avatar de cabelo louro sentado no que se assemelha com um carrinho de brincar.

— É de loucos! — exclama Alice. — Pode mesmo ver-se o que estão todos a fazer?

— Às vezes, sim. Olha, lá está o Jack a ouvir música.

Um rapaz com auscultadores sorri alegremente para ela.

— E aqui estou eu!

Sophia faz *zoom* sobre uma rapariga de rabichos, a sorrir da própria casa em que se encontram.

Alice mal encontra palavras. — Isso é tão errado, a todos os níveis. Não te quero aí.

— Mamã, está lá toda a gente.

— Não quero saber. Não quero que o teu paradeiro seja publicitado a quem quer que estiver a olhar.

— Pode-se ligar e desligar.

— Pois então desliga o teu. Espera, quem é esse ao teu lado?

— É o Nathan! — ri-se Sophia.

— O que faz *ele* aí? — pergunta Alice em voz alta e tensa. — Porque precisa ele de estar aí?

— Fui eu que o pus — diz Sophia, com um brilho travesso nos olhos.

Alice olha para a filha, de olhos arregalados. — Bem, é bom que desligues a sua localização, ou seja lá o que for que precisas de fazer. Não quero que qualquer dos dois partilhe isso com o mundo.

— Não posso desligar o Nathan... tenho de fazê-lo do telemóvel dele.

Alice está prestes a chamá-lo, mas pensa duas vezes, reconhecendo que saber a sua localização um dia poderá revelar-se útil. Embora assim que o pensamento lhe vem à cabeça se force a descartá-lo. — *Okay*, bem, faz o que tiveres de fazer.

Sophia assente conciliadoramente e Alice dirige-se para a porta, mas a sua cabeça imediatamente se enche de pensamentos negativos. Fica melhor quando fala — isso já ela sabe por agora —, dá-lhe algo em que se concentrar. São as lacunas de permeio que possibilitam que o pânico se instale. Ela luta contra cada fibra do seu ser, que lhe diz que não faça o que está prestes a fazer.

— Vamos para o aeroporto dentro de quinze minutos — diz, aclarando a garganta. — Tens a certeza de que vais ficar bem? — Resiste à ânsia avassaladora de se atirar para cima da cama de Sophia e agarrar-se a ela.

Se ao menos pudesse fazer de conta que este é mais um dia normal, quando o seu primeiro marido era quem ela julgava ser, e ela não estivesse em vias de apanhar um avião e voar para milhares de quilómetros de distância, estaria ótima. *E se o avião se despenha? E se eu morro? E se as miúdas precisam de mim?* Os pensamentos irracionais ecoam-lhe pela cabeça quando se vira e olha para a filha, interrogando-se se será a última vez que está a ver o seu lindo rosto. *Não*, castiga-se a si própria. *Eu já não sou essa mulher.*

— A avó estará aqui a tempo de vos preparar o jantar — diz, numa tentativa de afogar os pensamentos negativos.

Sophia revira os olhos. — Não percebo porque tem ela de vir para cá. Tenho quase dezasseis anos… posso olhar por mim própria.

— Até pode ser, mas há que pensar na Livvy — diz Alice apoiando-se à porta. — Não é justo que fiques tu com a responsabilidade.

— Bem, porque não vai ela para casa da avó e eu fico aqui?

Alice suspira pesadamente. — Já discutimos isto vezes que bastassem. Fazes por favor o que te é dito? Sabes qual é o plano e fim de conversa.

— Quando é que vais começar a tratar-me como uma pessoa crescida? — abespinha-se Sophia quando Alice sai.

— Quando começares a agir como tal — responde Alice, em surdina, agudamente ciente de que parece a própria mãe a falar há vinte anos.

Vai para o quarto, onde Nathan faz a mala, e não pode deixar de reparar nas diferentes técnicas de organização de ambos. Enquanto a mala dela jaz aberta com o conteúdo escolhido à pressa e disposto às três pancadas, Nathan pousou as suas *toilettes* na cama, cada uma com o correspondente par de sapatos e acessórios de cores coordenadas.

— Olá, querida — diz, puxando-a contra ele. — Tudo bem?

Ela esboça um sorriso contido.

— Tens a certeza de que queres fazer isto? — pergunta ele beijando-a.

— Absoluta — diz ela.

— A que horas chega a tua mãe?

Alice olha para o relógio. — Vai apanhar a Livvy à escola e depois dá-lhes o jantar aqui.

— E tu estás bem com isso tudo? — Ele hesita antes de continuar, como que receoso de abrir uma caixa de Pandora. — Quanto a deixares as miúdas?

— Sim — diz ela, ignorando o peso que sente no peito. — Não há problema.

— E nós vamos divertir-nos, bem como tratar de negócios? — sugere ele.

— Claro — diz Alice, e fala a sério, pois não se lembra da última vez em que soltou o cabelo. Pode ser que tenha de aumentar a medicação para lá chegar, mas conseguirá — a isso está determinada.

— Não posso crer na reviravolta que se deu em ti — diz ele beijando-a no nariz. — Num minuto estás inflexível de que a AT Designs deveria poupar dinheiro contendo-se nos seus planos de expansão, e no minuto seguinte estás a oferecer um milhão de libras por um terreno no Japão que nem sequer viste. O que mudou?

Ela podia dizer-lhe. Podia dizer que o homem por quem fazia tudo isso, para manter a sua memória viva, não desejando desiludi-lo, não passava de um canalha traidor. Mas não quer atribuí-lo a Tom. Quer que Nathan pense que o que está prestes a fazer é o que *ela* quer fazer, e não o que lhe foi ditado além-túmulo.

— Acho que tens razão — diz. — Já é tempo de nos pormos no mapa, e se tivermos de sair da nossa zona de conforto para fazê-lo, então estou preparada para correr o risco.

— Amo-a, senhora Davies — diz ele.

— E eu amo-o a si, senhor Davies — replica ela, sem desejar por um segundo que fosse ainda ser a senhora Evans.

31

—Não parece suficientemente grande, pois não? — diz Alice, atónita, para a nesga de terra estéril diante da qual se encontra.

— Ficarias espantada com o que eles conseguem encaixar nisto — diz Nathan —, especialmente aqui em Tóquio. Estão habituados a construir em altura e não na largura, pois o espaço é muito valioso. Simplesmente expandem-se para cima.

— Então, vai ter cinco pisos? — pergunta ela.

— Sim — diz Nathan. — Terá a mesma altura da aldeia dos atletas acolá. Não podemos ultrapassá-la.

Alice escuda os olhos do sol do meio-dia ao olhar através do rio para o vasto bloco branco novinho em folha que se ergue orgulhosamente por entre guindastes e estruturas metálicas, que irão criar o recinto olímpico.

— Isto é propriedade imobiliária de primeira — diz Alice, entusiasmada. — Olha só quão próximo fica.

Nathan sorri. — Eu sei. Pode parecer um parque de estacionamento cheio de pó, mas vai ter uma enorme procura. Não posso de facto crer que estamos a comprá-lo por um preço tão bom.

Alice olha para os blocos de torres ao longe, onde colunas de janelas espelhadas assomam aparentemente sem ter fim contra o céu azul. Sente um nó formar-se-lhe no estômago. Poderão eles realmente fazer frente aos grandes num país tão longínquo? Numa cultura tão distante da sua?

— Nós podemos fazer isto — diz Nathan, como que lendo-lhe o pensamento. Olha para o relógio e puxa-a suavemente pela mão, chamando-a de volta para o carro, que espera. — Vamos chegar tarde se não nos apressarmos.

A friagem do ar condicionado atinge-a quando entra e o motorista fardado lhe oferece uma toalha fria. Ela aceita com gratidão e pousa-a gentilmente no rosto, tendo o cuidado de não estragar a maquilhagem que tão meticulosamente aplicara. Avistara o anel de platina na mão direita ao pôr o rímel, os seus diamantes já de todo uma ligação indelével a Tom, mas um assentimento ao seu caso com Beth. Afinal de contas, quem lhe dizia que não tinha sido destinado como um presente para *ela*?

Ao reconhecer que jamais saberia, Alice arrancara-o e atirara-o descuidadamente para a mala de mão. Sentira-se de alguma forma diferente sem ele, como se algo tivesse mudado dentro dela. Como podia não ter mudado? A constatação de que vivera uma mentira durante a maior parte da sua vida de adulta — os dez anos passados com Tom e os outros dez passados sem ele — fez-se sentir em cheio. Uma vida baseada em logro e traição. Mas agora estava finalmente a sair das sombras, uma mulher completa, não mais crivada dos buracos que as balas do passado tinham deixado.

Observa o seu reflexo no espelho compacto e limpa um vislumbre mínimo de esborratado sob os olhos. O seu batom vermelho-vivo, a condizer com a blusa, ainda resiste à prova do tempo.

— Estás deslumbrante — diz Nathan, pegando-lhe na mão e dando-lhe um apertão.

Quando chegam ao escritório do advogado, no vigésimo quarto piso de um dos arranha-céus que Alice vira do recinto olímpico, a sua cuidadosamente aplicada máscara de confiança esmorece.

— Não desistas agora — diz Nathan, dando por isso. — Nós podemos fazer isto.

Ela passa a língua sobre os dentes, a secura da sua boca ameaçando colar-lhe os lábios às gengivas.

— Senhor Nathan — diz uma pequena japonesa através de uma máscara protetora. — É um prazer vê-lo. O Sr. Yahamoto está aqui. Por favor, acompanhem-me.

São conduzidos a uma sala de canto, que é percorrida de um lado para o outro pelo seu ocupante de telefone ao ouvido. Brinda-os com um brevíssimo sorriso antes de lhes fazer sinal para que se sentem à mesa de vidro de reuniões.

Sentindo-se como uma criança a brincar num mundo de adultos, Alice força-se a respirar, longa e lentamente. Retifica a postura, sentando-se mais direita e recuando os ombros, esperando que o gesto lhe dê mais presença.

— *Hai. Hai* — diz o homem em frente deles, em tom cortante, antes de pôr abruptamente fim à chamada.

— Ah, senhor Nathan — diz ele com uma vénia —, que prazer vê-lo finalmente. E você deve ser a menina Alice.

Alice sorri e oferece a vénia possível na posição de sentada.

— Estão a gostar de Tóquio? — diz ele, estendendo-lhes chávenas sem pega. — Por favor... um pouco de chá verde. — Nathan mira duvidosamente o líquido turvo, ao passo que Alice aceita com gratidão.

— Então, está tudo pronto para seguir? — pergunta Nathan. — Estamos prontos para fazer o contrato?

— Sim, tenho notificação de que estamos quase lá — diz o advogado.

Nathan bate com a mão de lado na cadeira, num gesto de impaciência — Alice consegue ouvir a sua aliança de casamento contra o braço de metal.

A sua óbvia agitação está a deixar Alice ainda mais nervosa. Tenta afugentar a desconfortável sensação que cresce dentro dela, os insinuantes tentáculos que lhe rastejam pelo estômago acima até ao peito. *Podemos simplesmente acabar com isto de uma vez por todas antes que eu mude de ideias?*, diz silenciosamente.

— Ah-ah — diz o Sr. Yahamoto em resposta, fazendo-a dar um salto. — Chegou o *e-mail*. Estamos prontos para seguir.

A impressora ao canto da sala entra em ação cuspindo papéis e ele dirige-se a ela, tirando a documentação por que esperava.

— Então, aqui temos os papéis para assinar — diz, alinhando-os cuidadosamente por ordem e apresentando-os a Alice.

— Segundo entendo, é a única proprietária da AT Designs?

— Sim — diz ela num grasnido, antes de aclarar a garganta. — Sim.

— E o senhor Nathan explicou-lhe tudo no que se refere à estipulação?

Alice olha para o marido ao seu lado, que assente e pousa a mão sobre a dela.

— Excelente. Então, preciso que assine aqui, aqui e aqui — diz o Sr. Yahamoto, apontando com uma caneta, antes de lha entregar. Ela declina e apanha a mala do chão para tirar a sua «caneta da sorte», a que Tom lhe deu para celebrar a assinatura do contrato da primeira casa de ambos. É a caneta que ela usou para todas as coisas importantes desde então, superticiosamente acreditando que lhe traria alegria e sorte. Os seus dedos fecham-se sobre o invólucro de prata gravada, sentindo o peso ao tirá-la para fora.

— Posso pedir-lhe a caneta emprestada, afinal? — diz para o Sr. Yahamoto, desculpando-se. Pousa a sua caneta na mesa, vendo-a rolar até se deter imóvel.

— Claro — diz ele, estendendo-lhe a sua vulgar esferográfica.

Ela rabisca a sua assinatura em todos os lugares assinalados a lápis com uma cruz.

— Então, isto significa que acabaram de fazer o contrato-promessa, e que dez por cento serão transferidos para o vendedor.

Alice esboça um sorriso contido, brincando ainda com a esferográfica barata na mão. — *Quão significativo,* pensa ela, *que a mais monumental decisão da Alice e Tom Designs tenha sido assinada com outra caneta que não a que Tom me deu.*

— O processo será finalizado na próxima semana, mas nós temos todos os documentos necessários para fazê-lo, pelo que não antevejo que haja problemas.

— Foi um prazer — diz Alice, levantando-se da mesa e oferecendo a mão estendida.

— O prazer é todo meu. — O advogado curva-se numa vénia, depois abre-lhes a porta. — Ah, menina Alice — chama, no momento em que ela entra para o elevador. — A sua caneta. Esqueceu-se da sua caneta.

— Fique com ela — diz, quando as portas se fecham.

206

32

O champanhe subiu à cabeça de Alice. Não o sentia antes, mas agora que está sentada na sanita, com o assento aquecido, está com dificuldade em focar-se. Está a tentar concentrar-se na porta, mas esta move-se, como se estivesse a bordo de um barco sobre águas tempestuosas. Leva a mão ao papel higiénico, mas não está bem onde ela julgava que estava — a mão fica uns centímetros aquém.

— Merda — diz em voz alta, interrogando-se quantas bebidas tomara e desejando ter bebido só uma a menos. Ela gosta da forma como o álcool lhe entorpece as terminações nervosas, o que normalmente acontece algures entre o terceiro e o quarto copos. Mas sente-se como se tivesse bebido mais de uma garrafa.

Então lembra-se dos comprimidos que tomou para acalmar os nervos no avião, nem por um segundo pensando que a dosagem dupla fizesse outra coisa senão pô-la a dormir, o que tinha acontecido. Mas agora não pode deixar de interrogar-se se terá sido boa ideia beber com eles no organismo.

As instruções de funcionamento da retrete parecem oscilar-lhe diante dos olhos e ela bufa com uma risada de cada vez que carrega num botão e ele faz tudo menos descarregar o autoclismo.

— Tu bebeste *muito* além da tua conta — ri-se Nathan quando ela abre caminho bamboleante de volta à mesa.

— Julguei que estivéssemos a celebrar — diz em voz arrastada, sentando-se pesadamente na cadeira que puxam para ela.

Ele estende o braço sobre a mesa, pegando-lhe numa mão. — Vamos para o quarto?

— Oh, isso é um convite, senhor Darcy? — pergunta em voz alta, fazendo menção de se levantar de novo. O salto do sapato cede-lhe sob o tornozelo e Nathan acode a firmá-la.

Ela sabe que perdeu a capacidade de moderar o volume da voz. — Quando te apanhar lá em cima vou...

— Chiu — ri-se Nathan. — Não me parece que toda a gente no restaurante precise de saber.

Quando saem do elevador ela enxota com um encolher de ombros a sua tentativa de conduzi-la através do corredor até ao quarto e encosta-se à parede enquanto ele se debate com o cartão de acesso.

— Vou manter-te acordado toda a noite — diz, aproximando-se dele e agarrando-lhe na lapela do casaco. Ela quer isto, *precisa* disto. Há semanas que não têm sexo.

— Quero que faças amor comigo como se nunca tivesses feito antes — diz ao beijá-lo, acicatando-o com a língua, mordiscando-lhe suavemente os lábios.

— De onde vem isto? — pergunta Nathan, arqueando uma sobrancelha.

Ela não lhe pode dizer que durante quase dez anos foi Tom quem esteve em primeiro plano na sua mente. Perguntando-se se ele poderá vê-la, recusando-se a soltar-se realmente, com medo que o magoe vê-la entregar-se a outro homem.

Ela odeia-se por ter amado Nathan só pela metade durante este tempo todo, pois foi isso que ela fez. Enquanto ela penava por um homem que dormira com outra mulher e fora pai de outra criança, deixara de se entregar, inteiramente, ao homem que mais o merecia.

— Tenho sido tão parva — diz, com os olhos marejando-se de lágrimas. — Alguma vez me perdoarás?

— Porquê? — pergunta Nathan a medo. — O que foi que fizeste?

— Nada, é esse o problema — diz ela. — Não fiz o suficiente.

Ele olha-a interrogativamente quando ela o empurra contra as costas da porta, levando-lhe a mão ao fecho das calças. Não é de admirar que ele esteja pronto para ela e a sua língua corresponda, com a própria necessidade de libertação evidentemente tão urgente como a dela.

— O que foi *aquilo* tudo? — diz ele a seguir, os dois deitados na carpete de pelo.

— É assim que deveria ter sido este tempo todo — diz Alice, com o próprio corpo estremecendo ainda no rescaldo do prazer.

Nathan rola para o lado, encarando-a. — O que foi que mudou?

— Tudo — diz ela, honestamente. — Parece tudo diferente.

Ele franze o cenho. — Por causa do negócio? Ou porque foste suficientemente corajosa para viajar?

Ela quase espera que ele afirme *Eu disse-te que o mundo não acabaria,* e silenciosamente agradece-lhe quando não o faz.

— Penso apenas que isto é o início de uma nova fase da minha vida — diz, aliviada por o nevoeiro da bebedeira começar a clarear.

— Bem, aí está uma nova abordagem que eu bem posso vir a adorar — diz ele, sorrindo. — Se significa sexo como este...

Alice ri-se. — Estou a falar a sério, as coisas vão mudar. Nem sempre sou a esposa que mereces, a mãe de que as minhas filhas precisam ou a empresária que sei que posso ser.

— Eu acho que te sais muito bem — diz ele —, tendo em conta...

— Tendo em conta o quê? — pergunta ela. — Eu ter tido um esgotamento quando o meu primeiro marido morreu?

— Eu não queria...

— Eu sei o que queres dizer — diz ela — e concordo contigo. Não quero que o que aconteceu me defina. Estou mais que farta de ser essa pessoa. Mesmo quando finjo não ser, sei que lá no fundo ainda sou.

Ele assente.

— Então, quero simplesmente dizer que lamento e que daqui em diante me entregarei a ti de todo o coração. — Inclina-se para beijá-lo. — Amo-te — diz, antes de convidá-lo a mais.

— Eu podia habituar-me a esta nova esposa que arranjei — diz ele, levantando-se do chão. — Mas primeiro deixa-me só ir à casa de banho.

Alice suspira e observa o seu corpo nu encaminhar-se para a casa de banho, como que vendo-o por quem verdadeiramente é, pela primeira vez. Está ali deitada, saciada e feliz, quando o telemóvel de Nathan dá sinal do bolso interior do casaco que ele atirara para o chão, na urgência de se despir. Ela habitualmente não iria ver, mas podiam ser as miúdas a tentar contactá-los. Forçando-se a permanecer calma, refreando quaisquer pensamentos irracionais de que alguma coisa lhes pudesse ter acontecido, estende o braço para o apanhar.

Olha para a mensagem, e olha mais uma vez, os seus olhos esborratando as palavras e deixando-as irreconhecíveis. Ela acha que sabe o que diz a mensagem, mas fecha os olhos para lhes dar uma oportunidade de deixarem de vê-la.

Preciso de ti. Agora xx

O sangue que ainda agora lhe parecia morno ao circular-lhe pelo corpo torna-se frio como gelo. Ela procura para cima e para baixo, em busca de alguma pista de quem é a sua oponente na batalha pelos afetos do seu marido. Mas nada há, para além do número de telefone anónimo da qual foi enviada.

Ouve a descarga do autoclismo e precisa de pensar rapidamente, mas o coração bate-lhe tão depressa que lhe faz tremer as mãos. Luta para fazer uma captura de ecrã e envia-a para si própria, antes de apagar a mensagem que leu e a que enviou. Nathan sai da casa de banho precisamente quando ela volta a guardar o telemóvel no seu casaco.

— Ainda estás no chão? — pergunta ele, rindo. Estende uma mão para a puxar para cima e ela recorre a todas as suas forças para não se retrair. Como pôde ele professar o seu amor imorredouro? Como pôde ele jurar que não tinha caso nenhum, quando o tempo todo a tem andado a enganar, vivendo duas verdades? Como pôde ele deixá-la assinar o contrato hoje, sabendo que mentira para que isso acontecesse? O pensamento dá-lhe náuseas.

— Então, e que tal fazermos tudo de novo? — sopra-lhe ele ao ouvido, postado atrás dela, guiando-a na direção da cama. Ela pode senti-lo, mas o seu desejo de apenas uns momentos antes foi substituído por uma raiva tão fulgurante, tão feroz, que ela teme poder fazer algo precipitado se o instrumento errado lhe vier parar às mãos. Cerra os punhos num esforço de se impedir de esfacelá-lo membro a membro.

— Estou cansada — consegue dizer, por entre dentes cerrados.

— Bem, o teu novo eu não durou muito tempo — ri-se Nathan, baixando-a gentilmente para a cama. — Eu estou cheio de espertina, importavas-te se eu fosse até ao bar?

Ela tem a certeza de que parou de respirar. Estava ele honestamente a pedir-lhe permissão para traí-la? Porque é isso seguramente que ele está em vias de fazer. Não faz ideia de quem é a mulher, mas ao que parece ela pode estar aqui, no Japão. Tentou pôr de lado até que ponto isso tornava Nathan pervertido. O que ganhara ele ao arrastá-la de tão longe até aqui a não ser fazê-la assinar os contratos, coisa que ela podia ter feito em Londres? Trouxera ele a mulher *e* a amante para satisfazer o seu ego doentio?

Estremece involuntariamente com um arrepio ao lembrar-se de como engraxara liricamente Nathan quanto a tudo o que fizera de errado, como queria mudar e dar-lhe o que merecia. Ele deve ter-se estado a rir dela o tempo todo. Que parva que fora.

Assim que Nathan sai porta fora, Alice levanta-se e dirige-se freneticamente ao minibar, quebrando na sua impaciência o selo da garrafa em miniatura de *Bombay Sapphire*. Nem pensa duas vezes quanto a beber diretamente da garrafa. Queima-lhe a garganta ao emborcá-la, fazendo uma careta ao gosto.

Ela sabe que isso não lhe trará respostas, mas torna as coisas apenas um bocadinho mais fáceis de suportar até avançar com a próxima jogada.

O telemóvel dela está pousado na mesa de cabeceira, o seu novo conteúdo fazendo-a sentir que é de alguma forma cúmplice na trapaça de Nathan. Pega nele, fitando imóvel a fotografia protetora de ecrã de Sophia e Olivia deitando as línguas de fora. Pensamentos negativos povoam-lhe a cabeça, cada qual lutando por supremacia. Parece que todo o seu mundo balança à beira do precipício. Precisa de falar com Beth.

O seu polegar paira sobre o número, guardado como *Tua Melhor Amiga* nos seus contactos. Alice não pode deixar de sorrir à lembrança de Beth o ter alterado, sem que ela soubesse, quando fora à casa de banho no *pub*. Na manhã seguinte, a caminho da escola, *Tua Melhor Amiga* iluminara o ecrã do telemóvel. Alice não fora capaz de sair do carro de tanto rir. O que não daria ela para estar a rir agora com Beth. Não poderiam simplesmente voltar ao que eram? Fazer de conta que nada acontecera?

Alice liga, antes de imediatamente desligar, escolhendo em vez disso entrar no Facebook na esperança de que Beth tenha postado alguma mensagem críptica que de alguma forma deixe tudo bem de novo. Tudo o que precisa de dizer é que percebeu tudo mal, que claro que não é o mesmo Tom, como podia ser? Mas nada mais há do que um anúncio da festa da escola no sábado que vem. Alice lembra-se de que prometera encarregar-se da banca de pintura de rostos, mas isso já não teria lugar.

Com uma mão trémula, escreve Tom Evans e aguarda enquanto o sistema agrupa todos os mil e quarenta e cinco Tom Evans listados. Espera e conta que desde o seu telefonema para o Facebook, a informá-los do erro, haja agora um a menos. Mas a cara dele continua lá, fitando-a como

211

se fosse tudo como ela acreditava ser, e ela nada mais queira fazer do que deitar as mãos à fotografia e arrancar-lhe os olhos.

Clica no seu perfil e uma nova fotografia enche o ecrã. Tem a sensação de ter levado um pontapé no peito — o ar escapa-lhe de chofre ao olhar para ela através de uma névoa. Uma atraente mulher, que ela nunca viu, envolve com os braços protetores uma criança pequena. As duas, com capuzes debruados de pele e as pontas dos narizes vermelhas, posam contra o pano de fundo de uma montanha coberta de neve. Em baixo, Tom escreveu, As Minhas Meninas — O Meu Mundo.

33

Ele não pode estar vivo — diz Alice em voz alta, ainda petrificada na cama. — Simplesmente *não pode.*

Mas então lembra-se de que, por esta altura na semana passada, pensava igualmente que era impossível ele ter amado outra mulher e ter tido outro filho.

Abana-se a si própria. Não pode lidar com isto neste momento. Tem de encontrar Nathan.

Anda pelo quarto, apanhando as roupas que foram descuidadamente despidas à medida que o embate amoroso ganhava ímpeto. As cuecas de renda que se tinham prestado na perfeição a serem tiradas pelos dentes de Nathan parecem agora sórdidas, o dispendioso vestido preto cujo fecho ele provocantemente abrira, excitando-lhe entretanto as costas com as pontas dos dedos, fá-la agora sentir-se reles ao deslizar-lhe pelo corpo.

Volta a enfiar a custo os pés nos sapatos com salto de oito centímetros numa tentativa desesperada de sair do confinamento do quarto, de onde o ar parece estar a ser sugado. Ela não sabe se quer encontrar Nathan ou matar Tom uma segunda vez, ao percorrer vacilante o corredor, forçando um sorriso ao funcionário do hotel no elevador.

Se soubesse onde ia, e o que iria fazer quando lá chegasse, ajudaria, mas neste preciso instante tudo o que sabe é que os seus medos paranoicos quanto ao seu marido ter um caso foram finalmente provados, e precisa de decidir o que vai fazer quanto a isso.

O bar está simplesmente tão cheio como quando ali estivera sentada com Nathan a beber uma garrafa de champanhe, antes de jantar. Sentira-se excitada então, finalmente insuflada de otimismo relativamente ao futuro. Agora, tem um engulho no peito e uma sensação de náusea a revolver-lhe o estômago.

Apesar da sua ansiedade entra de cabeça direita, tentando desesperadamente não parecer como se sente: tomada de pânico. Abarca sub-repticiamente todos os presentes, sem saber ao certo se quer ver Nathan ou não. Se ele estiver aqui, terá de ir ter com ele e perguntar o que diabo se passa. Se não estiver, tem um problema ainda maior entre mãos. Onde está ele? E com quem está?

Pensa de novo no brinco e no buquê, e na conta deste mesmo hotel. Deixara que Nathan a convencesse de que as despesas de *cocktails*, serviço de quarto e massagem a dois tinham sido um engano. Ele garantira-lhe que nunca vira o brinco e que a entrega do buquê pela florista fora uma coincidência de um num milhão. Como se permitira ela deixar-se assim manipular? Porventura porque saber a verdade a respeito de Tom a fizera ver Nathan sob uma luz completamente diferente. Uma luz em que se recusava a acreditar que ele era como o traidor do seu primeiro marido.

A constatação de que um homem que ela amou lhe fizesse tal coisa é difícil de engolir. Agora que se defrontou com a perspetiva de que *ambos* o fizeram fá-la questionar o que *está ela* a fazer de errado. Tudo o que ela sempre fez foi amá-los da melhor forma que sabe. Como pode isso não ter chegado?

Sustém a respiração ao olhar o bar à sua volta, desejando que Nathan ali esteja, porque neste momento esse é o menor de dois males. Se não estiver, não deseja ir onde a sua mente indubitavelmente a levará. Não quer reconhecer que quem lhe tiver enviado aquela mensagem poderá estar no Japão.

Viverá ela aqui? Terá sido aqui que ele a conheceu? Terá ela alguma coisa a ver com o terreno? Será por isso que ele está tão a fim de fazê-lo, para poder passar mais tempo aqui, estar com ela, sabendo que Alice não estaria disposta a viajar? Interroga-se se o seu anúncio de que vinha o terá surpreendido. Não teria estado à espera, isso é certo. Dera-lhe ela cabo dos planos? Da sua oportunidade de estar com *ela*? Talvez não, pois ao infrutiferamente vascular os rostos no bar é acometida pela constatação de que de qualquer maneira ele foi ter com ela.

Pede um *Baileys* com gelo — a primeira bebida que lhe ocorre quando o empregado do bar pergunta. O homem que toca Sinatra ao piano olha e dirige-lhe um jovial assentimento. Ela sorri debilmente e beberica o licor, resistindo à ânsia de o emborcar de um trago.

Apesar de estar numa cidade estranha, no outro lado do mundo, onde a sua imaginação tão facilmente poderia congeminar uma história de horror quanto ao que poderia ter acontecido a Nathan, nem uma parte dela está preocupada com a sua segurança. Talvez porque lá bem no fundo ela adivinha que não é a sua segurança que está a ser comprometida — é a sua moral.

— Posso? — pergunta um cavalheiro, indicando o banco ao lado de Alice.

— Claro — diz ela, sorrindo, o seu subconsciente tendo já registado nessa fração de segundo que ele é atraente.

— Posso oferecer-lhe uma bebida? — pergunta ele com sotaque americano.

O primeiro instinto dela é dizer que não, mas então pergunta-se, porque não? Porque não haveria ela de aceitar uma bebida deste homem bem-parecido? Porque não haveria ela de desfrutar da sua companhia e namoriscar um bocadinho com ele? Pode ser até que vá mais longe, se a oportunidade surgir. É acometida de pânico ao contemplar a ideia de ir para a cama com o homem diante dela. Por mais excitante que pareça a perspetiva, não consegue de todo entender como é que pessoas que são casadas, que supostamente amam os seus companheiros, podem traí-los. O coração palpita-lhe só de pensar nisso.

— Bebo um *gin* tónico, por favor — diz. — Duplo.

O *barman* sorri e põe-se a cortar pepino para uma taça de cristal, a sua fragrância fresca e agradável dispersando-se pelo bar.

— Está aqui hospedada ou apenas de visita? — pergunta o homem, inclinando a cabeça na direção da passagem para o átrio.

— Estam… estou aqui hospedada — diz Alice, o seu interesse suficientemente atiçado para mudar a sua história, nem que seja só para ver até onde pode ir este jogo.

— Estou a ver — diz ele, os seus penetrantes olhos azuis não se despregando dos dela. Ela interroga-se se ele verá dentro dela.

— E você? — pergunta, cruzando as pernas e arredando o cabelo louro por sobre o ombro. — Está aqui hospedado?

— Sim, só por esta noite. Há quatro horas que estou a tentar conciliar o sono, mas estou a lutar contra um terrível *jet lag*, e quanto mais me esforço mais ele me escapa.

— De onde veio?

— Fiz um turno a dobrar, voando de Nova Iorque para Xangai e de Xangai para aqui.

Ela não consegue sequer processar a geografia envolvida. — É, pois, tripulante?

Ele assente modestamente. — Piloto.

Ela sorri. *Julgará ele que nasci ontem?*

Beth acode-lhe inesperadamente ao pensamento e Alice sente uma pontada no peito. Lembra-se de Beth lhe dizer que sempre sonhara andar com um piloto. — «Imagina aquela farda», — soprara ela, ao adotarem a postura do cão na aula de ioga. — «Imagina-o a entrar com o boné debaixo do braço e a pegar em mim ao colo ao som de «Up Where We Belong»[7]...

Ao tentar imaginar a cena, que ela tão facilmente fora capaz de evocar, Alice desconcentrara-se e desmanchara-se a rir. — Mas eles nunca são o que nós julgamos que eles serão, pois não?

— Fala a voz da experiência? — guinchara Beth, atónita.

— Não — replicara Alice com fingido horror. — Quero dizer, sempre que os ouvimos através dos altifalantes no avião, eles soam sempre tão encantadoramente suaves e autoritários, e então, quando desembarcamos, ali está um sujeitinho insignificante que parece demasiado novo para pilotar um tubo de metal a dez mil metros de altitude no céu. Nem todos são o Richard Gere, é o que estou a dizer.

Mas ao olhar para o homem diante dela agora, Alice repara que ele não é assim tão diferente. O seu cabelo escuro encaracola ligeirissimamente no colarinho e os seus olhos de aço seguem cada movimento do *barman*.

— Pode dar-me um uísque com soda, por favor?

Alice ergue o seu copo para o dele e ele assente sorridente.

— O uísque conseguirá fazê-lo? — pergunta. — Fazê-lo dormir?

— Gostaria de pensar que sim, mas neste preciso momento só quero que me faça parar as órbitas de arderem.

Sorri, e ela ri-se um pouco mais alto do que era sua intenção. Refreia-se, depois pergunta-se porque haveria de fazê-lo.

---

[7] Canção original de *An Officer and a Gentleman* — *Oficial e Cavalheiro,* em Portugal —, de 1982, vencedora de um Oscar, um Globo de Ouro e um BAFTA, e do Grammy para a melhor *performance* vocal *pop. (N. de T.)*

— Não sei o que é pior… a incapacidade de dormir, ou a necessidade de dormir muito mais do que se pode. Seria de julgar que já estaria habituado por esta altura.

— Há quanto tempo é piloto? — pergunta Alice, mostrando alinhar voluntariamente no jogo dele.

— Quinze anos — responde, com um brilho nos olhos. — Então, o que a traz aqui?

— Negócios, na verdade. — Assim que o diz, é acometida de pânico ao lembrar-se de que assinou um contrato-promessa por um terreno no valor de um milhão de libras. Com um marido fiel e parceiro de negócios ao seu lado, dera-lhe a sensação de ser viável; de dar cabo dos nervos, mas viável. Agora, à deriva no oceano, sem a âncora de Nathan, o pensamento deixa-a agoniada.

— Que tipo de negócios? — pergunta ele.

— Imobiliário — esclarece Alice, aclarando a garganta e sentando-se direita numa tentativa de enxotar a síndroma do impostor que parece sempre fazer-se sentir quando ela alcança alguma coisa que sente que não merece. — Interiores e decoração — acrescenta, assumindo as palavras desta vez.

— Interessante — diz ele. — Compra ou venda?

— Comprei hoje mesmo um terreno — diz ela. — Vou construir nele vinte e oito apartamentos.

Ele parece ter levado um choque elétrico. — Uau, a sério?

— Parece chocado — diz ela com ligeireza. — Não se apercebeu de que as mulheres são capazes de fazê-lo nos tempos que correm? — Não se atreveu a confessar que sem Nathan jamais lhe teria passado a ideia pela cabeça. Afugenta as inseguranças que se insinuam por ela acima e tenta silenciar a voz que diz, *E sem Nathan jamais o levarás a bom porto*.

— Nada disso — diz ele cuidadosamente. — Estou apenas genuinamente impressionado. Isso faz de mim um macho chauvinista?

Alice abana a cabeça.

— Então, está a fazer isto sozinha? — pergunta ele, pisando de novo terreno perigoso.

— Sem um homem, quer você dizer? Bem, é a minha empresa, o meu talento, o meu dinheiro. — Não sentiu necessidade de partilhar que a maior parte dos fundos tinham sido levantados através de um empréstimo bancário.

— Bem, tiro-lhe o chapéu — disse ele, erguendo o copo. — E di-lo-ia a uma mulher, homem ou criança. É preciso ter-se coragem para fazer o que você está a fazer, especialmente num mercado tão competitivo como este. Estou assombrado.

E bem que deveria, diz ela silenciosamente, antes de se perguntar porque considera sequer não ser capaz de avançar sem Nathan a bordo.

— Então, calculo que seja inglesa?

Alice assente e dá um gole da sua bebida. — Londrina.

— Adoro as mulheres britânicas — diz ele. — O sotaque deixa-me louco. Tem o seu quê altamente provocante.

— Também sabemos palavras porcas — diz ela.

— Oh sim...? — diz ele, encorajando-a a continuar.

Alice ergue sugestivamente as sobrancelhas antes de se inclinar e sussurrar: — Lama, porcaria, esterco...

O homem atira a cabeça para trás e ri-se. — Vocês, britânicos, também têm um sentido de humor retorcido.

Alice sorri, perscrutando-lhe os olhos. Esquecera-se de como era namoriscar; sentir-se atraente e desejada. O poder que isso lhe dá é afrodisíaco, por si só. Talvez comece agora a entender como é que os companheiros infiéis foram capazes de baixar a guarda. Era assim tão fácil?

— Olhe, eu não faço isto normalmente — diz ele. — Mas... — Ela sorri docemente, fingindo acreditar nele — gostaria de se juntar a mim para uma bebida no meu quarto?

— Só para uma bebida?

Ele sorri, e as suas vísceras retorcem-se.

Se o seu marido não a enganasse e não lhe mentisse, então ela não estaria nesta posição, mas engana e mente, portanto...

O pensamento do que poderá estar Nathan a fazer neste preciso instante parte-lhe o coração, e ao olhar para o atraente homem diante de si interroga-se porque não haveria de permitir que este estranho lho volte a colar mais ou menos? *Será que ir para a cama com ele iria fazer-me sentir melhor?,* pensa. *Sentiria eu que de alguma forma ganhara uma a Nathan? Que ficaríamos quites?*

O piloto inclina-se mais para ela. — Isso é um sim ou um não?

Ela olha-o bem nos olhos. — Qual é o número do seu quarto?

— É o 1106 — responde ele.

— Irei lá ter consigo dentro de cinco minutos.

Ele pega no copo e Alice observa-o a sair do bar. Cada fibra do seu corpo está agudamente alerta, até as pontas dos dedos formigam. Força-se a ficar onde está, a acabar calmamente a bebida, o tempo todo contando em voz bem alta na cabeça, para silenciar os nervos que lhe andam às voltas no estômago.

— Pode dar-me a conta, por favor? — pede ao *barman*.

— O senhor Anthony já assinou, minha senhora.

Hábil. Ele já fez isto antes, obviamente.

Desempoleira-se do banco, tendo o cuidado de não olhar ninguém nos olhos, não vá defrontar-se com expressões de desaprovação. Alisa o vestido ao atravessar o átrio, pretendendo que o que está prestes a fazer é perfeitamente normal. Deve ser, pois o seu marido fá-lo sem qualquer problema. De facto, ambos os seus maridos pareciam partilhar semelhante falta de consciência.

Enquanto espera pelo elevador, não consegue determinar se o corpo lhe treme de nervos ou de medo. Mira-se nas portas douradas altamente polidas e é apanhada de surpresa pelo reflexo. Tem os olhos esborratados de rímel e molha um dedo para os limpar. Belisca as bochechas e vê o sangue colorir-lhe instantaneamente a pele pálida. Afofa a franja escadeada e mete parte do cabelo atrás da orelha.

Forçando-se a inspirar fundo, percorre lentamente o corredor fracamente iluminado, os saltos afundando-se na carpete de pelo. Precisamente quando chega à porta, esta abre-se e aí está ele postado, de olhos arregalados.

— Aqui estás tu! — exclama Nathan. — Estava quase a enviar uma equipa à tua procura.

— Deu-me um novo fôlego — diz, com brusquidão. — Não conseguia dormir.

— Agora sabes como *eu* me sentia — diz ele.

— Onde estiveste? — pergunta Alice, descalçando os sapatos. Não consegue olhar para ele com medo de que ele veja a verdade.

— No bar — diz ele, sem se desmanchar. — Mas se soubesse que estavas acordada teria ficado aqui e continuado onde parámos.

Aproxima-se por detrás dela quando ela se posta diante do toucador a tirar os brincos.

— Foste incrível — sussurra-lhe ao ouvido.

Alice fecha os olhos enquanto ele lhe beija o pescoço, imaginando que é o homem que estava no bar. Quando os abre e vê Nathan, não pode deixar de se sentir defraudada.

3 4

Chegada a manhã seguinte, Alice tomou uma decisão. Para ir para a guerra precisa saber com quem está a lutar. Nathan, decidiu Alice durante a noite, não vai a lado nenhum. Porque iria ele, quando toda a sua vida se centra nela? Perderia casa, filhos, trabalho, o estilo de vida a que se habituou, pelo quê? Por uma reles substituta? É mais fácil para Alice pensar desta maneira, acreditar que detém o controlo e que pode ditar o desfecho. Porque se permitir que qualquer outro cenário se desenrole na sua imaginação, simplesmente não conseguirá funcionar.

Por isso precisa descobrir quem é a ameaça à sua família, e uma vez que o tenha feito saberá como proceder. Mas, entretanto, irá dar tudo por tudo para ser a esposa e a mãe que precisa de ser para impedir que o seu mundo desabe. Embora isso não signifique que se irá entregar completamente ao seu mulherengo marido. Desliza da cama para fora precisamente quando ele se dirige a ela com um braço estendido.

Toma um duche rápido e levanta o cabelo num coque meio desfeito — de nada vale fazer outra coisa quando a humidade lá fora transforma o mais liso dos cabelos numa juba frisada. Sabe que está a tentar manter a mente ocupada — para a impedir de alternar entre Tom e Nathan, fazendo as perguntas para as quais tão desesperadamente deseja respostas.

Mas o que fará ela com as respostas assim que as tiver, se não forem as que ela quer? Estará Tom ainda vivo, vivendo feliz com a sua nova família? Teria ele tramado tudo? Mas então porque seria ele audacioso a ponto de continuar a usar o seu verdadeiro nome? Com quem está Nathan a ter um caso? Fará diferença se for alguém que ela conhece? Perdoará ela se ele prometer que não significou nada? Crucificá-la-á ele dizer-lhe que se apaixonou? Não pode de todo saber como reagirá sem saber com o que está a lidar.

Custa a Alice admiti-lo, mas Beth estivera sempre certa. Tivera um sexto sentido de que Nathan a enganava, provavelmente porque o mesmo lhe acontecera a ela e por isso sabia que sinais procurar. Mas então Alice recompõe-se ante a óbvia constatação de que, de facto, o companheiro de Beth *não* lhe fora infiel. Tom já era casado. Fora a Alice que ele fora infiel, não a Beth. A fúria intensa que ela tanto se esforçara por conter estava em perigo de transbordar.

Ela lembra-se de ouvir Beth reviver repetidamente o seu intenso caso amoroso, revelando os seus momentos mais íntimos com o seu súbito fim como pano de fundo.

— Como pôde ele fazer-mo? — chorara Beth enquanto Alice a abraçava. — Eu achava que éramos tudo um para o outro. Ele dizia-me que me amava e que nunca queria estar sem mim.

Alice recordava-se mesmo de perguntar a Beth se ele não seria casado.

— Impossível — dissera ela abruptamente, aparentemente ofendida pela sugestão. — Ele costumava ficar a dormir comigo. Como poderia fazê-lo se tivesse mulher e, Deus me livre, filhos em casa?

Alice para de abotoar a blusa. Ele ficava lá a dormir? Então *não podia* ter sido Tom. Mas tão rapidamente como o seu cérebro se quer agarrar ao mais ínfimo arremedo de esperança, este com igual rapidez se lhe escapa, quando ela reconhece que Tom ficava frequentemente fora em trabalho. Ri-se retorcidamente à lembrança de ele andar para trás e para diante para Dublin, numa suposta tentativa de conseguir um novo negócio. Teria o cliente sequer existido? Teria sido aquilo tudo uma elaborada artimanha para estar com Beth?

Imagina Tom a beijá-la e a Sophia em despedida à porta de casa, com o saco de viagem na mão.

— Quem me dera não ter de fazer isto — dizia.

— Também a mim, mas será bom para o negócio — replicava Alice. — Por isso vai lá e faz com que valha a pena.

Ele olhava para trás para elas, desolado, qual cordeiro a caminho do abate, e Alice de cada vez sentia um pedacinho do coração partir-se. Agora pergunta-se quanto tempo lhe levaria a pôr a cara de jogo e seguir para casa de Beth. Imagina que fosse apenas uma questão de minutos.

Alice faz tudo o que pode para não empalidecer, quando Nathan lhe dá a mão ao descerem para o pequeno-almoço. Ele senta-se e pede um café, ao passo que Alice se dirige para o bufete disposto ao longo de uma parede da enorme sala. Tenta decidir-se entre fruta ou cereais quando uma voz masculina atrás dela diz: — Senti a sua falta ontem à noite.

Levando o seu tempo a dar meia-volta, partindo do princípio de que quem for deve julgar estar a dirigir-se a outra pessoa, fica de boca aberta e mil palavras povoam-lhe o cérebro ao deparar-se com um piloto fardado. Parece o homem de um sonho que ela julga ter tido.

— Desculpe... — começa, sem saber ao certo onde irá com aquilo.

— Deixe lá — diz ele, sorrindo. — Está sempre a acontecer. Levo tampa de mulheres lindas todas as noites da semana.

De algum modo, ela duvida. — Não estou aqui sozinha — justifica, sentindo-se como uma colegial apanhada a faltar às aulas.

— Eu sei — diz ele, os seus olhos evitando os dela enquanto tira o que parece granola de um boião de vidro. — Eu vi-a entrar com o seu marido.

As faces de Alice ruborizam-se e o pulso bate mais depressa ao dar uma vista de olhos à sala, tentando desesperadamente lembrar-se onde se tinham sentado.

— Seja como for, foi muito simpático conhecê-la — diz o piloto. — E boa sorte com esse seu empreendimento. — Avança ao longo do bufete sem se desmanchar.

O coração dela faz exatamente o oposto ao ver Nathan dirigir-se-lhe.

— O que vais comer, amor? — pergunta, roçando literalmente no ombro do homem com quem Alice poderia ter tido sexo na noite anterior.

Ela *podia* tê-lo feito, talvez *devesse* tê-lo feito, mas não fizera. Nathan, por outro lado, muito provavelmente fizera, pois certamente não estivera no bar onde afirmara ter estado. No entanto, apenas se ausentara por cerca de uma hora. Ter-lhe-ia isso dado tempo suficiente? Se a mulher que proclamara «precisar dele, *agora*», estivesse à espera num quarto ao fundo do corredor, então teria dado tempo de sobra.

Alice não pode deixar de varrer a sala com os olhos ao voltar para a mesa, à procura de alguma mulher solitária e avaliando se ela teria tido sexo ou não com o seu marido na noite passada. Há infelizmente poucas possibilidades, mas isso não impede Alice de bajular Nathan, não vão estar a ser observados.

Pousa a mão na dele enquanto falam, tendo o cuidado de lhe dar toda a sua atenção. Ele, por seu turno, parece dar-lhe a sua, o que a confunde. Porque o faria ele se soubesse que a sua amante estava ali, a olhar para eles?

— Ansiosa por ir para casa? — pergunta-lhe, quando ela se inclina para um beijo. Ele não se retrai.

— Será bom ver as miúdas — diz ela.

— Foi assim tão difícil como achavas que seria? Viajares? Deixá-las em casa?

— Por acaso não — diz ela honestamente. Imagina que isso provavelmente se deva a ter outras coisas em que pensar.

— Seria bom podermos fazer isto outra vez — diz ele. — Talvez um pouco mais frequentemente. Se é que a noite passada foi indicador de alguma coisa, eu gostaria de fazê-lo *uma data* de vezes mais.

Ela lembra-se da forma como tinham feito amor antes de ver o seu telemóvel; o cálido formigar do álcool fazendo-a perder as suas inibições, a sensação de abandono ao finalmente livrar-se dos grilhões do passado, feliz por se dar por inteiro ao marido que o merecia. As palavras da mensagem escrita lampejam-lhe no pensamento e de novo é acometida pela dura constatação de que não o merece.

— É engraçado — diz, observando atentamente a reação dele —, mas ontem por esta hora estava tão excitada com o projeto.

Ele franze o sobrolho. — E agora?

— Agora não me apetece ir para a frente com ele.

— Mas o que mudou neste espaço de tempo?

Tudo, quer ela dizer. — Nada — diz em vez disso. — Simplesmente não quero ir para a frente com ele.

Nathan recosta-se na cadeira e ri-se. — Bem, é um bocadinho tarde para mudares de ideias.

— É? — pergunta ela, inclinando a cabeça de lado. — E se eu quisesse saltar fora?

Ele passa uma mão pelo cabelo. — Bem, não podes… já assinámos o contrato-promessa. Perderíamos o depósito de cem mil.

— Mas perder cem mil seria seguramente melhor do que perder um milhão? — diz ela.

Ele pega-lhe na mão e leva-a aos lábios. Qualquer ideia de a sua amante estar presente na sala se evapora. — Percebo que estejas nervosa, mas vai correr tudo bem.

— Simplesmente não sei se é a coisa certa a fazer — diz Alice. — Não sei se estou preparada para arriscar o dinheiro da AT... o dinheiro do Tom. — Tinha pensado atirar aquela só para lembrar Nathan de quem era o dinheiro com que andavam a brincar. Não quer saber se isso o faz retrair-se ligeiramente. E, ironicamente, já não quer saber do que Tom poderá pensar ou não do que ela está a fazer. Perdeu esse direito.

— Não podemos recuar agora — diz Nathan. — Já fomos demasiado longe.

Alice reclama a sua mão de volta. — Mas aqui não há realmente um «*nós*», pois não? Isto recai tudo nos meus ombros. É o *meu* dinheiro, a *minha* reputação e a *minha* responsabilidade, se tudo correr mal.

— Mas não correrá — diz Nathan. — Isto vai ser a melhor coisa que jamais nos aconteceu e eu estarei contigo a cada passo do caminho.

Ela sorri docemente, mas já não acredita numa palavra do que ele diz.

3 5

O Nathan não está contigo? — pergunta a mãe de Alice, Linda, ao acolhê-la à porta de sua própria casa com um abraço.

— Não, apanhou o comboio diretamente do aeroporto para o escritório — diz Alice. Não porque seja lá que ela acredita que ele está, mas porque é aí que ele lhe disse que ia. — Como têm estado as miúdas?

— A Livvy tem sido um sonho.

— E a Sophia?

Linda revira os olhos. — Igual a ti há vinte anos — diz.

Alice sorri, mas não pode deixar de pensar que, na verdade, ela e Sophia não são nada parecidas. Enquanto Alice passou a adolescência como um problemático feixe de hormonas, sem saber ainda que acabaria por passar com a idade, Sophia está num mundo completamente diferente de dor. Num lugar em que por vezes Alice não consegue chegar a ela.

Mas quem pode culpá-la? Sofreu o horror de ver o pai sair uma manhã e nunca mais voltar, e para alguém tão jovem não é de admirar que esses sentimentos de abandono e paranoia ainda estejam tão à superfície. Esgaravatasse-se em Alice apenas umas semanas antes e ter-se-iam encontrado as mesmas emoções, mas ela não está certa de que elas se encontrem lá agora.

— Antes seis Olivias do que uma adolescente intratável — diz Linda.

— Mas a Sophia passou por muita coisa. É boa miúda... apenas precisa de um tempinho para encontrar o seu lugar no mundo.

— Eu sei — diz Alice, mas não pode deixar de interrogar-se se haveria alguma coisa mais que ela *pudesse* ter, *devesse* ter feito.

— Simplesmente sê honesta — dissera a mãe, quando lhes tinham dito que já não era viável Tom estar vivo. — É tudo o que podes fazer.

Alice não tivera um minuto para processar o seu próprio desgosto, e contudo esperavam que desse a pior notícia possível à sua filha de sete anos.

— Queres que eu o faça? — perguntara a mãe gentilmente, enquanto estavam as três enroscadas no sofá.

Alice abanara a cabeça, mas sentira uma poça de náusea redemoinhar-lhe no estômago.

— Sophia, tenho uma coisa para te dizer — dissera, pegando nas mãos da filha com as suas mãos trémulas.

— O papá vem hoje para casa? — guinchara Sophia deliciada, desatando aos pulos de excitação.

Alice abanara a cabeça e os seus olhos encheram-se de lágrimas.

— Vamos fazer biscoitos? — perguntara Sophia, alheada. — Para lhe darmos, quando chegar.

Alice puxara-a contra si e respirara fundo, fechando os olhos e desejando com todas as suas forças poderem voltar atrás uma semana, para um tempo em que os seus mundos eram normais. Agora nada voltaria a ser normal.

— O papá teve um acidente — começara Alice, lenta e deliberadamente. Não queria fazê-lo da forma errada, pois Sophia lembrar-se-ia deste momento para o resto da sua vida.

— Ele está bem? — perguntara ela.

— Ele estava a esquiar, e perdeu-se na montanha.

— Então quando é que ele volta para casa?

— Andaram à procura dele nos últimos três dias e noites, mas não conseguiram encontrá-lo. Acham que pode ter caído nalgum lado.

Sophia fizera uma careta. — Au. Magoou-se?

Alice sentira que não estava a fazer um bom trabalho e odiara-se por retardar a verdade, mas apenas queria que a filha tivesse uns momentos mais de inocência. Sentira a mão da mãe nas costas, a presença e tranquilização de uma mãe para outra. Os seus lábios tremeram e a voz embargou-se-lhe.

— Morreu — conseguiu dizer.

Jamais esquecerá a expressão no rosto de Sophia quando nela se fez luz.

— Então... então o papá não vai voltar? — gaguejara. — Nunca mais?

Alice abanara a cabeça. — Não, mas estará sempre aqui connosco... ele estará sempre contigo estejas onde estiveres. A olhar para ti lá de cima, a velar por ti. Sempre que estiveres triste, ele estará ao teu lado, pegando-te na mão.

Uma grande lágrima caíra da bochecha de Sophia. — Eu vou senti-lo? — perguntara, olhando pateticamente para a mãe. — Sentirei a sua mão na minha?

— S-sim, claro — dissera Alice, sufocada. — Saberás que ele está lá.

A mente de Sophia, sem dúvida, lampejara através de uma dezena de memórias — dela e do pai no parque, à procura de castanhas-da-índia; dele a fazer-lhe cócegas até ela mal conseguir respirar; deles dois a verem os «Apanhados» na televisão e a rirem-se impiedosamente dos infortúnios alheios.

— Ficaremos bem — mentira Alice.

Ficara acordada nessa noite, abraçando Sophia contra ela, o seu corpinho na cama não ocupando sequer metade do espaço do de Tom apenas umas noites antes. Como podia ele ter-se ido? Como podia alguém tão amado, tão necessário, levantar-se uma manhã, sair pela porta e nunca mais voltar? Como era isso sequer possível?

— Talvez não lhe demos o crédito que ela merece — diz Linda, trazendo bruscamente Alice de volta ao presente. — Por chegar onde está hoje, sabendo o que passou... o que vocês *duas* passaram.

Alice assente entorpecida e luta contra o aperto na garganta que lhe diz que as lágrimas estão iminentes.

— Oh, querida, o que se passa? — pergunta Linda, puxando Alice para ela e beijando-lhe o topo da cabeça.

Deveria ela contar à mãe o que se tem passado? Quer tão desesperadamente descarregar tudo o que tem na cabeça, ouvir a mãe dizer que percebeu tudo mal quanto a Tom. Linda amava-o como a um filho e não permitia que se dissesse mal dele. Mas, por mais que Alice quisesse partilhar o que chegara ao seu conhecimento, sabe que seria um ato egoísta. Talvez a fizesse *sentir-se* melhor por um momento, mas desfaria a sua mãe, e depois ela questionar-se-ia se deveriam contar a Sophia. Não, nada há a ganhar em contar seja o que for.

— Nada, estou bem — mente. — Apenas tive saudades das miúdas.

— Bem, deverias fazê-lo mais vezes — diz Linda. — Faz-te bem afastares-te de tudo uma vez por outra.

Alice não tem coragem de lhe dizer que levou consigo metade do problema.

— Então, afinal de contas, vá lá, conta-me, que tal é o Japão? — pergunta Linda, enchendo a chaleira e ligando-a.

— É lindo, tanta cultura, e as pessoas são simplesmente encantadoras.

— E o projeto? Isso vai tudo para a frente?

Alice sorri, esperando que o sorriso lhe chegue aos olhos, já que a sua mãe será a primeira a reparar se não chegar.

— Sim, é uma oportunidade fantástica — diz, soando como se estivesse a ler um manual. — Realmente excitante.

— Estou tão orgulhosa de ti, Alice — diz Linda. — De tudo o que alcançaste.

Alice sorri. — Acho que posso ter tido mais olhos que barriga com isto aqui.

— Que disparate — diz Linda. — Estarás à altura do desafio, como sempre estás.

— Obrigada, mãe. Significa muito.

— E parto do princípio de que o Nathan esteja plenamente contigo? — pergunta sem olhar para Alice, como se estivesse à espera da altura indicada para abordar o assunto.

Alice maravilha-se com o pendor que a mãe tem para acertar em cheio nas coisas. — É tudo ideia dele — diz. — Está totalmente por trás disto.

— Mas está completamente atrás de *ti*? — insiste a mãe.

Alice esboça um sorriso contido em resposta e Linda desvia os olhos pensativamente.

A sua mãe nunca exprimiu a sua opinião, mas Alice pode dizer pelas suas expressões e olhares ocasionais que tem reservas quanto a Nathan. Incitara gentilmente Alice a ir com mais calma quando tudo parecera andar demasiado depressa.

— Simplesmente dá-te algum tempo — dissera quando Alice chegara fulgurante a casa, após o quarto encontro. — Não tens necessidade de correr para coisa nenhuma. Se este for o homem certo para ti, esperará até estares pronta.

Mas algures no meio da engrenagem o seu bom conselho não fora ouvido, pois três meses mais tarde Alice descobriu que estava grávida.

— Como pode isto ser? — chorara histericamente nos braços de Nathan. — Isto não deveria acontecer.

— Eu sei que estás com medo, mas prometo-te, não vou a lado nenhum.

— Não posso fazer passar outra criança por isso — dissera por entre lágrimas. — Não posso fazer passar a Sophia por isso outra vez.

— Nem toda a gente morre aos 32 anos — dissera ele, gentilmente.

— Não tem a ver apenas com morrer. Tem a ver com uma criança perder um progenitor por *qualquer* razão: morte, divórcio... Simplesmente não posso fazer outra criança passar por isso.

Ele beijara-lhe o topo da cabeça e embalara-a gentilmente. — Não estarás sozinha. Eu estarei sempre aqui para ti... para *todas* vocês.

— Não te atrevas a fazer uma promessa que não podes cumprir — soluçara Alice. — Não é justo.

— Juro-te, não te deixarei ficar mal. Far-te-ia sentir melhor se eu viesse viver convosco? Provar-te-á isso que não vou a lado nenhum?

Alice assentira com gratidão.

— Mas ainda nem fez um ano que o Tom desapareceu — dissera a sua mãe ao saber a notícia. — Ainda estás a fazer o luto. Leva o teu tempo... não há necessidade de te meteres a correr em nada. Mal conheces este homem.

Agora, pela primeira vez, Alice interroga-se se a sua mãe terá visto algo que ela não viu.

ssim que Alice vê Olivia a correr através do recreio, de braços estendidos, sente felicidade e culpa em igual medida.

— Voltaste — guincha ela quando Alice a levanta nos braços e a faz rodopiar. — O papá também está em casa?

Alice imagina a resposta que daria se decidisse que a traição de Nathan não é algo que esteja preparada para tolerar. *Não, querida, ele saiu de casa. Podes vê-lo fim de semana sim, fim de semana não.* Sente um aperto no peito.

— Sim, estará em casa a tempo do jantar — diz.

— Iei! — guincha Olivia de excitação.

Alice dá meia-volta e sorri ao ver Sophia vir direita a ela. — Ei, o que fazes *tu* aqui?

Os braços da sua filha mais velha pendem flácidos ao longo do corpo, mas quando Alice a puxa contra si, sente-os elevarem-se lentamente e abraçá-la.

— Tinha uns livros para devolver ao Departamento de Inglês — diz. — E então vi esta macaquinha na aula de EF cá fora, de maneira que pensei ficar por aqui e ir a pé.

— Ah, que bom — diz Alice, beijando Sophia na testa e arredando-lhe o cabelo da cara. — Está tudo bem?

— Sim. — Sophia encolhe os ombros.

— O que se tem passado desde que te vi pela última vez?

— Só estiveste fora três dias — exclama ela.

— Então, nada de novo a reportar?

— Mexericos, queres tu dizer?

Alice sorri. — É assim tão óbvio, hã?

Sophia revira os olhos. — És pior que as minhas amigas.

Apesar da sua tentativa de parecer e soar normal, Alice está tudo menos isso, vistoriando constantemente o recreio, procurando Beth atrás dos óculos escuros. Não consegue afugentar o peso que sente no peito — o agoirento sentimento de estar à espera de que Beth apareça, sem saber se ela irá lançar uma granada no seu mundo já frágil. Esperando o melhor, Alice baixa a cabeça e apressadamente abre caminho para fora da escola.

— Olá, Alice — diz Beth à sua esquerda, apanhando-a de surpresa.

O calor assoma-lhe à pele, fazendo-a sentir-se azamboada. As miúdas estão apenas uns passos atrás e ela não faz ideia do que irá Beth dizer ou fazer.

— Ainda precisamos de falar — diz ela baixinho.

Alice olha diretamente para ela, por demais ciente da pequena Millie postada ao lado da mãe. *Verei eu o Tom nela, agora que os meus olhos têm um conhecimento novo?*, pergunta a si própria, demasiado temerosa para olhar.

— A Olivia pode vir brincar? — pergunta Millie.

Beth levanta interrogadoramente as sobrancelhas para Alice.

— Hoje não — diz Alice categoricamente, os olhos lampejando um aviso para Beth.

— Talvez noutra altura — diz Beth à filha.

— Oh, é tão injusto. Porque não posso ir eu então para casa da Olivia?

— Porque tens de esperar que te convidem — diz Beth pacientemente. — Parto do princípio de que ainda estamos convidadas para a festa da Olivia no domingo? — Está a olhar para Alice, que por uma fração de segundo não faz ideia do que está ela a falar.

— O quê?

— Para a festa da Olivia? A Millie ainda tem permissão para ir?

A ficha cai quando Alice se lembra dos vinte convites que Olivia trouxera toda excitada para a escola duas semanas antes. — Humm, não sei… — balbucia. — Não tenho a certeza de que haverá… — Recompõe-se. Claro que os festejos de aniversário de Olivia irão para a frente. Só porque o seu pai tem um caso não significa que as suas vidas fiquem em suspenso. Mas ainda assim o coração de Alice bate duas vezes mais à ideia de uma casa cheia de miúdos de nove anos, dos seus intrometidos pais e do seu infiel marido. Quase geme alto à acrescentada complicação de Beth e Millie, também atiradas para a mistura.

— Por favor, diga que ainda posso ir — diz Millie lacrimosa, puxando pela manga de Alice.

— Vá lá, vamos… — começa Beth, puxando pela criança.

— Claro — diz Alice, forçando-se a olhar para Millie. Os olhos da menina estão marejados e precisamente quando o lábio inferior faz beicinho, uma lágrima grande e gorda corre-lhe pela cara. O choque que Alice esperara sentir ao olhar para ela não se dá e ela agacha-se à altura de Millie.

És tu aí, Tom? Perscruta os olhos de Millie, buscando algum sinal, qualquer coisa que prove que o seu bem-amado marido, o homem que ela julgava que jamais a trairia, faria o que Beth sugere.

— Claro que podes ir — diz Alice a Millie. — A Olivia não deixaria que fosse de outro modo.

A consternação da miudinha transforma-se instantaneamente num rasgado sorriso e ela instintivamente lança os braços em torno do pescoço de Alice e beija-lhe a face. — Obrigada — diz num guinchinho.

Alice evita olhar Beth nos olhos ao reerguer-se.

— Quando estarás livre para… sabes…? — pergunta Beth baixinho.

— Mamã, posso ir sentar-me no carro? — pergunta Sophia, obviamente assumindo que as duas mães vão ter uma longa conversa, como de costume.

— Sim, claro — diz Alice, pescando a chave da mala.

— Oi, Millie-Moo — diz Sophia, despenteando-lhe afetuosamente o cabelo. A miudinha ri-se e Alice sente que parou de respirar.

Só então lhe ocorrem as plenas implicações do que Tom fez. Passou a última semana a chafurdar em autopiedade ante a constatação de que o seu primeiro casamento foi um logro. Oscilara de querer Beth morta para se congratular por Tom já não se encontrar vivo nos seus esforços de processar o que acontecera, mas em altura alguma se lembrara de considerar que Millie e Sophia eram capazes de ser meias-irmãs.

— Temos de deslindar isto — diz Beth, como que lendo-lhe o pensamento. — Não podemos continuar nesta espécie de limbo.

Alice sente-se a ponto de cair desamparada no chão, mas reveste-se de coragem, recusando-se a ceder.

— Não vou fazê-lo aqui e não vou fazê-lo na festa de aniversário da Livvy, quero dizer, da Olivia. — Vê Beth embatucada ante a autocorreção, como que assinalando que ela já não faz parte do círculo mais íntimo dos que conhecem Olivia suficientemente bem para lhe chamarem Livvy. Alice insiste, intentando transmitir que *será ela* a ditar as regras. — Combinaremos qualquer coisa para a semana que vem, depois de termos tido ambas oportunidade de processar o que isto tudo significa e as consequências que advêm do facto de teres tido um caso com o meu marido.

Alice não conseguiu conter-se.

— Senhora Davies, Senhora Davies — chama a professora Watts, encaminhando-se na direção de Alice.

Alice estampa um sorriso no rosto. — Olá.

— Posso dar-lhe uma palavrinha, por favor? — Olha para Beth. — Talvez fosse melhor no meu gabinete.

— Sim, sim, claro — diz Alice, fazendo menção de segui-la lá para dentro, sem saber o que fazer com Olivia.

— Eu fico de olho nela — diz Beth, pressentindo o seu dilema. — As miúdas podem brincar um bocadinho.

Mais não era necessário para forçar a decisão de Alice. Pega na mão de Olivia e marcha lá para dentro.

— Lamento — diz a professora Watts baixinho uma vez dentro da sala de aulas, de forma que Olivia não oiça lá de fora do corredor. — Apenas queria dar-lhe uma palavrinha para ver se seríamos capazes de descobrir o que se passa de momento com a Olivia.

— Há algum problema? — pergunta Alice, tendo o cuidado de moderar a impaciência. Não precisa disto a juntar-se a tudo o resto.

— Bem, sim, receio que haja — diz ela, torcendo as mãos. — Ligou mais um progenitor a fazer uma queixa.

— Uma queixa? — diz Alice, não certa de ter ouvido bem. — Sobre quê?

— Sugere que a Olivia anda a maltratar a sua filha.

Alice quase se ri. — A minha Olivia?

— Hum, sim, receio que sim — diz. — Chamámos a dita criança para uma conversa e ela não diz grande coisa. Acho que é porque pode ter medo.

— Tem a certeza de ter percebido bem? — pergunta Alice, incapaz de acreditar que a sua filha possa de todo ser culpada daquilo de que está a ser acusada.

— Também falámos com a Olivia — diz a professora Watts. — Mas ela diz que não foi má para ninguém. Só que, nestas situações, acho que raramente há fumo sem fogo.

Alice abana a cabeça. — Entendo que tenha de investigar isto, mas tem a certeza absoluta de que percebeu tudo bem? Ainda a semana passada fui chamada à escola para vir apanhar a Livvy à enfermeira, depois de a Phoebe a ter empurrado no recreio. Poderá ser por acaso a Phoebe que está a maltratar a Olivia?

A professora Watts saca de novo da sua cara de terapeuta e Alice sente um desejo avassalador de esmurrá-la.

— Por acaso a Phoebe não é a criança em questão — diz.

— Ah, não? — questiona Alice. — Bem, se não é a Phoebe, quem é?

— Receio não poder divulgar essa informação.

— Então, deixe-me ser franca — diz Alice, sentindo-se como uma panela de pressão. — Espera honestamente que eu pergunte à minha filha de 8 anos quem anda ela supostamente a maltratar, porque a senhora não está preparada para me dizer?

— Bem, dado que falámos com as duas meninas, estou com esperança de que a coisa se retifique por si só, mas apenas queria informá-la da situação, uma vez que a mãe da menina ameaçou levar as coisas mais longe se ela não se resolver.

— Está a brincar comigo? — pergunta Alice, incrédula. — Elas têm 8 anos, por amor de Deus.

A professora Watts olha para o chão, como se subitamente desejasse estar noutro lado qualquer que não ali.

— Quem é a criança? — pergunta Alice de novo.

— Receio não poder realmente dizer.

Se soubesse que isso não se refletiria negativamente em Olivia, arrastaria a professora Watts pelas lapelas baratas através da sala de aulas até ela lhe dizer.

— Bem, calculo então que simplesmente terei de descobrir por mim própria — respinga Alice saindo de rompante.

— **M**erda, merda, merda! — diz Alice batendo no volante.

— Porque estás a dizer palavrões, mamã? — pergunta Olivia, de olhos arregalados.

— Porque a mamã está zangada — diz Alice. — Se mais uma pessoa que seja julga que eu engulo as suas merdas, então rapidamente mudará de ideias. — Olha para o espelho retrovisor e vê Sophia virar-se para a irmã mais nova e levar um dedo aos lábios, num esforço de a impedir de dizer mais alguma coisa. Alice sorri, mas é um doloroso arremedo de sorriso. Se ao menos o mundo consistisse apenas nelas três... então sim, seria feliz.

Está a meio caminho de casa quando decide ligar a Nathan.

— Merda — diz mais uma vez quando não tem resposta. Faz inversão de marcha no meio da rua. — Vou só passar pelo escritório.

Sophia resmunga, enquanto Olivia solta vivas. — Espero que a Lottie esteja lá. Ela brinca sempre comigo.

Quando Alice entra no pequeno parque de estacionamento, atrás do edifício do escritório, liga de novo a Nathan. Como ele não atende, só pode assumir que ele esteja onde não deveria estar. De agora em diante, ele estará sempre onde não deveria estar, pelo menos na sua cabeça.

— Sophia, sobes? — pergunta Alice.

— Não, espero aqui. Tenta não demorar muito.

Demorarei o tempo que for preciso, pensa Alice ao subir os degraus dois a dois, com Olivia a reboque.

— Ei, está de volta — diz Lottie toda excitada, soando mais ou menos como Olivia quando viu Alice. — Que tal vai isso, Livs? — pergunta, levantando uma mão para Olivia para um «toca aqui».

— Olá, Lottie — diz Alice, o mais jovialmente que consegue. Olha-a de alto a baixo, abarcando as suas pernas compridas e magras dentro de umas calças pretas justas. Tem o cabelo preso com o que parece um lápis, madeixas louras soltas emoldurando-lhe o rosto de elfo.

— Podes só fazer-me um favor e manter a Livvy ocupada enquanto eu vou cinco minutos ao meu gabinete? — pergunta Alice.

— Claro. Queres vir ajudar-me a colorir umas coisas? — pergunta a Olivia.

Pela primeira vez desde que viu a mensagem escrita enviada a Nathan, Alice é capaz de sentar-se e deslindar de quem terá ela vindo. Sente um nó no estômago ao recuperá-la da galeria de fotos no seu telemóvel. Por mais ridículo que pareça, pergunta-se se ela terá mudado desde que foi tirada. Conter porventura *mais* palavras, que lhe deem mais uma pista de quem poderia ser? Tem esperança de que haja menos; que a frase incriminadora, tão curta, e contudo tão contundente, tenha sido enviada como que por magia para o ciberespaço.

Desapontadoramente, encontra aquilo de que se lembra.

Preciso de ti. Agora xx

Marca o número de onde ela foi enviada no seu telemóvel e sustém a respiração, enquanto aguarda uma fração de segundo para ver se condiz com algum dos seus contactos. Se assim for, não sabe como alguma vez recuperará do logro. Mas se não for não estará mais perto de descobrir de quem se trata. Rebate que a última é a melhor opção… por pouco.

Como nada aparece, Alice trata de percorrer metodicamente a sua lista de contactos a ver se não reativará uma recordação ou sentimento. Mas rapidamente se torna aparente que noventa por cento das pessoas que conhece são descartadas com base no género, idade ou preferência sexual. A única possibilidade real é Lottie. O número não é definitivamente dela, ou pelo menos não o que Alice tem. Ela pode ter um segundo telemóvel, mas ao olhar através do vidro para ela e Olivia, com as cabeças juntas enquanto escolhem cores da caixa de marcadores, sabe que *não pode* ser ela. É atraente, mas infantil. Segura, mas desajeitada. E, além disso, o que acharia *ela* apelativo em ir para a cama com um homem com idade bastante para ser seu pai? E seu patrão, ainda por cima.

Não obstante, liga para o número de Lottie, só para ter a certeza de que tem o número certo, e observa, esperando que ela atenda. Alice pode ver o telemóvel pousado na secretária, mas Lottie não dá sinais de atender.

— Lottie — chama em voz alta —, tens um minuto?

Lottie larga o que está a fazer e corre para o gabinete de Alice.

— Tive dificuldade em ligar-te quando estava no Japão — diz-lhe Alice. — O teu telemóvel simplesmente não parava de tocar.

— Ah, sim, desculpe — diz Lottie. — O meu foi roubado, por isso tive de comprar um novo.

Alice afugenta o calor que se insinua por ela acima. — Oh! — consegue dizer, momentaneamente bloqueada para algo melhor.

— Mas dei conhecimento a Nathan — diz Lottie. — Enviei-lhe o meu novo número, caso algum dos dois precisasse de contactar-me.

— Deste? — diz Alice entorpecida, como se todas as razões que tinha contra Lottie ser amante de Nathan subitamente se tornassem argumentos *a favor*.

— Vou enviar-lho agora — diz Lottie, sem ter consciência de que Alice não conseguirá funcionar enquanto não o obtiver.

O telemóvel de Alice dá sinal e os números surgem desfocados, mas já percebeu que não condiz. Solta o fôlego que não teve consciência de suster.

— Então, que tal correu no Japão? — pergunta Lottie, alheia à necessidade de privacidade de Alice.

Alice esboça um sorriso contido e assente. — Foi bom… finalizamos para a semana.

Lottie põe-se a dançar ali mesmo, batendo palmas.

— Oh, meu Deus, que excitação — diz.

Alice interroga-se se realmente finalizarão para a semana quando há um tão enorme obstáculo de permeio daqui até lá. Mas então a surpresa do piloto, as palavras da mãe e a excitação de Lottie ressoam-lhe alto e bom som aos ouvidos. E pergunta-se por que diabo não haveria de finalizar. Com ou sem Nathan.

— Viste-o hoje? — pergunta Alice, como se Lottie estivesse a par do que lhe vai no mais íntimo dos pensamentos.

— Quem? — pergunta.

— Oh, desculpa, o Nathan. Viste o Nathan?

— Não. Para ser honesta, não estava a contar ver nenhum dos dois depois de um voo de dez horas. Achei que iriam ambos direitos para casa.

— Ele ligou para cá? — pergunta Alice.

— Espere aí — diz Lottie, espreitando pela porta lá para fora. — Alguém falou com o Nathan esta tarde? — grita através do *open space* do escritório. É uma pergunta basicamente inocente, que há apenas uma semana teria sido mais que normal. Mas agora soa acusadora, como se ela estivesse a controlá-lo. A pergunta de Lottie é acolhida com abanares de cabeça e expressões intrigadas.

Alice tenta ligar a Nathan mais uma vez, mas vai diretamente para o atendedor de chamadas. Bate pensativamente com os dedos na capa do telemóvel. *Onde estás tu, Nathan?*, diz de si para si. Olha pela janela, para o parque de estacionamento lá em baixo, e pode mais ou menos vislumbrar os rápidos movimentos de dedos de Sophia a operar o telemóvel no seu colo, sentada no carro, à espera.

— Eu volto num minuto — diz a ninguém em particular. Corre escadas abaixo, de volta ao carro, e bate na janela de Sophia, fazendo a filha dar um pulo.

— Abre a janela — articula impacientemente Alice, observando a filha a revirar os olhos.

— O que foi? — pergunta Sophia asperamente.

Alice não tem tempo para lidar com o mau humor da filha, causado, sem dúvida, por algo que viu nas redes sociais.

— Podes ligar essa tua *Chatsnap*? — pergunta-lhe.

— Sim, porquê? — questiona Sophia, com a voz carregada de desconfiança.

— Porque me dava mesmo jeito localizar o Nathan — diz Alice, calando-se a tempo de nada mais dizer. Às vezes, quanto mais palavras se dizem mais desconfiança se cria.

Sophia olha para ela de olhos semicerrados. — Para quê?

— Podes fazê-lo ou não? — pergunta Alice impacientemente.

— Credo, *calmex* aí — diz Sophia com um golpe de polegar e movendo os dedos à velocidade da luz.

— Vê lá com quem estás a falar — previne Alice. — Eu não sou um dos teus amigos.

— Parece que ele está algures em Park Lane, em Londres — diz ela hesitante. — No Hilton.

Alice tem vontade de perguntar se ele está na cama com alguém. Afinal de contas, esta aplicação parece ser capaz de mostrar uma miríade de outras atividades. — Obrigada — limita-se a dizer. — Vou ver se consigo apanhá-lo lá.

— Mamã, está tudo bem? — pergunta Sophia, com mais que um laivo de preocupação no tom de voz.

Alice força um sorriso. — Claro, porque não haveria de estar?

— Juras? — pergunta Sophia, a sua petulância subitamente substituída pela vulnerabilidade de alguém com metade da sua idade.

É necessária toda a resolução de Alice para não puxar a filha para si e apertá-la com força. Em vez disso faz figas atrás das costas e espera que o sorriso lhe chegue aos olhos.

— Sim, querida, juro.

—Diz-me apenas a verdade — pede Alice alto e bom som, depois de a mesa do jantar ter sido levantada, com a paciência esgotada.

— Juro, mamã, não fiz nada — chora Olivia.

— Então porque a outra menina e os pais estão a dizer que fizeste? Não podes andar a magoar pessoas, Olivia, com palavras *ou* ações. Eu não o permitirei.

— Mas não ando, mamã! A Phoebe é que é má para *mim*.

— Não estamos a falar da Phoebe — diz Alice. — Estamos a falar de outra menina que acha que tu estás a ser má para *ela*. Sinceramente, Olivia, não quero ser chamada à escola para me dizerem que és uma brutamontes.

— Eu não sou uma brutamontes — grita ela, antes de correr escada acima e bater com força a porta do seu quarto.

— Certo, é isso mesmo, minha menina. Ficas aí até de manhã e por essa altura é bom que estejas pronta para me contar a verdade.

Alice sente-se roída de culpa quando leva a Olivia um copo de água meia hora mais tarde, só para dar com a filha a dormir a sono solto mas ainda completamente vestida. Minúsculos choramingares saem-lhe do peito enquanto Alice lhe veste o pijama.

Eu não sou esta espécie de mãe, diz Alice de si para si quando se senta na beira da cama com a cabeça nas mãos. Tudo faria para deslizar para baixo do edredão e fechar-se a tudo o mais — esperar que a tempestade que sabe estar a formar-se passe. Mas tem de ser mais forte do que isso. Não se deixará definir de novo pela sua fraqueza.

O seu telemóvel trespassa o incaraterístico sossego da casa e ela estende-se cansada sobre a cama para apanhar a mala. Pode ser que se *deite*, sim, só por uns minutos.

— Olá, querida, sou eu — diz Nathan quando ela atende. Bastam-lhe estas quatro palavras para perceber que ele já bebeu uns copos. — Não vais acreditar, mas encontrei-me por acaso com o Josh, um velho amigo meu — diz com a fala arrastada. — Lembras-te dele, não lembras? Apresentei-to uma vez.

Alice não se lembrava de alguma vez ter conhecido Josh. Lembrar-se-ia se tivesse, pois as pessoas que Nathan lhe havia apresentado ao longo dos anos eram poucas e muito espaçadas. Dissera ele que perder os pais quando era novo lhe tornara difícil fazer amizades. Certo era que as que tinha agora faziam parte do círculo alargado de casais das suas relações, até os seus companheiros de golfe eram maridos de amigas que Alice lhe dera a conhecer.

Muitas vezes houvera em que Alice desejara que Nathan tivesse mais uma história de fundo. Que tivesse trazido uma família alargada para a sua vida, pois Deus sabia como a sua já era pequena. Teria sido simpático sentir que fazia parte de algo maior; ter família a quem chamar e com quem passar tempo. Mas ele basicamente aparecera, aparentemente do nada, e só agora se interrogava se o seu percecionado salvador não seria afinal um lobo com pele de cordeiro. Estaria ela tão maltratada que estivera preparada para passar por cima de coisas que de outro modo teriam sido por demais evidentes? Estaria ela tão insegura que ignorara quaisquer dúvidas mesquinhas?

— Não é o teu velho amigo de escola? — pergunta agora, ajudando Nathan a safar-se, pois não tem energia para o ouvir embelezar a sua mentira.

— Pois, é esse mesmo — diz ele, caindo direitinho na esparrela. — Deus, tens boa memória. Seja como for, tive a modos que uma reunião improvisada no banco e então dei de caras com o Joe e uma coisa levou à outra.

— Josh… — corrige-o Alice. — Julguei que tinhas dito que o nome era Josh.

— O quê…? Sim, Josh, foi isso que eu disse.

Ele está demasiado bêbedo para manter a sua história, e Alice está demasiado cansada para se ralar. Não precisa de mais provas de que ele não anda a fazer coisa boa — já tem tudo o que precisa. Agora apenas tem de decidir o que vai fazer quanto a isso.

Quer esperar que Nathan chegue a casa, nem que seja porque então poderá cheirar-lhe perfume barato no corpo, ou ver se tem a boca manchada com o batom de outra. É quase como se precisasse de se infligir a maior dor possível para se forçar a tomar a decisão certa. Mas, por mais que tente, a discussão com Olivia deixou-a exausta e os seus olhos lutam para se manter abertos quando soa o toque de abertura das notícias das dez.

Não se lembra sequer de tomar os comprimidos, mas deve ter tomado, pois quando abre os olhos de novo é de manhã e não faz ideia se Nathan chegara às dez e meia ou às três e meia. Ocorre-lhe, ao estender um braço sobre a cama vazia, que ele pode nem estar ainda em casa. Olha a custo os algarismos verdes que indicam 6.20 h no relógio iluminado na mesa de cabeceira e levanta a cabeça da almofada. Ouve o chuveiro a correr e fica furiosa consigo mesma por não saber se Nathan estará de chegada ou de saída.

Quer tornar a adormecer, de modo a poder desligar na cabeça o ruído que o novo dia traz. Mas por mais que tente, os seus sentidos já estão alerta para os problemas que tem pela frente. Derrotada, Alice arreda o edredão tomada de frustração. Há demasiado em que pensar agora — o seu cérebro está como um redemoinho de atividade. De nada serve ficar mais tempo na cama.

O vapor evola-se da casa de banho quando ela abre a porta. Nathan, nu e molhado do duche, vira-se para a corrente de ar.

— Bom-dia, querida — diz, ao esfregar as costas com a toalha em ambas as mãos.

— Que tal foi o teu serão? — pergunta, contida, ao postar-se diante do espelho, apanhando o cabelo.

— Comprido e chato — diz ele, com uma risada. — Pareceu divertido na altura, mas agora, à luz fria do dia, cansado e de ressaca, as minhas memórias são bastante diferentes.

Aposto que são, pensa Alice de si para si.

— E como foi o teu? — pergunta ele vindo por trás dela, as mãos abraçando-a para desapertar o cinto do robe. Ela aperta-o melhor em torno do corpo.

— Vá lá — suplica ele. — Temos tempo para uma rapidinha.

Ela está longe de querer uma «rapidinha», especialmente não sabendo onde ele esteve. E até que saiba, não haverá quaisquer *rapidinhas, demoradinhas* ou quaisquer *outras*.

— Tenho de me aprontar — diz, barrando-o. — Tenho um dia ocupado.

— Temos ambos um dia ocupado — diz ele amuado, como se fosse uma competição. — Posso precisar que assines uns papéis para o Japão.

Ela anui com a cabeça quando ele a beija.

— Vemo-nos no escritório — diz ele saindo.

Ela leva o seu tempo no chuveiro enquanto o filme de onde Nathan poderá ter estado na noite anterior lhe passa na cabeça. As imagens são vívidas — em alta definição e com som ambiente. Vê os lábios dele noutros lábios, as suas mãos envolvendo ternamente um rosto ao professar o seu amor. A mulher não identificada grita-lhe pelo nome quando as mãos dele se movem mais para baixo, mas Alice bloqueia essa imagem, preferindo focar-se em dar forma ao rosto da mulher, como se fazê-lo providenciasse uma prova irrefutável do encontro.

As pontas dos seus dedos começam a engelhar e o cabelo a zunir enquanto planeia o dia à sua frente, saltando as partes que não quer admitir. *Secarei o cabelo; far-me-á sentir melhor. Levarei a Olivia à escola e tentarei descobrir quem é que a minha filha anda a maltratar. Trabalharei na sala de visitas de Belmont House; estou a pensar no veludo amassado castanho-avermelhado com um toque dourado. Descobrirei com quem anda o meu marido a dormir. Farei uma bela paelha para o jantar, logo à noite; será que há algum camarão-rei no congelador?*

Leva metodicamente a cabo os primeiros itens, o seu dia no escritório decorrendo exatamente conforme o plano, até o seu autoimposto prolongado almoço não poder ser mais protelado. Ela sabe que o item seguinte da sua lista requer atenção e olha intencionalmente para o miolo mais que comido da sua maçã, para ver se ganha um segundo mais a roer o que resta.

Espreita sobre o ecrã do computador, através do vidro, para o espaço lá fora. Pode divisar o topo da cabeça de Nathan, sentado à secretária no seu gabinete no outro lado.

Com os olhos tremulando dele para o ecrã entre ambos, insere o endereço do seu *e-mail* pessoal na tela de autenticação antes de teclar com confiança a sua palavra-passe.

INSERIDA PALAVRA-PASSE INCORRETA

Franze o sobrolho. *Devo ter-me enganado nalguma tecla,* sabendo já que não enganou. Escreve-a de novo, mais devagar, com mais precisão.

Incorreta de novo. Alice sente-se como se estivesse a tentar piratear o Google.

Tenta as outras palavras-chave favoritas de ambos; variações inseguras dos aniversários e nomes das miúdas que tinham criado juntos para contas de compras *online*, quando nenhum dos dois podia imaginar que o outro sentisse necessidade de espiá-lo. Nada abre o sésamo.

Nathan levantou-se da cadeira e vem na sua direção, mas ela está demasiado ocupada a tentar descobrir a palavra-passe para reparar.

— Ei! — diz ele, abrindo a porta de vidro.

Ela sente instantaneamente as orelhas quentes, e as palavras dele soam momentaneamente abafadas. Tenta mudar de ecrã com toda a rapidez, e toda a casualidade também, que consegue.

— Olá — diz, encontrando finalmente a sua voz.

— Vou só passar pelo banco para me assegurar de que está tudo finalizado, pronto para segunda-feira.

Ela olha para ele. — Oh, pensei que tinhas feito isso ontem? — É uma pergunta para a qual espera resposta.

— Hã, pois, fiz.

— Então para que precisas de voltar lá?

— Hum… eles precisam do teu passaporte — responde, conquanto Alice possa estar a imaginar a hesitação.

Ela abre a gaveta da secretária fechada à chave e remexe às cegas na amálgama de papéis, maquilhagem e artigos de papelaria no seu interior.

— Aí está — diz Nathan com um estalido de língua, inclinando-se para o retirar de baixo de um livro de cheques e algumas amostras de tecido.

— Espera! — diz Alice, agarrando-lhe no pulso. — Eu vou contigo.

— Não há necessidade. Literalmente, só preciso de o deixar para eles fazerem rapidamente uma cópia.

— Mesmo assim eu deveria ir — diz ela. — Não vá dar-se o caso de precisarem de mais alguma coisa.

— É sinceramente uma perda de tempo. Será coisa de dois minutos.

Alice faz menção de pegar nas chaves e no telemóvel pousados sobre a secretária. — Não há problema… saber-me-á bem sair daqui por um bocadinho.

— Isto é ridículo. — Nathan deixa escapar um bufar quando ela o faz sair do seu gabinete. — Não temos de ir os dois ao banco.

— Vá lá, podemos tagarelar pelo caminho — diz Alice.

Ele detém-se no cimo das escadas e vira-se para a encarar. — Ouve, para! — diz, com ar vexado.

Alice estaca sem mais.

— Eu não fui ao banco ontem — diz ele abruptamente, evitando encará-la nos olhos.

Alice leva um momento a processar a admissão. — Mas disseste...

— Eu sei o que disse, mas não fui.

Então agora começa a vir ao de cima. Meteu-se num buraco e sabe que estou prestes a descobrir que ele não esteve onde disse que tinha estado.

— Então, onde *estiveste*? — pergunta ela, com o coração na boca. Ele parece levar uma eternidade a responder.

— Fui tentar arranjar uma coisa para a Livvy.

Isto era a última coisa que ela esperava. — Desculpa, o quê?

— Para o seu *aniversário*...

Ele está a falar com ela como se fosse estúpida, como se ela devesse entender o que ele está a dizer; mas não consegue, nem morta, perceber o que tem o aniversário de Olivia que ver com o facto de ele não ter ido ao banco.

— Eu queria que fosse uma surpresa — continua ele.

— Desculpa — diz ela, abanando a cabeça. — Do que estás a falar?

— Eu disse-te que tinha ido ao banco ontem à tarde, mas fui ver uma pessoa por causa de um presente para a Livvy.

Alice ergue as sobrancelhas, à espera de mais.

— Fui ver um cão.

— Um *cão?* — repete ela, incrédula. — Desde quando é que nós queremos um cão?

— É simplesmente algo que a Livvy mencionou há uns tempos e eu achei que podia ser boa ideia. Queria que fosse uma surpresa para vocês.

— Isso não é coisa que tu e eu devêssemos discutir primeiro? — pergunta Alice. — Não tenho a certeza de querer um agora. É um enorme compromisso.

— Pois, eu sei, mas acho que seria divertido.

— Onde foste então? — pergunta Alice. — Ver esse cão.

— Era para os lados de Kent.

— E? — pergunta ela, esforçando-se por não deixar que as dúvidas que a história dele lhe inspira se lhe revelem na voz.

— E o quê?

— Gostaste dele?

— Hã, não, não era o cão certo para nós.

— Que cão era?

— Humm, era um desses cruzamentos de raças, tipo *labradoodle* ou algo assim.

— Ah, que querido — diz Alice. — De que cor?

— Castanho-chocolate — diz ele, mais rapidamente agora, aquecendo no tema.

Alice fita-o nos olhos, tentando ver algum laivo de embuste. — Então porque me estás a contar isso agora?

— Porque me encurralaste — diz ele, como que ofendido. — Vai ser óbvio, quando chegarmos ao banco, que eu não fui lá ontem. Mas se não tivesses insistido em vir...

Alice recusa-se a morder o isco e abre a porta para o parque de estacionamento. Vira rapidamente a esquina, deixando Nathan para trás.

— E quanto ao Josh? — pergunta, quando voltam a ficar a par na rua principal, por pouco evitando uma colisão com um carrinho de gémeos. — Ou era Joe?

— Deviam proibir estas coisas — diz Nathan num esforço para mudar de assunto.

— Então, o Josh? — insiste Alice, não o deixando safar-se. — Onde é que *o* encontraste? Ou isso também é mentira?

— Eu não estou a mentir, Alice — diz ele. — Caramba, só queria que fosse uma surpresa.

— A parte do cão ou a do Josh?

— Estás a ser ridícula — diz ele, cansado. — Apanhei o comboio para ir ver o cão e dei de caras com o Josh em Waterloo, à vinda. Ele ia para casa depois do trabalho e uma cerveja virou três... sabes como é.

— Então, a que horas chegaste? — pergunta enquanto ele abre a porta do banco para lhe dar passagem.

Ele tenta rir. — Quem me dera a mim saber. Por volta da uma. Talvez duas. — Soa mais inseguro a cada número.

— Então não estiveste com *ela?* — pergunta Alice, surpreendendo-se até a si própria. De todas as alturas e lugares em que imaginava ter esta conversa, não era agora, na fila de um banco. Deseja poder engolir tudo de volta, mas o melhor que pode esperar é que ele não a tenha ouvido.

— *Ela?* — repete ele, como que esperançoso de ter percebido mal.

Alice vira-se para o encarar, espetando o queixo numa atitude de desafio. Não diz nada porque não confia na sua voz.

— Vamos sinceramente entrar por aí de novo? — pergunta ele incrédulo, em surdina.

— Ainda nem sequer comecei — sibila Alice.

Ele atira os braços ao ar. — De que vais tu acusar-me desta vez?

— Eu vi a mensagem — é tudo o que lhe diz.

Nathan olha à volta, a ver quem está à distância de poder ouvir. Uma mãe com uma barulhenta criancinha está à frente deles e um senhor de idade está uns passos atrás. Nem um nem outro será capaz de ouvir grande coisa.

— Que mensagem? — diz.

— A mensagem *dela*. — Ela quase o cospe da boca para fora. — Aquela em que implora a tua presença.

Nathan abana a cabeça e olha para ela como que para dizer, *Pobre Alice, precisas de ajuda*. Ela lembra-se de uma enfermeira fazer exatamente a mesma coisa quando esteve internada, e de como costumava fantasiar que quando saísse lhe entraria de rompante em casa e ficaria simplesmente ali sentada no canto da sala da frente. Não falaria, limitar-se-ia a abanar a cabeça e a retorcer a boca num sorrisinho de pena.

Alice abre as fotografias no seu telemóvel e estende-lhe a captura de ecrã com a mensagem que ele recebera no Japão. Observa a cor a escapar-se-lhe do rosto.

— Foste a casa dela, Nathan? Deste-lhe o que ela precisava?

Jamais o vira sem fala. Ele tem sempre as palavras certas para cada situação. Mas não para esta, ao que parece.

— Eu não queria contar-te — começa ele, e Alice sente já o aperto ao fundo da garganta que assinala a iminência de lágrimas.

— Não consigo fazer isto aqui — diz, virando-se e saindo de rompante do banco.

Nathan apanha-a lá fora e empurra-a à força para uma viela, fora da vista dos lojistas.

— Escuta-me — diz ele autoritariamente. — Não sei quem ela é.

Alice ri e chora em simultâneo. — Estás a falar a sério? Esperas sinceramente que eu acredite nisso?

— Eu não queria contar-te porque não te queria preocupar. Recebi três ou quatro mensagens semelhantes, todas do mesmo número, mas não sei quem é.

Alice limpa o nariz com as costas da mão. — Não posso crer que vais seguir este rumo. Esperava mais de ti, Nathan. És um homem inteligente... Julguei que tivesses as desculpas todas preparadas, mas estou verdadeiramente desapontada que isso seja tudo o que tens a oferecer.

Ele agarra-a pelos ombros, com o rosto apenas a uns centímetros do dela. — Tens de acreditar em mim porque é verdade. Tentei ligar para o número uma e outra vez, mas limita-se a tocar. Enviei uma mensagem escrita mas não obtive resposta.

— E contudo não há nada no teu telemóvel que comprove essa história — diz Alice. — De facto, não há vestígios de nada à parte a mensagem que eu vi. Tentativa alguma tua de descobrir quem é. Tentativa alguma de bloquear o número. Nada, à parte uma reles mensagem.

Ele saca do telemóvel, vai às chamadas recentes e vira o ecrã para Alice. — Olha, aqui — diz, apontando um número com o dedo. — Só hoje liguei-lhe quinze vezes.

— Deus, deves ser louco por ela — bufa Alice ironicamente.

— Porra, não sei quem é — diz ele, passando freneticamente a mão pelo cabelo. — Toma, pega nele, tenta tu mesma. Se estivéssemos a ter algum caso loucamente apaixonado, seria de assumir que ela atenderia assim que visse que era eu.

Alice assente, entorpecida.

— Bem, vá lá, então. Liga. Vê o que acontece.

Tal como Nathan previra, limita-se a tocar.

— Que mais tenho eu de fazer? — pergunta ele, com evidente frustração. — Faço tudo o que posso para ser o homem que tu queres, o homem de que precisas, mas ainda o levo de volta na cara. A única coisa que me fazes sentir que estou a fazer certo é ser pai. Nada mais chega para ti.

Alice enxuga as lágrimas das faces. Estará ela a pedir de mais? A contar com um conto de fadas que não existe?

— Ouve, eu entendo o que deve parecer agora — continua Nathan — e, se soubesse que tinhas visto a mensagem, então ter-te-ia explicado antes. Não sei o que se passa ou quem se está a meter comigo, mas garanto-te que não tenho caso nenhum. Tu e as miúdas são o meu mundo.

Alice permite que Nathan a puxe para ele porque, apesar de tudo, precisa que a sustenham.

— Tens de descobrir quem anda a fazer isto — diz-lhe contra o peito.

— Não te preocupes, fá-lo-ei — diz ele. — Agora vamos voltar ao banco e tratar do que viemos aqui fazer.

3 9

— **O** *kay, okay,* nada de correrias — grita Alice da cozinha, enquanto dez mais que excitados miúdos de 9 anos entram a correr vindos do jardim e sobem as escadas. — Livvy, lá para cima não, por favor. Está mais gente à porta.

Se não estivesse sem fôlego de soprar balões e não tivesse vinte sacos de festa ainda por encher, iria ela própria à porta. Mas, como sempre, julgara ter tempo de sobra, só se apercebendo de que faltava menos de meia hora quando Olivia entrou a dançar no seu quarto com o seu vestido da *Elsa.*

— Merda — diz alto e bom som. — Nathan, podes trazer a limonada da garagem e encontrar algum sítio para pendurar a *piñata?*

— Já estou a fazê-lo.

— A avó está aqui! — guincha Olivia da entrada.

Alice sente-se instantaneamente mais calma, agora que chegaram reforços. — Na cozinha, mãe — grita.

Miúdos aos berros passam num redemoinho por ela, seguidos de Linda, que ergue as sobrancelhas como que a dizer, *Estás maluca?*

— Eu sei, eu sei — diz Alice. — Simplesmente pareceu boa ideia na altura.

— Certo, por onde queres que comece? — pergunta Linda à sua típica maneira descomplicada.

— Mamã, podemos ir para a *piñata?* — grita Olivia da estufa.

— Não, ainda não, Livvy, ainda tens um ou dois amigos que não chegaram. Mãe, pode só pôr os folhados de salsicha no forno? — pede Alice a Linda, sentindo a franja colar-se-lhe à testa. — E umas quantas taças de salgadinhos na mesa? Dar-lhes-á algo para petiscarem.

— Olá, Linda — diz Nathan vindo da divisão contígua, inclinando-se para a beijar na cara. — Está bem?

Alice observa a mãe a sorrir e a emitir os sons certos, mas parece forçado. Como se estivesse a lidar com um chato qualquer ao telefone a quem gostaria de dizer para desamparar a loja, mas sentindo-se obrigada a continuar a ouvi-lo, pelo menos até chegar ao fim do seu discurso. *Sentir-se-á ela «obrigada» a falar com o Nathan?*, pergunta-se Alice. *Terá sido sempre assim?*

— Estou ótima — diz. — Como vão as coisas consigo? — Mas já lhe virou costas para pôr um tabuleiro no forno.

— Finalizamos o contrato com o Japão amanhã — diz ele, indo por trás de Alice e envolvendo-a com os braços. — Deveria estar muito orgulhosa da sua filha. Vai ser uma magnata do imobiliário internacional.

Linda ri-se, mas Alice está certa do azedume subjacente. — Eu estou sempre orgulhosa da minha filha, Nathan. Então está tudo a ir para a frente? — Dirige a pergunta a Alice.

— Humm, às quatro horas de amanhã. Não me consigo decidir se me sinto agoniada de medo ou de excitação.

— É um grande compromisso — diz Linda. — Muita coisa nos teus ombros.

— Eu cá estarei ao seu lado — diz Nathan.

Alice ignora-o com um encolher de ombros e um silêncio tenso paira no ar, apenas quebrado quando Olivia irrompe da estufa, a chorar.

— Vejam o que a Phoebe me fez — queixa-se, estendendo o braço.

Alice lança a Nathan um olhar que diz, *Se aquela cabra da miúda fez a minha filha chorar na sua própria festa de anos, eu mato-a.*

Ele olha-a fulgurante de volta, dizendo silenciosamente, *Okay, acalma-te, eu trato disto.*

— Olha, aqui. Arranhou-me. Au — grita Olivia, embora lágrimas verdadeiras não se tenham materializado ainda. Alice faz-lhe uma festa no braço e dá-lhe um beijo mágico.

— *Okay*, meninas, podemos por favor ser simpáticas umas com as outras? — diz Nathan, indo até à estufa e fazendo o mar de poliéster azul flutuar e rodopiar à sua frente para o jardim. — Se continuas às piruetas, Phoebe, vais vomitar.

Alice espera que vomite, mas não no chão de madeira polida.

— É aquela a menina que julgas andar a maltratar a Olivia? — pergunta Linda, enquanto as duas miúdas entrelaçam os mindinhos e fazem votos de ser amigas de novo.

Alice revira os olhos. — Honestamente, não sei o que se passa. Num minuto atiram-se à garganta uma da outra e no minuto seguinte estão a fazer as pazes de novo. Mas não me lembro de lhe ter contado.

— Não contaste — diz Linda. — Falei com a Beth enquanto estiveste fora.

Alice sente um baque no estômago ao ouvir esse nome, sabendo que ela irá chegar a qualquer instante.

— Bem, acredite ou não, agora sugerem que por acaso a má é a Livvy — diz Alice.

Linda cruza os braços e assume uma pose territorial, qual mãe-galinha eriçando as penas, pronta para a batalha. Alice não consegue deixar de rir. — Ela pode não ser o anjo que a mãe acha que é.

— Um disparate completo — diz Linda. — E eu desafio quem quer que seja que diga o contrário.

A campainha da porta soa e Alice sente-se imediatamente sem ar. — Mãe, importa-se? — diz, espetando a cabeça na direção da porta da frente.

Apesar de Beth insistir que tem de sair, Alice pode ouvir a mãe insistir, ainda mais alto, que ela tem de entrar. O coração cai-lhe aos pés e emborca a maior golada de vinho que consegue quando ouve Millie atravessar o *hall*, dizendo: — Entra só por um bocadinho, mamã, e depois podes ir.

— Oi — diz Beth, parecendo literalmente de pé atrás.

— Olá — responde Alice, contida.

Com as pessoas que importam para ela todas num lugar, a magnitude do segredo que partilham pesa-lhe com força nos ombros. Não está preparada para que ele seja revelado, aqui e agora, e lança a Beth um olhar de aviso, no qual, se a sua amiga de longa data a conhece verdadeiramente, não deixará de reparar.

— Bem-vinda ao caos e à barafunda — diz Linda calorosamente, totalmente alheia à tensão palpável entre as outras duas mulheres. — O que posso arranjar-lhe para beber? E Millie, querida, o que te apetece?

Alice olha para a mãe, o ar sustendo-se-lhe na garganta. O que diria ela se soubesse que a menina a quem oferece a taça de salgadinhos é meia-irmã de Sophia? E ficaria Nathan secretamente agradado se soubesse que Tom tombara do seu pedestal de forma tão espetacular?

Mas tu também és capaz de não ser assim tão inocente, diz para ele em silêncio, ainda não certa quanto a acreditar na sua história em relação ao número desconhecido. Quer acreditar, mas sabe que se o fizer corre o perigo de ser tão ingénua como Beth foi ao confiar em Tom. A admissão de que ingenuidade pode bem ser *tudo* de que Beth é culpada sobressalta-a.

Alice não pode deixar de olhar para ela, como que vendo-a como deve ser pela primeira vez desde a sua revelação. Há uma vulnerabilidade muito real nos seus olhos. Uma dor não diferente da sua. O resultado de ambas terem visto as vidas que julgavam ter serem-lhes arrebatadas debaixo dos pés.

Não é culpa de Beth que Tom tenha feito o que fez. Como haveria ela de saber que ele era casado, com uma filha? Alice também não vira esse lado mentiroso e ambíguo de Tom, ou talvez tivesse visto, só que não tivera consciência disso na altura. Mesmo agora, que teve tempo para digeri-lo, ainda não consegue crer que ele a traiu, as traiu às *duas,* fazendo delas parvas. Foram ambas vítimas, que podiam fazer pior do que apoiar-se uma à outra através desta inimaginável provação.

— Vai lá, Millie, vai juntar-te aos teus amigos. Eu fico aqui com os crescidos — encoraja Beth.

E tão-pouco é culpa dela, pensa Alice, avançando e dando a mão a Millie.

— Vamos ver o que é aquele barulho todo? — diz para a miudinha vestida como a *Anna* da Disney. Millie assente entusiasticamente e acena um rápido adeus para a mãe.

Alice conduz Millie lá para fora para o jardim, onde Nathan luta para vendar um rapaz que está vestido como um *Jack Sparrow* em miniatura. Abstém-se de dizer que talvez fosse mais fácil puxar-lhe simplesmente a bandana para cima dos olhos. Antes sequer de terem contado até três, o rapaz está a bater no colorido burro suspenso de uma árvore como se estivesse a abrir caminho através de uma densa selva com um machete.

— Uau, força aí, capitão — diz Nathan. — Ei, Millie, queres experimentar daqui a um minuto? Se fores tão boa nisto como és no *Minecraft* o burro não tem hipótese.

Alice olha, maravilhada, com o à-vontade dele com os miúdos. Não só com as suas, mas com todos os outros também. Apesar de tudo, ela jamais poderia mostrar gratidão bastante pela forma como ele assumiu Sophia, sem problemas. Por adotar uma criança que nunca foi sua até ele a fazer sentir como se fosse.

Alice volta para a cozinha e enche o copo de vinho, tomando um copioso gole antes de se virar para Beth.

— Podemos trocar uma palavra? — diz, assentindo com a cabeça na direção da sala da frente, longe do barulho.

Beth força um sorriso e segue Alice. As duas mulheres entram na sala de estar e Alice fecha devagarinho a porta atrás delas, ganhando tempo, sem saber por onde começar.

— Escuta — diz, torcendo as mãos. — Estou a achar tudo isto realmente difícil de levar. Atingiu-me como um foguete e não posso negar que estou a ter dificuldade para processar tudo e o que significa.

Beth assente, os lábios firmemente comprimidos, como se fossem a única coisa que a impede de berrar.

— Estou devastada com a traição do Tom — diz Alice, refreando-se para não contar o que viu no Facebook. Precisa de lidar com isso por si própria, antes de envolver mais alguém, já que só servirá para complicar as coisas. — Mas tudo resolverei a meu tempo — continua — e à minha maneira, tal como estou certa de que tu farás.

Beth assente.

— E por mais que esta recente informação me magoe, é a constatação de ter perdido a nossa amizade que mais me dói.

— Não tens de… — começa Beth.

— Não, por favor — diz Alice, erguendo uma mão. — Deixa-me acabar. Tudo em que pensei é como isto me afeta e à Sophia, sem pensar por um segundo que fosse em ti e na Millie. Peço desculpa por isso; foi egoísta e errado. Não posso sequer imaginar como é que esta notícia te afetou, e pelo papel que tive em torná-lo mais duro ainda peço verdadeiras desculpas.

Os olhos de Beth arregalam-se à admissão de Alice.

— Não me apercebera de quanto a tua amizade significava para mim até deixares de estar lá — continua Alice. — Apenas nos conhecemos há, o quê, dois anos?

Beth assente. — Quase três.

— Mas contudo parece-me toda uma vida — diz Alice. — Nem

sempre achei fácil fazer amizades e, como sabes, não sou a mãe mais sociável do recreio.

— Nunca te vi andar tão depressa como quando lá deixas a Livvy — diz Beth com um pequeno sorriso.

— Exatamente! — diz Alice. — Portanto não me é fácil ter amigas, mas tu… — Sente as lágrimas assomarem-lhe aos olhos. — Tu e eu parecemos espíritos afins, e se permitirmos que a nossa amizade sofra devido ao caráter ambíguo de uma terceira pessoa, então ninguém ganha neste triste estado de coisas. Perdi o Tom uma vez, e agora sinto como se o tivesse perdido de novo. Acho que não aguento perder-te também a ti.

— Lamento tanto — diz Beth, de rosto desfigurado. — Se eu tivesse sabido que estava em vias de lançar uma bomba na tua vida…

As duas mulheres aproximam-se uma da outra, constrangidas, até que Alice abre os braços e puxa Beth contra ela. — O que é que se diz? — ri-se Alice, ranhosa. — Jamais se deve deixar um homem meter-se entre duas amigas.

— Qualquer coisa assim — funga Beth. — Então, está tudo bem entre nós?

— Tudo bem entre nós — responde Alice, reconhecendo quão diferente se sente por ter Beth de novo a seu lado. — Doravante podemos delinear um plano juntas.

— Está tudo bem com o Nathan agora? — pergunta Beth quando se dirigem de volta para a cozinha.

— Vai estar — diz Alice, subitamente confiante.

40

— **P**ensei que aquele burro fosse capaz de aguentar mais pancada — brinca Nathan ao voltar para a cozinha, com os braços tão cheios de destroços de *piñata* que nem vê o caminho. Cambaleia às cegas para o caixote do lixo. — Estava à espera pelo menos de meia hora de entretenimento com isto. O que se segue, mamã? — Solta um exagerado suspiro levantando um copo da bancada e dando uma golada de vinho tinto. — Deus, esta treta de entreter miúdos é trabalho duro… Mal estão a fazer uma coisa já querem saber o que vem a seguir…

— Nate — interrompe Alice, sentindo-se infinitamente mais forte. — Esta é a Beth.

— Ah, a famosa Beth — diz ele, baixando os olhos para enxugar as mãos com um pano da loiça. — Já começava a pensar que era um produto da imaginação da Alice, ou um jogador de râguebi musculado com quem ela andasse a sair à socapa.

Levanta os olhos, a postos com um dos seus rasgados sorrisos capazes de seduzir até o mais indesejável dos convidados. — Prazer em finalmente conhecê… — O resto da sua frase fica por dizer quando o copo lhe voa da mão e cai sobre a bancada, desfazendo-se em mil pedacinhos.

— Argh! — berra Alice, desviando-se do míssil com um salto para trás.

— Oh, meu Deus — exclama Linda. Tem a saia branca toda salpicada de líquido encarnado, mas os seus olhos estão no bolo de anos de Olivia, pousado na bancada com nove velas, ensopado de vinho tinto e marcado com estilhaços.

Apenas Beth e Nathan não emitem qualquer som, aparentemente petrificados no tempo, como se alguém tivesse carregado nos respetivos botões de pausa.

— *Okay*, longe daqui miúdos — diz Alice, estendendo o braço através da porta da estufa, por onde vários pares de olhos espreitam para ver o que aconteceu.

— Mas olha só para o meu bolo — guincha Olivia. — O *Olaf* está todo encarnado.

A cor foi-se do rosto de Nathan — a sua expressão suspensa de incredulidade enquanto à sua volta reina o caos.

— M-mas como? — consegue ele balbuciar em pouco mais que um sussurro.

Um calor sufocante abate-se sobre Alice ao olhar para Nathan, para Beth, e de volta. — Como o *quê?* O que diabo se passa, Nathan?

— Eu... hã, eu simplesmente... — titubeia ele.

— Estás bem? — pergunta Alice ao marido, enquanto Linda desenrola o papel de cozinha e começa a ensopar o líquido acumulado.

Nathan olha para Beth, os olhos piscando-lhe rapidamente. — O quê? Hã, sim... sim, estou ótimo.

— O que se passa? — Alice não pode deixar de reparar na alteração na atmosfera, como se alguém tivesse entrado e ligado quinhentos amperes numa tomada. Esse alguém parece ter sido Beth.

Alice olha para ela, mas ela limita-se a encolher os ombros e sorrir.

— Nathan?

— Credo, não sei o que me deu — diz ele, passando uma mão pelo cabelo e tentando rir. — Você é igual a uma pessoa que conheci e por um momento pensei que tivesse ressuscitado dos mortos. Apanhei o susto da minha vida.

Beth sorri docemente. — Oh, posso assegurar-lhe que não morri. A não ser, é claro, que esteja num qualquer universo paralelo, a viver outra vida, e tenha regressado para assombrá-lo.

Nathan ri-se, constrangido. — Sim... sim, pode ser.

Enquanto Alice e Linda limpam o pandemónio, Nathan e Beth ficam pregados no lugar.

A sensação de mal-estar de Alice recusa-se a ceder. A expressão no rosto de Nathan fora coisa que ela jamais vira, como se ele realmente *tivesse* visto um fantasma. Contudo, Beth é a epítome da calma, como se tivesse tudo sob controlo.

Alice conhece o pensamento que está a tentar tão desesperadamente evitar que se lhe infiltre na mente. Não pode ser. Não é possível. Contentar-se-á com qualquer outra explicação que não *essa*, pois se der *àquilo* espaço para respirar, sugar-lhe-á todo o ar a ela.

— Vou só mudar de roupa — diz Nathan. — É melhor também ir ver se consigo arranjar outro bolo para a Livvy. — Salta sobre a poça no chão, que Linda está de gatas a limpar.

— O que *o* deixou neste estado? — pergunta ela.

Alice olha para Beth, na esperança de uma resposta, mas ela limita-se a sorrir e a dizer: — Pronto, Linda, deixe-me ajudar.

— Desculpem-me só por um segundo — diz Alice seguindo Nathan escada acima.

— Raios! — diz ele, olhando no espelho do quarto para as suas calças caqui todas salpicadas. — Não me parece que *isto* vá desaparecer.

— Vais contar-me o que foi aquilo, afinal? — pergunta Alice, tentando permanecer calma, enquanto debaixo de água as suas pernas esperneiam furiosamente para se manter à tona.

Ele acende um sorriso Pepsodent. — A sério, nada. Aquela mulher, a tua amiga...

— O nome dela é Beth — sibila Alice. — Porque o achas tão difícil de dizer?

— A Beth — diz ele, lenta e deliberadamente — é igualzinha a uma rapariga que conheci.

— Uma ex-namorada? — insiste Alice.

A cabeça de Nathan cai. — Sim, por acaso era. De quando tinha vinte e poucos anos.

— Então o que aconteceu?

— Estivemos juntos uns meses, passámos um bom bocado, mas então... — Falta-lhe a voz.

Alice aguarda. Não vai ajudá-lo.

— Então acabámos, e cerca de um ano mais tarde ouvi dizer que ela tinha morrido num acidente de carro. — Levanta os olhos imploradores para Alice, mas ela nada sente.

— Engraçado não o teres mencionado antes.

— Nunca se proporcionou — afirma ele. — A mulher lá em baixo parece-se tanto com ela... é tudo.

— Beth — diz Alice, com voz esganiçada.

— Sim, Beth — repete ele. — Pregou-me um susto e tanto.

— A ponto de te fazer deixar cair o copo que tinhas na mão?

— Bem, sim.

Alice observa enquanto ele despe as calças e tira outro par do seu guarda-roupa imaculadamente organizado.

— Então, tu e a Beth não se conhecem? — Alice não pode crer que esteja a seguir esta linha de interrogatório. Que possa honestamente pensar que o seu segundo marido esteja igualmente a ter um caso com a sua melhor amiga. Pois é nisso que ela está a pensar, se simplesmente se permitir admiti-lo.

— O quê? Não, claro que não.

— Nunca a viste na vida?

— Bem, não sei, pode ser. Se ela tiver estado na escola quando lá fui... não sei.

— É melhor ires arranjar um novo bolo de anos para a tua filha — diz Alice, de olhos semicerrados.

— Sim — diz ele, erguendo as sobrancelhas e tentando rir. — A sério, não dava para inventar, dava?

Não, Nathan, não dava, pensa Alice.

41

— O*kay*, então estamos todos aqui? — pergunta Alice, comandando a atenção da equipa reunida no seu gabinete na manhã seguinte.

Assentem todos em uníssono.

— Como sabem, finalizamos o contrato com o Japão esta tarde, de modo que as coisas por aqui vão ficar bastante agitadas durante as próximas semanas, e só quero confirmar se estão todos a bordo e a postos.

Concordâncias balbuciadas repercutem-se através do gabinete e Lottie deixa escapar um guinchinho de excitação e logo tapa a boca, como se tivesse sido totalmente involuntário. Alice sorri, agradecida pelo humor que isso injeta em procedimentos de contrário tensos.

— Bem podes ficar excitada, Lottie, porque tu e eu vamos viajar para o Japão no fim da semana que vem para vermos o terreno.

Alice olha divertida para a boca de Lottie a abrir-se de espanto.

— Quando… quando é que isso foi decidido? — gagueja Nathan.

Mais ou menos ao mesmo tempo que decidi assumir o controlo da minha vida, pensa Alice. Coisa que, se aventasse um cálculo, terá tido lugar algures entre as seis e as sete horas da noite passada. Por volta da hora em que Beth lhe dera um beijo na cara e sussurrara: — Nunca mais deixemos um homem meter-se entre nós.

Depois de Nathan ter ido para a cama cedo com uma enxaqueca, aparentemente provocada pela festa, Alice servira-se de um grande copo de vinho tinto e sentara-se à mesa da sala de jantar, com as luzes quase apagadas. Imaginara-se ali sentada durante horas, enquanto o seu cérebro tentava freneticamente processar o que se estava a passar. Mas enquanto esperava que os normais pensamentos irracionais começassem a fazer pouco dela, a sua mente pusera-se perfeitamente calma. Subitamente, os charcos lamacentos foram substituídos por poças límpidas como cristal onde ela podia ver o seu reflexo, parecendo a pessoa que ela queria ser. Feliz e satisfeita, sem os artificiais sustentáculos do álcool e dos antidepressivos.

Ela fora essa pessoa em tempos, quando a vida era mais simples, antes de permitir que os homens lhe toldassem o julgamento e ditassem o caminho. Bem, acabara-se. Não iria permitir que os homens que amava, e que achava terem-na amado também, definissem quem ela era e o que podia ser. Isto era a *sua* vida e ela ia agarrá-la pelos cornos e ter mão nela.

Pegara no copo cheio e despejara-o no lava-louça, mesmerizada pelos redemoinhos de escuro borgonha à medida que a água levava consigo o que se tornara a sua pedra angular. Surpreendida com o poder que irrompera dentro dela ao fazê-lo, abriu sistematicamente as seis garrafas que restavam, algumas das quais apenas compradas nesse dia, e esvaziara-as.

Quando subira para a cama, os seus comprimidos, que a faziam dormir apenas um bocadinho melhor e lhe suavizavam as arestas da paranoia, chamaram-na de onde ela os escondera, atrás do gel de banho de espuma que ela nunca usava, no armário dos remédios. Permitiu que a aliciassem um tempinho mais enquanto alternava entre olhar para eles, a achar que precisava deles, e olhar para si própria no espelho sabendo que não precisava.

Atribui essas duas decisões ao controlo que sente esta manhã, e a equipa parece insuflada por este novo sentido de confiança e autoridade. Todos, ao que parece, à parte Nathan, que continua ali sentado numa névoa de confusão.

— Vou igualmente organizar algumas reuniões com casas de tecidos e fabricantes de mobiliário — continua Alice. — A ver se conseguimos fazer alguns novos contactos, estabelecer novas relações. Vamos precisar de gente a jeito quando começarmos.

— Oh, meu Deus, estou *tão* pronta para isto — diz Lottie, sorrindo de orelha a orelha.

Alice retribui o seu sorriso. — *Okay*, vamos trabalhar.

A equipa reúne as suas coisas e volta para as secretárias. Só Nathan permanece, coisa que não deixa Alice remotamente admirada.

— Desde quando é que tomas decisões executivas como estas sem me consultares?

Alice não levanta os olhos do ecrã do computador. — Desde que me lembrei de que esta empresa é *minha*.

— E o que supostamente significa isso? — pergunta ele, postando-se diante dela com as mãos enterradas nos bolsos das calças. — Vamos de novo martelar no Tom? O filho pródigo que tão abnegadamente pôs a sua herança na criação da AT Designs?

Alice olha para ele com um sorriso, imune à farpa. Ele agora pode dizer o que quiser a respeito de Tom — ela não se rala. Mas não deixará que se insinue que, sem ele, ela não estaria onde está hoje. Pela primeira vez permite-se interrogar-se se não teria ido ainda mais longe sem os homens da sua vida, ambos aparentemente decididos a refreá-la.

— O Tom pode ter posto o dinheiro para arrancar — diz Alice calmamente —, mas eu tenho-me fartado de trabalhar para fazer esta empresa chegar onde está hoje. Não teríamos a casa, os carros... nem mesmo os sapatos caros que tens calçados, se não fosse eu. Ninguém pôs mais na AT Designs do que eu. E se isso te ameaça, Nathan, então sugiro que comeces a pensar no que mais gostarias de fazer.

Alice julga ver um lampejo de acrimónia obscurecer-lhe as feições, mas a sua expressão rapidamente se altera para uma de perplexidade, que a exaspera ainda mais.

— Vou buscar uma sanduíche — diz ele.

— Vai, sim — diz Alice.

Mal as suas costas se viram, ela deixa escapar o ar que susteve para se encher de forças. Essas golfadas de ar que nos dão confiança suplementar e impedem os nervos de bulir, pelo menos suficientemente alto para mais alguém ouvir.

Ela observa-o a desaparecer de vista, pega no telemóvel e procura o número de Liz, a sua antiga advogada. A que tratou da herança de Tom e que a aconselhou a fazer um acordo pré-nupcial antes de se casar com Nathan.

— Alice, como está? — pergunta Liz calorosamente. A sua voz leva imediatamente Alice para aqueles dias negros após a morte de Tom. Se tivesse sido há um mês, ter-se-ia deixado transportar para esse tempo, chafurdar na lama, mas não hoje.

— Estou bem — diz. — E a Liz?

— Cheia de trabalho, mas quando não o estamos? — Solta uma pequena risada. — Como vão as coisas consigo? Já passou algum tempo. Quanto? Seis anos?

— Por aí, sim.

— E como estão a Sophia e a pequena Olivia? — Alice sente-se tocada por ela se lembrar dos nomes das suas filhas. — Já não tão pequena assim, aposto.

— A Livvy está com 9 com maturidade de 24, e a Sophia é tudo o que se espera de uma rapariga de 15 anos — diz Alice. Nem morta se consegue lembrar dos nomes dos filhos de Liz e sente-se instantaneamente desapontada consigo mesma. — Lamento incomodá-la, mas preciso de uns conselhos, se não se importar.

— Claro.

— Deve estar lembrada de que eu ia casar com o Nathan quando falámos pela última vez. Procurava alguns conselhos quanto a um acordo pré-nupcial.

Alice está certa de ouvir a desaprovação no «Humm» de Liz.

— Estamos a atravessar um momento atribulado — continua Alice. — É apenas uma consulta provisória de momento, mas gostaria de ter uma ideia da minha situação financeira, caso nos separemos e divorciemos.

Alice pode ouvir Liz a remexer em papéis na secretária e visualiza-a sentada numa cadeira de couro castanho-avermelhado num escritório mobilado de mogno. — Lamento ouvi-lo — diz ela, compassiva, e Alice tem de recorrer a toda a sua determinação para não chorar. Talvez não seja tão dura como pretende ser. — Bem, se me lembro corretamente, decidiu não ir para a frente com o acordo pré-nupcial.

— Não, é verdade — confirma Alice, e quase pode ouvir Liz dizer silenciosamente, *Rapariga pateta.* — Não era coisa que qualquer um de nós quisesse fazer — continua, tentando justificar cada má decisão que tomou nessa época.

— Então, que bens possui? — pergunta Liz. — Só uma ideia geral.

Alice enuncia tudo o mais rapidamente que pode. — Bem, não tenho números concretos, mas a casa está em meu nome e vale cerca de dois milhões. A AT Designs dá lucro e tem dinheiro no banco, mas recentemente pedi um empréstimo de um milhão de libras para comprar um terreno no Japão. Vamos construir vinte e oito apartamentos junto ao recinto olímpico.

— Uau, isso soa interessante — diz Liz, mas Alice está certa de ouvir incredulidade na sua voz. — E o negócio é exclusivamente em seu nome?

— Sim.

— Então, pode recordar-me o que trouxe Nathan para o casamento?

Alice permanece calada, tentando encontrar algo digno de ser referido, mas pressentindo a resposta desfavorável, Liz poupa-lhe o sofrimento.

— *Okay*, então apesar de Nathan aparecer sem nada além da camisa que trazia vestida, pode ainda assim clamar parte da sua fortuna se se separarem.

Alice encolhe-se à brutal escolha de palavras da advogada. — Então o quadro não parece bom para mim, certo?

— Teria sido sensato assegurar um bocadinho o seu futuro — diz Liz —, enquanto ainda tinha hipóteses. Mas estavam apaixonados e por vezes o amor é cego.

Alice não pode deixar de reparar no facto de ela usar a palavra «estavam». *Significa isso que não o estamos já?*, interroga-se. *Calculo que seja por isso que lhe estou a ligar.*

— Mas eu posso fazer um esboço para lhe dar mais detalhes, caso chegue a isso — continua Liz. Neste preciso momento, Alice não consegue ver qualquer hipótese de que não chegue.

— Obrigada — diz. — Mas antes de desligar... Quanto ao Japão: o Nathan é que se tem ocupado até agora, em geral, com a finalização comercial da transação. Já pagámos... já paguei cem mil pelo contrato de promessa, e vou finalizar esta tarde. Sei que estou a pedir muito, Liz, mas haverá maneira de poder dar uma rápida olhada ao contrato, só para, sabe...

— Presumo que um advogado de transferências de propriedade o tenha lido já? — pergunta Liz.

— Bem, sim — diz Alice. — O meu advogado está sediado no Japão e parece satisfeito, mas, tal como disse, o Nathan é que tem tratado desse lado das coisas. Simplesmente agradecia que mo verificasse, especialmente se doravante vou ficar por minha conta.

— Não se está a dar lá muito tempo — comenta Liz. — E eu não posso dizer que seja perita em leis de propriedade internacional, mas se mo mandar já dar-lhe-ei uma rápida vista de olhos.

— Obrigada, Liz, não deixe de me dizer quanto lhe devo.

— Se estiver tudo certinho não me deverá levar muito tempo. Tem sorte ter-me apanhado no escritório. Qualquer outro dia desta semana, e estaria em tribunal.

— Obrigada, Liz, fico-lhe muito grata.

Alice pousa o telefone no preciso momento em que Lottie passa pelo seu gabinete.

— Lottie, importas-te de pedir ao Matt uma cópia do contrato do Japão? — diz, com a displicência que consegue.

— Sim, claro — diz ela com ligeireza.

Uns minutos mais tarde, Matt espreita pela porta do gabinete de Alice. — Ouvi dizer que procurava o contrato do Japão — diz. — Creio que o Nathan o pôs no cofre, fechado a sete chaves.

— Que bom eu ter uma chave, então. — Alice sorri ao levar a mão à gaveta da secretária e atirar a Matt um molho de chaves. — Importa-se?

Quando ele traz o contrato, fecha a porta atrás de si.

— Posso dar-lhe uma palavra?

— Claro — diz Alice, sabendo que não é costume dele pedir-lho. — O que se passa?

— O cartão de crédito da empresa tem sofrido uns bons rombos recentemente.

A notícia não constitui surpresa para Alice.

— Tudo bem — diz. — Tenho-o usado em força com tecidos e mobiliário para a Belmont House. Houve coisas que precisámos de pagar adiantado.

— Bem, aí é que está o busílis — diz ele. — Eu sei em que pé estamos com a Belmont, mas já o projeto do Japão dá-me a sensação de que me está a escapar.

Alice olha para ele, de sobrancelhas unidas. — O que quer dizer?

— Já estão a ser gastas grandes somas, maioritariamente com uma empresa, e eu entendo que precisamos de ser um pouco orgânicos aqui, mas dava-me jeito um pequeno alerta de modo a poder preparar-me para seja o que for que nos espere ao virar da esquina.

— Deve haver algum engano — diz Alice. — Eu ainda não gastei dinheiro em nada lá. Talvez um par de contas de hotel e uma ou outra conta de advogado, mas é tudo.

Matt coça a cabeça. — Isso não teria ultrapassado o nosso limite de vinte mil.

— Vinte mil? — exclama Alice. — Não podemos de todo ter gastado tanto dinheiro.

— Gastámos, e a maior parte dele foi para uma empresa chamada Visions. Sabe quem são?

Alice abana a cabeça. — Falou com o Nathan?

Matt assente. — Mencionei-o quando o saldo atingiu as dez mil e um par de vezes desde então, mas ele disse que estava tudo bem e que os pagamentos eram todos contabilizados. Mas agora estamos no limite, não podemos ir a lado nenhum.

— Poderá o nosso cartão de crédito ter sido clonado ou algo do género? Parece decididamente ter havido uma brecha em qualquer lado. Pode verificá-lo?

— Claro. Apurarei o que se passa e reportarei de volta. — Esboça um sorriso contido e vira-se para sair do gabinete.

Ela folheia o contrato que ele lhe deixou, mas sem perceber linguagem jurídica, é puro chinês. Não consegue ver quaisquer anomalias, mas digitaliza uma cópia diretamente para Liz verificar.

Vou passar pelo banco, diz uma mensagem escrita de Nathan, e Alice dirige-se instintivamente à janela.

Então para que precisas tu do carro?, pergunta-se, ao vê-lo encaminhar-se apressadamente para ele, espreitando furtivamente à sua volta antes de deslizar para trás do volante.

42

Alice olha através do para-brisas enquanto Nathan escreve qualquer coisa no telemóvel. Uma sensação desconfortável sobe por ela, e por mais que tente afugentá-la simplesmente não se consegue livrar dela.

Quando ele sai de marcha-atrás do estacionamento, Alice agarra nas chaves e sai disparada pelas escadas abaixo. Quer saber, de uma vez por todas, que diabo anda ele a tramar.

Mantém a distância enquanto o carro dele avança através do tráfego do meio da manhã, rumando para fora da cidade.

Apenas percorreu uns três quilómetros quando abranda e faz sinal para a esquerda, para o parque de estacionamento do Holiday Inn. Contra sua vontade, Alice ainda quer que haja uma explicação perfeitamente razoável para o facto de ele ter saído do trabalho rumo a um hotel. Mas as evidências contra ele aumentam cada vez mais.

Alice estaciona num espaço algumas filas atrás de Nathan e espera que a chuva lhe obscureça a visão, da mesma forma que embaça a dela. Mantém os limpa-para-brisas ligados no máximo, e no entanto estes ainda se debatem para lhe proporcionar uma visão clara através do vidro.

Dez minutos passam lentamente, com Nathan ainda no carro. Alice desliga os limpa-para-brisas para tentar manter algum nível de discrição, o que torna ainda mais difícil vigiar as mulheres que avista: semicerrando os olhos através do para-brisas todo salpicado de chuva, à medida que elas entram ou saem dos carros, à espera de que uma delas se dirija para Nathan.

Um carro escuro faz marcha-atrás para o espaço ao lado do de Nathan, mas Alice não consegue ver a marca nem o modelo. Não parece importar, já que cinco minutos se passam sem movimentação. Alice está em vias de partir quando vê a porta do carro abrir-se e uma mulher sair. Um lampejo de cabelo escuro comprido, mas tudo acontece demasiado depressa, já que a mulher rapidamente entra para o lugar do passageiro do carro de Nathan.

Alice jaz petrificada no lugar, tomada de choque e raiva, lutando contra a avassaladora tentação de correr até lá e puxá-la para fora pelos cabelos. Tem ganas de matá-lo, e depois a ela, mas precisamente quando está prestes a dar ouvidos ao coração, a cabeça intervém e tenta assumir o controlo. *Respira*, diz-lhe ela. *Para e respira.*

Os dois órgãos vitais disputam o controlo, empurrando e puxando, numa batalha interna. Ela bate com as mãos no volante e grita, «Seu canalha mentiroso». Não que ela não lhe tivesse dado oportunidade de confessar, de pôr tudo às claras — e ele *mesmo assim* prevaricara.

Mas agora viu-o com os próprios olhos. Não tem sido a esposa paranoica e carente que Nathan a fez parecer. Tem estado certa o tempo todo, e a emoção prevalecente é de alívio. Alívio de não ter de continuar a tentar apanhá-lo. Alívio de que quando ele lhe mentir, ela saberá a verdade. E alívio de ter sido deixada à deriva no oceano, apenas com as duas filhas a seu lado.

Apenas há uns dias, o pensamento tê-la-ia matado. Mas sente-se diferente agora que já não está em dívida para com ninguém. Agora, tudo o que tem de fazer é esquivar-se dos obstáculos que a amarram a um casamento que não é o que ela pensava. A casa, a empresa e o Japão subitamente parecem superficiais, se comparados com a única verdadeira barreira para a qual se dirige a mais de cento e cinquenta quilómetros à hora: as filhas. Tem de fazer *tudo* em seu poder para forçar caminho através das complicações, animosidade e azedume que sem dúvida transbordarão deste derradeiro logro. Tem de permanecer forte e verdadeira para com as suas meninas nos seus esforços de protegê-las da consequente derrocada.

Nada mais há para ver aqui. Já nem sequer importa de quem se trata — não fará Alice ficar com um homem que antes quer estar com outra.

Mal engrena, a mulher sai do carro de Nathan, grita algo que Alice não capta completamente e bate com a porta. Um par de pessoas nas proximidades automaticamente olham na sua direção, mas, receosas de se envolverem, viram a cabeça e estugam o passo. Alice baixa o vidro da janela para ver mais claramente através da chuva, precisamente quando o carro de Nathan arranca a chiar, sem dúvida deixando borracha no asfalto. A mulher berra alguma coisa de novo e gesticula, mas o carro de Nathan continua a avançar, a toda a velocidade, para fora do parque de estacionamento.

Alice deseja ter-se ido embora uns segundos antes, antes de ter visto a mulher que lhe destruiu o casamento. Antes de saber quem ela era.

Com o coração a martelar dentro do peito, sai do carro e corre através do parque de estacionamento, levantando o casaco sobre a cabeça para se proteger da chuva fustigante. Não faz ideia do que irá dizer, molhando os lábios, desesperada por alguma humidade na boca seca.

A mulher ainda ali está especada, de costas viradas para Alice, de olhos fitos no carro de Nathan. Alice sente-se agoniada ao ver-se confrontada com o repulsivo logro.

— Beth! — grasna, odiando a sua voz por a deixar ficar mal.

Beth vira-se, com o cabelo molhado colado ao rosto. Alice não percebe se as gotas nas suas faces são lágrimas ou pingos de chuva. Ela vê Alice e fica instantaneamente paralisada. São necessários alguns segundos para o choque esmorecer, mas parecem minutos a Alice, cujos olhos não se despregam dos de Beth.

— Al-Alice — gagueja Beth, aparentemente incapaz de formular uma frase completa. Olha na direção em que o carro de Nathan seguiu, como se isso por algum passe de mágica lhe dissesse se Alice o viu ou não. — O-o que estás a fazer aqui?

— Não estou certa de ser eu que preciso de responder a essa pergunta — sibila Alice, com o olhar fixo.

— Não… não é o que tu pensas — gagueja Beth.

— Não posso sequer entender isto — grita Alice. — Como foste capaz? Como foste capaz de me fazer isto *outra vez*?

— Eu não tenho um caso com ele, Alice — diz Beth recompondo-se, subitamente parecendo mais controlada. — Percebeste isto tudo mal.

— Percebi? — respinga Alice. — Que outra explicação pode haver?

As duas mulheres fitam-se mutuamente através da chuva torrencial.

— Entra no carro — diz Beth por fim. — Temos de falar.

— Eu sabia! — grita Alice, castigando-se ao entrar para o lugar do passageiro do carro de Beth. — Eu percebi que algo não estava certo ontem... assim que o Nathan te viu. Foi tão óbvio, mas não quis acreditar... *recusei-me* a acreditar. Qualquer uma menos tu, Beth. Porquê? Porque me farias tu isto? Primeiro o Tom e agora o Nathan.

Beth vira-se para olhar para Alice. — Eu *não* ando a dormir com o Nathan.

Alice pega no telemóvel e marca o número da misteriosa mensagem escrita enviada para o seu marido. O rosto de Beth fica petrificado quando um retinir soa na sua mala no banco de trás. Alice abana a cabeça e leva a mão à pega da porta.

— Espera! — chama Beth, esticando-se para puxar a porta.

— Já ouvi tudo o que precisava de ouvir — diz Alice.

— Não ouviste metade — sibila Beth.

Alice, pressentindo uma mudança na atmosfera, cai resignadamente de volta no assento. — Estás apaixonada por ele? — pergunta.

— Já estive, sim — admite Beth. — Mas isso foi há uma data de tempo.

Alice vira-se, de olhos arregalados. — Há quanto tempo dura isto? — pergunta incredulamente.

— Anos — diz Beth. — Muito antes de *te* conhecer.

Alice sente o cérebro a ponto de explodir, incapaz de processar o que lhe está a dizer. Nem formular as palavras consegue, ainda que quisesse.

— Pareces surpreendida — diz Beth friamente.

— Isto... isto dura há este tempo todo e sabias que o Nathan era meu marido?

— Sim — diz Beth. — Mas, em minha defesa, isto começou muito antes de vocês dois estarem juntos. Eu conheci o Nathan antes de ti.

— O quê? — arqueja Alice. — Como é isso possível?

— Porque ele não é o *teu* Nathan — diz Beth calmamente. — Ele é o *meu* Thomas.

4 3

— Do que diabo estás tu a falar? — berra Alice, fervilhando de indignação.

— Bem, acontece que as coisas não são bem o que parecem — diz Beth num tom azedo. — Encontrei e apaixonei-me por um homem que conheci como Thomas Evans há cerca de dez anos.

Não obstante ter pensado que erigira uma barreira, para se imunizar contra a mágoa que o conhecimento provocava, Alice ainda sente uma dor trespassar-lhe o peito. Tem ganas de tapar os ouvidos ao que Beth está a dizer, mas contudo quer saber — *tem* de saber.

— Éramos realmente felizes — continua Beth. — Eu estava completamente apaixonada por ele e julgava que ficaríamos juntos para sempre. Mas então vi-o contigo...

— *Viste*-nos juntos? — diz Alice em pouco mais que um sussurro. — Então sabias quem eu era. Soubeste este tempo todo que eu era *mulher* do Tom.

— Bem, estás a ver, aí é que começa a ficar interessante.

Alice abana a cabeça entorpecida, já não escutando o que Beth diz. — Soubeste este tempo *todo* que eu era mulher do Tom. Ficaste sentada a deixar-me falar dele, abraçaste-me quando chorei por ele, o tempo todo sabendo que tiveste um caso com ele. Tiveste uma *filha* com ele. — Os seus ombros sofrem uma convulsão quando um soluço se lhe sustém na garganta. — Porque *farias* tu isso?

— Não foi assim — diz Beth, em voz mais suave. — O homem que eu conhecia como Thomas Evans deixou-me por ti.

Alice olha para ela com uma expressão confusa. — Mas isso não é possível. Eu era sua mulher... como pode isso ser?

— Porque o homem que eu julgava ser Thomas era na verdade o Nathan.

— Eu... eu não percebo. Não estás a fazer qualquer sentido.

— Não fez qualquer sentido para mim tão-pouco... pelo menos a princípio. Mas lembras-te de Nathan te levar à Albany Avenue, em Guildford?

— Quando? — pergunta Alice, incapaz de se lembrar de alguma vez ter ido a Guildford, quanto mais do nome da rua.

— Há cerca de dez anos. Esperaste no carro. Ele tinha um *Audi* prateado na altura... à porta de uma casa... da *minha* casa.

Lentamente a recordação começa a ganhar forma, mas muito vaga. — Ele não se mudou de lá para Battersea? — cisma Alice, a sua voz soando tão turva como a reminiscência. — Acho que ele foi buscar as últimas coisas que faltavam enquanto eu esperava cá fora.

— Essa casa era minha — diz Beth.

— Não — diz Alice, mais confiante. — Ele partilhava a casa com um tipo que era técnico de elevadores ou coisa que o valha... Lembro-me agora... Ben ou Blake, era o seu nome... começava definitivamente por B.

— Tens razão... Beth. Era a minha casa, e foi nesse dia que o Nathan me deixou por ti.

Alice abana veementemente a cabeça.

— Vá lá, Alice, tu *viste*-me, eu sei que viste. Olhaste em cheio para mim quando passaram de carro. Devias saber o que fazias, ou no mínimo dos mínimos saber o que *ele* fazia. Ele falou-te de mim? Congeminaram o plano juntos? Resultou lindamente para ti, não foi?

— Honestamente, não sei do que estás a falar. Nunca te tinha visto antes de apareceres na escola com a Millie.

Beth deixa escapar um bufar de incredulidade. — Quando o Nathan e eu nos conhecemos, ele disse-me que era negociante de vinhos. Disse-me também que a mãe estava num lar com demência, fez-me crer que eu tinha sido assaltada e até raptou o meu cão, antes de mo «resgatar».

— Porque faria ele isso?

Beth encolhe os ombros. — Pelo dinheiro, a curto prazo... Roubou algumas joias e bens pessoais que podem ter rendido algumas centenas de libras, conquanto o seu valor sentimental fosse muito mais elevado. E eu paguei um resgate, à falta de melhor palavra, para ter o meu cão de volta, que lhe deve ter ido diretamente para o bolso.

Alice olha para ela, aturdida.

— Mas o Nathan gosta de jogar a longo prazo, de modo que ao criar essas situações de aflição, não só ganhou financeiramente com elas, como mereceu a minha confiança... fez-me crer que era o meu salvador.

Alice lembra-se de Nathan fazê-la sentir exatamente a mesma coisa. *Um lobo com pele de cordeiro.*

— E, na altura certa, atacou — diz Beth com lágrimas nos olhos. — Quando soube que tinha a minha confiança... quando soube que eu me sentia segura... roubou cento e cinquenta mil libras do dinheiro da minha família.

Os olhos de Alice arregalam-se, sem pestanejar, ao fitar Beth.

— Mas porque haveria o Nathan de precisar do teu dinheiro? Ele tinha mais de sobra quando o conheci.

— Ele não tinha onde cair morto — diz Beth causticamente. — Tudo com o que foi para ti era nosso... levou cada centavo da minha mãe, e vocês dois divertiram-se à grande a gastá-lo. Aposto que nem conseguiste crer na tua sorte, pois não? Mas enquanto vocês viviam à grande, a minha mãe morria lentamente de embaraço e vergonha.

O sangue de Alice gela-lhe nas veias.

— Partiu-lhe o coração e levou-lhe a alma. Era tudo pelo que ela e o meu pai tinham trabalhado, e sem isso ela não conseguiu continuar a viver na casa que estimava, a casa que tinha partilhado com o meu pai. — O rosto de Beth desfigura-se quando as lágrimas surgem. — E eu permiti que ele o fizesse.

Uma parte de Alice deseja estender os braços para a sua velha amiga, mas detém-se — com a confiança que outrora partilhavam desfeita.

— Então ela vendeu a casa, e menos de duas semanas depois morreu a dormir, o seu orgulho incapaz de sobreviver à mudança. — Beth assoa o nariz a um lenço de papel.

— Lamento, mas... — começa Alice, interrogando-se como é que seja o que for de tudo isto tem algo que ver com ela, mas Beth interrompe-a.

— Ela nunca mais falou comigo depois do que aconteceu. E, acima de tudo o mais, ele jamais terá o meu perdão por isso. — Olha para Alice. — Então, o que fizeram vocês com o nosso dinheiro todo? Ele pagou a casa? Enterrou tudo na AT Designs? Ou passaram os dois apenas um bom tempo a gastá-lo? Seja como for, não se saíram lá muito mal com o fruto do trabalho de toda a vida da minha família, pois não?

— Acho que te enganaste no homem — diz Alice. — E certamente enganaste-te na mulher. Eu estava mais que capaz de andar pelos meus próprios pés financeiramente, quando conheci o Nathan, se não emocionalmente. O Tom recebeu uma herança significativa após a morte dos pais, que foi em grande parte aplicada na empresa, que por sua vez pagou a hipoteca. Eu era totalmente autossuficiente quando conheci o Nathan. Não recebi nada dele, nem ele ofereceu. A casa é minha, a empresa é minha, o terreno no Japão será meu.

— Estás então a dizer-me que ele nada trouxe para este casamento, nada de qualquer valor financeiro?

Alice abana a cabeça. — Nem um centavo, e no entanto agora é-me dito que ele tem direito a metade de tudo o que tenho.

— Falaste com um advogado? — pergunta Beth admirada.

— Sim, hoje — admite Alice. — Pedi alguns conselhos quanto à minha situação se nos separarmos. Há algum tempo que algo não está bem, mas ao ver ontem a reação dele perante ti, na festa da Olivia, percebi-o definitivamente. Acho que o deves ter mesmo apanhado de surpresa.

Beth sorri retorcidamente. — Não devia estar nada à minha espera, isso é certo.

— Agora percebo porque estavas sempre a evitá-lo — diz Alice. — Não tinha pensado nisso antes, mas na noite passada lembrei-me de todas as vezes que podiam ter dado de caras um com o outro, mas a cada vez de alguma forma safavas-te disso. Devem-se ter sentido ambos como se estivessem sentados numa bomba-relógio, a arranjar maneiras de se evitarem um ao outro sempre que eu estava presente. Mas ontem tomaste conscientemente a decisão de fazer o que fizeste. Porquê agora, Beth?

— Não percebes, pois não? — diz Beth. — Aquele dia, quando vos vi aos dois à porta de minha casa em Guildford, foi igualmente o último dia em que o vi… até ontem.

Alice não consegue respirar. — O quê?

— Ele desapareceu da face da Terra e só uns bons anos depois é que vi uma fotografia no jornal, de ti a receberes um prémio de *design*. Não achei que alguma vez fosse capaz de reconhecer a mulher que estava no carro naquele dia, mas soube que eras tu no minuto em que a vi. Pelo que te usei para lhe dar com o rasto.

273

Essa admissão, mais do que tudo o resto, magoa profundamente Alice.

— Agora estou aqui para clamar de volta o que é meu.

— Queres *dinheiro?* — pergunta Alice, com voz tensa. — É a *isso* que tudo isto se resume?

— Quero o que é legitimamente meu. O que ele roubou à minha família.

— E esperaste este tempo todo para obtê-lo?

— Precisava de levar o meu tempo, arranjar a melhor forma de fazê-lo, atacar no momento mais oportuno, tal como ele fez comigo. Tinha de ter a certeza de que ele tinha o dinheiro para me dar.

— Então como vais fazer para obtê-lo de volta?

Beth olha para o regaço e enxuga a lágrima que ameaça cair. — Chantageando-o.

Alice deixa escapar uma risada trocista. — Com o quê?

— Tinha esperança de que fazê-lo parecer que tinha um caso resultasse. Que quando finalmente descobrisse que era eu, estivesse tão perto de te perder que faria tudo para me deter.

— Então, as mensagens escritas…? — começa Alice.

Beth assente. — E as outras coisas todas… a conta de hotel, o brinco, as flores, os pneus…

— Foste sempre *tu?* — pergunta Alice, incrédula. — Mas porquê? Porque nos farias tu isso? A mim?

— Porque te odiava por teres a vida que eu supostamente devia ter. Tu tinhas *tudo*… o trabalho perfeito, as filhas perfeitas, supostamente o marido perfeito… Eu só queria que sofresses tanto como eu sofrera. Mas fui demasiado longe. A Olivia não merecia ser metida nisto.

Alice inclina a cabeça de lado quando um novo fogo se acende dentro dela. Aguentará com seja o que for que Beth lhe atire, mas não se ela vai meter as suas filhas nisto. Elas são sagradas.

— A Olivia? — questiona.

Beth olha para todo o lado menos para Alice. — Fiz uma queixa formal à escola a seu respeito — diz baixinho.

— Oh, meu Deus! — exclama Alice.

— Desculpa — diz Beth, num murmúrio.

Alice faz menção de sair do carro quando Beth se inclina à sua frente e agarra na porta.

— Por favor… espera — diz.

Alice volta a apoiar a cabeça resignadamente no encosto e fecha os olhos.

— Então, o que vai o Nathan fazer agora? — pergunta. — Agora que sabe que és tu.

— Disse-me que terá o dinheiro amanhã.

Alice ri-se sarcasticamente. — Teremos menos dinheiro então do que temos agora. O Japão finaliza-se esta tarde.

— Ainda vais para a frente com isso? Depois de tudo o que te contei?

— O negócio do Japão não depende do Nathan — diz Alice, prosaicamente. — Depende de mim… de se eu quero fazê-lo ou não… e, neste momento, não vejo qualquer razão para que não deva fazê-lo. De facto, o que disseste ainda me faz mais querer fazê-lo.

— O Nathan vai fazê-lo contigo? — pergunta Beth.

— Financeiramente, queres tu dizer?

Beth assente.

— Não, isto é tudo por minha conta… pedi um empréstimo para isso.

— Bom — diz Beth. — Não o deixes nem aproximar-se.

— E o que vais *tu* fazer? — pergunta Alice. — Agora que eu sei tudo. Agora que já não podes chantageá-lo.

Beth vira-se para ela com um olhar implorador. — Não lhe contes, Alice.

— O quê? — diz, exasperada. — Depois de tudo o que fizeste, esperas mesmo que eu te faça um favor?

— Por favor — implora Beth.

— E se tudo o que me contaste for mentira? — diz Alice, olhando diretamente para Beth pela primeira vez. — E se tu inventaste isto tudo? E, mesmo que não o tenhas feito, porque deveria eu fazer seja o que for que disseres? Olha o que me fizeste, à minha família. Neste preciso momento, não parece que o Nathan tenha feito nada de mal, pelo menos não aos meus olhos. Porque deveria eu então mostrar-te lealdade em detrimento dele?

— Porque ele fingiu ser o *teu* falecido marido — deixa Beth escapar da boca para fora, fazendo Alice quedar-se imóvel. — Por favor… se não por outra razão qualquer, fá-lo por isso.

Alice sente um choque. *Tom.*

— Então, o Nathan disse-te que o seu nome era Thomas Evans?

Beth assente. — Nascido a 21 de maio de 1976.

— Então, para todos os efeitos, tu sabes há séculos que o teu Thomas e o meu Tom eram duas pessoas inteiramente diferentes. Contudo, ainda assim insinuaste que eram uma e a mesma pessoa.

— Sim — sussurra Beth.

— Então… então nunca conheceste de facto o *meu* Tom? — pergunta Alice a medo. — O *teu* Thomas Evans era o Nathan.

Beth assente.

Um jorro de alívio inunda Alice, reacendendo cada diminuta chama que ela legara a Tom ao longo dos últimos dez anos. — Então o Tom *era* o homem que eu pensava ser? — pergunta, com lágrimas correndo-lhe pela cara. — Ele nunca foi o homem que me fizeste pensar que era.

— Não.

Alice desanca-se a si própria por ter acreditado o contrário. Sabia que o seu Tom não teria sido capaz do que Beth o acusava. Reveste-se de coragem antes de fazer a pergunta seguinte, sem saber ao certo que resposta quer ouvir, sem saber ao certo aquilo de que a sua melhor amiga é verdadeiramente capaz.

— Ele está no Facebook… — começa. — O meu Tom está no Facebook a viver uma nova vida… — Não consegue olhar para Beth, sabendo que a sua expressão lhe dirá tudo o que precisa de saber.

— Lamento tanto — diz Beth sufocada. — Eu queria que tu pensasses que ele ainda podia andar por aí. Que te deixara porque *quisera* fazê-lo. Tal como o Nathan me deixara a mim.

Alice fecha os olhos com força, intentando que o seu coração não se quebre de novo. — Mas, e as fotografias?

— Surpreendentemente fácil — diz Beth baixinho. — Estão todas no teu telemóvel, e quantas vezes o deixaste na mesa de um *pub* enquanto ias ao bar, ou mo davas enquanto estavas na casa de banho? A fotografia da outra mulher com a criança foi uma fotografia tirada ao acaso da internet.

— Deus, deves *realmente* odiar-me — chora Alice.

— Pensei que tivesses feito parte disto — diz Beth após uma longa pausa. — Vi a casa e os carros, e simplesmente assumi que era o dinheiro da minha mãe que pagava isso tudo.

Alice sente-se entorpecida e puxa, cansada, pelo fecho da porta.

— O que vais fazer? — pergunta Beth quando Alice faz menção de sair. — Vais contar ao Nathan que sabes de tudo?

Ela nem energia tem para responder.

44

Alice sente-se como se tivesse uma bola de ténis encravada na garganta, bloqueando-lhe as vias aéreas, enquanto sobe as escadas para o escritório.

— Eia, achei que não ias voltar a tempo — diz Nathan, acercando-se para beijá-la. — Onde estiveste?

Ela fita-o, sem saber o que procura, mas nada há que sugira que ele é o homem que defraudou a sua melhor amiga e a mãe dela. Nada que explique porque usou ele o nome de Tom antes sequer de conhecer Alice. E nada que insinue que sabe que está prestes a ser apanhado. A sua calma quase a deita abaixo. Passa por ele sem uma palavra.

— Temos quinze minutos até finalizarmos — diz Nathan seguindo-a para o seu gabinete.

— Ótimo — murmura ela.

— Estás bem? — pergunta ele. — Pareces tensa.

— Nervosa — arrisca dizer.

— Isso não é mau — diz ele. — Não serias humana se não estivesses.

Ela esboça um sorriso contido.

— Põe o champanhe no gelo, Lottie — é a última coisa que ouve Nathan dizer quando fecha a porta atrás dele.

O seu telefone toca, mostrando o número de Liz. Tinha-se esquecido completamente dela.

— Liz, viva.

— Olá, Alice... tem um minuto? Só queria dar-lhe dados sobre este contrato.

— Claro, força. Alguma coisa com que me deva preocupar?

— Bem, apenas que há uma cláusula que acabei de verificar. Pensei que tivesse sido simplesmente uma discrepância causada pela tradução do contrato de japonês para inglês, mas verifiquei com um colega e é uma cláusula muito importante... espero que não seja tarde de mais.

— Não, mas estamos lá perto — diz Alice. — A finalização está marcada para daqui a cerca de quinze minutos.

— Bem, parece-me haver uma estipulação relativamente ao terreno.

— Sim, o meu advogado no Japão mencionou alguma coisa a esse respeito — diz Alice. — Assinalou-o ao Nathan, que me assegurou que estava tudo bem.

— Mas ela significa que nada mais do que uma estrutura temporária pode ser construída no terreno que está a comprar. Um barracão, um telheiro-garagem, algo desse género, talvez, mas certamente não um complexo de apartamentos permanente.

— Bem, isso não faz sentido — diz Alice firmemente. — Temos planeados vinte e oito apartamentos.

— Não vejo como possa ser esse o caso — diz Liz. — Porque, como lhe digo, o terreno que está a comprar fica dentro da área de controlo de urbanização e, como tal, não são permitidos quaisquer edifícios de alvenaria.

Alice sente-se como se o sangue que lhe flui pelo corpo tivesse atingido um beco sem saída. — Mas seguramente o Nathan ter-mo-ia assinalado — diz, esfregando a testa com a palma da mão. — Porque me teria ele deixado ir para a frente com a compra, se nada pode ser construído no terreno?

— Não sei — diz Liz a medo.

Ou pode ser que o Nathan já saiba que há um problema, pensa Alice. — Mas porque me aconselharia ele a ir em frente? — diz em voz alta. — Porá em risco o negócio, os nossos ordenados, a nossa casa, tudo. Não faz qualquer sentido.

— Apenas estou a reportar o que encontrámos — diz Liz.

— Quem é o vendedor? — pergunta Alice abruptamente.

Ouve Liz remexer em papéis no outro lado.

— Uma empresa chamada Excelsior. Acho mesmo que tem de investigar isto a fundo antes de concordar com a finalização. Seria imprudente ir para a frente com o que vejo aqui.

O nome nada diz a Alice. — *Okay*, obrigada pela sua ajuda — diz, e pousa o telefone. Começa a escrever um *e-mail* para o Sr. Yahamoto, marcando-o como «Privado & Confidencial».

> *Caro Sr. Yahamoto,*
> *Chegou ao meu conhecimento que há uma ou duas discrepân-*
> *cias no contrato de compra do Embassy Docks, Tóquio, sobre*
> *as quais apreciaria que se pronunciasse antes da finalização.*
> *Gostaria, portanto, de adiar a finalização até quando es-*
> *tiver confiante de que está tudo como deve ser.*
> *Por favor, informe os advogados do vendedor desta deci-*
> *são imediatamente e dê-lhes a saber que os contactaremos no*
> *devido tempo.*
> *Gostaria de recordar-lhe que usasse de discrição nesta*
> *questão, e permanecesse ciente de que eu sou a única compra-*
> *dora e deveria, pois, ser o seu único ponto de contacto.*
> *Sinceramente,*
> *Alice Davies*

Alice levanta a mala da secretária e sai para o *open space* do escritório. — Estarei de volta daqui a cinco minutos — grita, para ninguém em particular.

— Ei, onde vais? — diz Nathan, freneticamente. — Alice!

Ela apressa-se pela rua principal, e está sem fôlego quando chega ao banco. Ao vê-la, o gerente enche um copo de água do refrigerador e oferece-lho.

— Senhora Davies, sente-se bem?

— Preciso de suspender a transação — diz, esbaforida. — Não vamos finalizar.

Cinco minutos depois aguarda no gabinete do gerente enquanto ele imprime a confirmação de que a transferência foi interrompida. Se os seus receios forem infundados, então poderá ter simplesmente perdido o negócio do século. *Trigo limpo,* como diria Nathan. Mas se o seu instinto estiver certo...

As palavras de Beth ressoam-lhe bem alto nos ouvidos. *Não o deixes nem aproximar-se.*

O seu peito desce e sobe pesadamente, cada fibra do seu ser lutando contra a crescente possibilidade de Nathan ser mais corrupto e cruel do que ela poderia sequer imaginar.

O seu telemóvel toca e, vendo que é Nathan, hesita, como se isso o fosse impedir de dizer o que ela acha que ele vai dizer. Sabendo que se ele o fizer, isso significa que tudo o que Beth disse é verdade.

— Credo, Alice — vocifera Nathan do outro lado da linha. — Que diabo de brincadeira é a tua?

— O que foi? — diz ela, o mais calmamente que pode, embora mesmo *ela* possa ouvir o tremor na sua voz.

Não o digas. Por favor, não o digas.

— Porque empancaste a finalização? — diz, e com essas quatro palavras o mundo de Alice desmorona à sua volta.

Desliga e com mãos trémulas liga a Beth. — Não irás receber dinheiro nenhum do Nathan — diz.

45

O logro é paralisador, qual força desconhecida alastrando através do seu corpo, desligando-lhe lentamente os órgãos vitais, um a um.

Beth conduz o carro em silêncio, as duas ponderando o próximo passo enquanto o telemóvel de Alice não para de tocar.

— Como podes estar tão certa de que o Nathan é o vendedor? — pergunta Beth por fim.

— Porque o vendedor é a única pessoa além de mim a ter sido informada de que a finalização foi adiada — diz ela.

— E ias comprá-lo por um milhão de libras? — pergunta Beth incrédula. — Por quanto achas que o Nathan o comprou?

— Não vale nada! — diz Alice, batendo no tabliê com o punho. — Ele tê-lo-á comprado por tuta e meia porque nada pode ser lá construído. É uma terra de ninguém.

— Merda — diz Beth. — Ia repetir tudo outra vez.

Alice apoia-se no encosto quando uma mensagem escrita de Matt dá sinal de chegada ao seu telemóvel.

Boas notícias! Parece que os pagamentos à Visions são todos legítimos já que se trata de uma subsidiária da Excelsior — os vendedores no Japão! Elucidá-la-ei quando estiver de volta ao escritório.

— O que queres fazer? — pergunta Beth.

Alice conta mentalmente até dez, concentrando-se em inspirar e expirar lenta e profundamente. — Eu quero matá-lo, é o que quero fazer.

— Quem era aquele ordinário? — pergunta Beth, soando como se se lhe tivesse acendido uma lâmpada na cabeça que mais ninguém pode ver. Alice espera que ela adiante mais.

— Aquele estupor dono da Temple Homes. O que se atirou a ti.

Alice abana a cabeça, sem saber o que tem ele que ver com tudo aquilo. — David — diz. — David Phillips.

— Onde fica essa obra? Aquela em que queria que trabalhasses?

— Na Bradbury Avenue — diz Alice, ligeiramente irritada. Como ia isto resolver o enorme problema de Nathan?

Beth lança um olhar ao relógio. — Ainda estará aberta?

— O quê, a obra?

Beth assente.

— Não sei. Porquê?

— Liga ao David e vê se consegues encontrar-te lá com ele.

Alice vira-se no assento. — Porque faria eu isso?

— Pede-lhe só que vá lá encontrar-se contigo agora.

— Nem pensar — respinga Alice. — Nunca mais quero voltar a falar com ele.

— Fá-lo — diz Beth, sem despregar os olhos da estrada à sua frente. — Tive uma ideia.

— E o que faço se ele disser que sim?

— Recorreremos ao Plano B.

Alice procura contra vontade o número, não estando certa se o terá apagado do telemóvel depois do encontro. Quase espera tê-lo feito.

Quando o vê, luta contra o anseio de mentir a Beth. — Não quero que ele pense que o que fez foi aceitável — diz baixinho, lembrando-se das mãos dele no seu traseiro, dos seus dedos grosseiros a apalpar-lhe os seios.

— Acredita em mim, ele não se safará com isso — diz Beth —, se por favor fizeres simplesmente o que eu digo.

— Estás honestamente a pedir-me que *confie* em ti? — diz Alice, a sua voz esganiçada e carregada de ironia.

— Sim — diz Beth firmemente, e por alguma razão Alice acredita nela.

— David! — diz, superficialmente entusiasmada. — É a Alice. Como estás?

— Oh, Alice — replica ele. — Bem, que surpresa. Pensei que depois...

— Foi um mal-entendido — diz ela. — E não uma coisa que deva interferir em negócios.

— Bem, apraz-me que penses assim. Devo dizer que fiquei um tanto surpreendido com a tua reação exagerada.

Alice morde o lábio, tentando desesperadamente manter-se calma.

— Ouve, perguntava-me se, afinal de contas, poderia dar uma olhada à obra. Só para ter uma imagem mais clara da tua visão para o interior... Isto é, se ainda quiseres que eu...

— Claro — exclama ele, retumbante. — Ainda é basicamente uma obra em construção, por isso teremos de ter cuidado, mas terei todo o prazer em mostrar-ta. Quando é que estás livre?

— Estava a pensar talvez daqui a meia hora mais ou menos, por volta das seis, se der para ti.

— Receio que a obra já esteja fechada por hoje — diz ele.

Alice olha para Beth que gira o dedo, intimando-a a pôr fim à conversa.

— Ah, é uma pena já que estou literalmente a passar no local. Deixa lá, talvez noutra ocasião.

— Bem, se estás de passagem, calculo que possas entrar. Está tudo supostamente trancado... por motivos de saúde, e segurança, e isso tudo.

— Solta uma risada gutural. — Mas se deres a volta por trás, há uma tábua solta na vedação pela qual te podes esgueirar. Mas não contes a ninguém que eu te disse, ou cair-me-ão em cima qual tonelada de tijolos. Já tive uma visita porque a miudagem o usa como recreio, e se alguma coisa acontecer a algum, aparentemente a responsabilidade será minha. Vê-me só o ridículo!

— De loucos — diz Alice, desesperada por desligar o telefone quando Beth lhe faz sinal com o polegar para cima.

— Talvez pudéssemos encontrar-nos e jantar, para discutir o futuro. Odiaria que perdesses esta oportunidade só porque...

Alice interrompe-o, incapaz de ouvir mais este odioso homenzinho.

— Tudo bem, ligar-te-ei amanhã — diz antes de desligar o telemóvel e virar-se para Beth. — E agora?

— Pede só ao Nathan que vá lá ter contigo — diz Beth autoritariamente.

— Mas para quê?

Beth vira-se a fim de olhar para ela, e partilham um entendimento momentâneo. Um acordo tácito de que tudo ficará bem.

— Onde diabo estás tu? — vocifera Nathan através do altifalante. — O que se passa? *Temos* de finalizar o negócio do Japão.

Alice sente-se peculiarmente desprendida — como se tivesse aterrado num filme da vida de outra pessoa qualquer.

— Ouviste-me? — continua ele. — O tempo está a esgotar-se.

— Para quem, Nathan?

— O que queres dizer, para quem? Para nós. Para ti. Para a AT Designs... — Ele soa ligeiramente histérico. — Se não o fizermos agora vamos perder esta oportunidade. Eu trabalhei tanto por isto, Alice.

— Pois trabalhaste — concorda ela, embora do lado contrário ao seu, ao que parece. — Vem ter comigo à obra da Temple Homes, na Bradbury Avenue.

— O quê? Porquê?

— Temos ordem de marcha para o projeto a que me candidatei.

— Esta não é a altura certa, Alice... primeiro temos de tratar do Japão.

Alice olha para Beth, de olhos arregalados, os pensamentos num frenesim.

— Fá-lo ir lá — sibila Beth, em surdina.

— A única hipótese de ter «isto tratado» é ires ter comigo à Bradbury Avenue.

— Raios, já vou a caminho — diz ele asperamente.

— Espera aqui — diz Beth, enquanto estacionam numa das ruas adjacentes à obra da Temple Homes.

— O quê? Não! — diz Alice debatendo-se para desapertar o cinto de segurança. — Eu vou contigo.

— Dá-me só cinco minutos com ele — pede Beth, inclinando-se para trás ainda dentro do carro. — Ele precisa de saber o que tem a perder se não me der o dinheiro de volta.

Alice apoia a cabeça no encosto e solta um riso falso.

— Acreditas mesmo que ele vai pagar-te? — pergunta.

— Se souber que está prestes a perder tudo... a ti, às miúdas...

— Achas que ele se rala muito? — diz Alice impacientemente. — Que parte do seu comportamento na última hora te fez pensar que ele leva a peito os meus interesses e das miúdas? Ele acha que está prestes a defraudar-me em um milhão de libras. Tencionará deixar-me imediatamente...

Teria de fazê-lo, antes que eu descobrisse que ele me vendera um inútil pedaço de bosta. Pensas mesmo que a caminho de seja onde for que tenciona ir esconder-se, adquirirá subitamente consciência e pensará, *Oh, espera aí... Devia restituir à Beth o dinheiro das poupanças da sua mãe que lhe tirei há dez anos?*

» *Se* o que me contaste for verdade, precisamos de trabalhar juntas para assegurar que ele nunca mais voltará a fazer isto a ninguém, nunca mais. É o melhor que podemos esperar. — Suaviza o tom. — *Eu fiz* o que me pediste para fazer. Agora deixa-me ir falar com ele.

Beth considera isto por um momento, como que avaliando as opções. — Dar-te-ei cinco minutos, depois apareço.

Alice dá a volta até à parte de trás do recinto entaipado, até chegar a uma tábua solta por onde se pode a custo esgueirar. Olha para cima para o edifício de quatro andares, os seus pisos e tetos de laje sustidos por estacas metálicas. Uma grua inativa destaca-se contra a estrutura aberta dos lados.

Sobe as escadas de betão até ao último andar e olha para baixo, para onde o carro de Beth está estacionado. O *BMW* de Nathan acelera por outra rua adjacente, antes de estacar abruptamente quando ele o faz embater contra o passeio. Tudo nele tem um ar caótico, ao passo que Alice se sente estranhamente calma.

Ele dá com a mesma tábua solta que ela e salta por sobre a tubagem disposta ao longo das valas lamacentas.

— Alice! — chama ele.

— Estou aqui em cima — responde ela, o vento fustigante transportando-lhe a voz.

— O que diabo se passa? — diz ele quando chega ao pé dela, ligeiramente esbaforido. — Porque me arrastaste até aqui? Não temos tempo para isto, precisas de dar autorização ao banco e ao Yahamoto e finalizar o Japão.

— Eu não vou finalizar o Japão — diz ela, com voz vacilante.

Ele começa a dirigir-se a ela. — Tens de finalizar, querida. Perderemos cem mil libras se não o fizeres.

— Isso não te chega, Nathan? Não poderias ter tido o bom senso de ficar com o dinheiro do depósito e fugir?

— O-o quê? — exclama ele, deslizando o olhar de um lado para o outro. — O que queres dizer?

— Mas quiseste abalançar-te em grande, não foi? — continua Alice.

— O que ias tu fazer com o dinheiro, Nathan? Tens outra vida toda ali-nhadinha, pronta a que te faças a ela? Ias usar o dinheiro para seduzir a próxima vítima? Como me fizeste a mim?

— Querida, tu não estás bem — diz ele, abrindo os braços para ela. — Sei que voltaste aos comprimidos, andas a beber de mais, a permitir que te aconteçam coisas e te baralhem a cabeça. Precisas de ajuda.

Sem sequer pensar, ela dá um passo em frente e prega-lhe um estalo com força na cara. Ele leva a mão à face a arder e olha para ela, chocado.

A máscara cai finalmente. — Tu vais levar o negócio do Japão até ao fim — sibila. — Põe-te já ao telefone e autoriza a finalização.

Ela fica ali postada, de maxilar firme, mas o coração bate-lhe tão depressa que está certa de senti-lo martelar contra a caixa torácica. — Eu não vou fazê-lo, Nathan.

Ele mergulha direito a ela e encurrala-a contra um pilar de betão. — Não tens escolha — diz, com a respiração pesada. — Põe-te ao telefone e fá-lo.

— Não — grasna ela, abanando a cabeça o mais que consegue.

Ele bate na parede acima dela com o punho. — Fá-lo, porra. Já!

Alice encolhe-se quando as falanges dele lhe passam a milímetros da cara. Sente-se incapaz de respirar, com os pulmões a arder, enquanto se debate para permanecer calma. Nathan agarra-a à bruta pelas bochechas e ela está certa de que parou de respirar por completo.

— Nathan! — chama Beth do cimo das escadas.

Ele gira velozmente a cabeça. — Tu? — espanta-se, como que inca-paz de crer no que vê. Olha alternadamente de Beth para Alice. — Que porra...?

— É verdade, Nathan? — pergunta Alice, as mãos que lhe apertam a cara afrouxando. — Roubaste o dinheiro da Beth?

Os olhos dele estão esbugalhados, as pupilas dilatadas.

— Vais-me pagar — sibila Beth.

— O quê? — ri-se Nathan com um som cavo. — Foi a tua *própria* ganância que te deitou abaixo.

— Mataste a minha mãe — diz ela.

— Isso é um pouco de dramatismo a mais, não? Eu forcei alguma das duas a dar-me o dinheiro? Ou deram-mo voluntariamente?

Alice quer tapar os ouvidos, de modo a não poder ouvir do que foi o seu marido capaz numa vida diferente.

Nesta vida, diz de si para si.

— Ias fazê-lo outra vez, não ias? — diz Alice, tentando desespera-damente com todas as suas forças não chorar quando a realidade a atin-ge. — Estavas preparado para abandonar o nosso casamento e as nossas filhas por dinheiro.

— Já cumpri o meu tempo — cospe ele. — Não há outro homem neste mundo que aguentasse o que eu aguentei. Constantemente a ter de tran-quilizar-te, convencer-te de que nada me iria acontecer, de que eu não ia deixar-te como o teu bem-amado Tom fez. Sugaste-me até ao tutano, Alice.

— Não te atrevas a colocares-te na mesma frase que ele — grita ela, batendo no peito de Nathan com todas as forças que consegue congregar. — Tu *jamais* serás o homem que ele foi. Ele era feito de outro estofo. Tu nem de perto lhe chegas.

Ele agarra-lhe os pulsos e inclina-se, de modo a ficar com o rosto a milímetros do dela. — Feito de outro estofo, dizes tu? Duvido muito. Acho que somos muito mais parecidos do que julgas.

— Deixa-a em paz — diz Beth, avançando em frente.

— Ou o quê? — rosna ele.

Beth ergue o braço para lhe bater, mas Nathan apanha-o e torce-lho atrás das costas. Tem o rosto distorcido e gotas de suor perlam-lhe a fron-te, enquanto se dirige para a beira do edifício, levando Beth com ele.

— Põe-te ao telefone — diz para Alice. — Autoriza o negócio.

— Porque estás a fazer isto? — pergunta ela. — Quando é que te tornaste esta pessoa que eu não reconheço?

— *Tu* é que me fizeste assim — cospe ele. — *Tu, ela, ele...*

— *Ele?* — interroga Alice.

— O querido Tom — diz ele, maliciosamente. — O menino de ouro que não fazia nada de mal.

Alice abana a cabeça, confusa, enquanto Beth se encolhe quando ele a agarra com mais força.

— Não fazes sentido nenhum — diz Alice. — O que tem o Tom a ver com isto tudo?

— Ele tirou-me o que era meu — diz Nathan. — Vocês dois tiraram.

Alice olha para Beth, a expressão dela tão perplexa como a sua.

— Julgas que a AT Designs é toda tua? — berra ele para Alice. — Bem, não é. Fosse o que fosse que o Tom lá meteu, metade era meu. Pelo que durante todo este tempo em que te tens lamuriado que a empresa é do Tom, como os interesses *dele* têm de ser protegidos, como tens de fazer o que está certo por *ele*...

— Nathan, tu não… tu não estás a fazer sentido nenhum — gagueja Alice, como que sentindo-se sufocar pelas palavras dele. — O que queres dizer? O que estás para aí a falar?

— Um milhão de libras para o Japão é o que me é devido. É legitimamente meu. É o que eu deveria ter tido desde sempre.

— Porquê? — pergunta Alice.

— Porque o Tom e eu *somos* feitos da mesma massa.

Alice abana a cabeça. — Nem que tentasses podias estar mais longe do homem que ele era. Não tens nada a ver.

Nathan atira a cabeça para trás e ri-se. — E contudo tão parecido, não achas? — Espera que Alice morda o isco, mas ela olha para ele, estupefacta.

— Vá lá — exclama ele. — Nunca te ocorreu quão parecidos somos? Como os nossos perfis se assemelham sob determinadas luzes? Como os nossos maneirismos se espelham?

Alice não consegue separar os seus pensamentos lúcidos do pesadelo vivo em que se encontra. Mentalmente volta a ver Nathan entrar no jardim da unidade psiquiátrica; sente os seus olhos calorosos abarcarem o que o rodeia antes de pousarem nela. Tinham-lhe parecido gentis, familiares. Sentira-se atraída para ele por haver uma semelhança reconfortante com o homem que acabara de perder?

Ter-lhe-ia a forma como ele por vezes passava a mão pelo cabelo recordado outra pessoa? Ter-se-lhe-ia o seu sorriso, ligeiramente de viés, subconscientemente infiltrado no cérebro, mascarado do de outra pessoa? Ter-se-ia apaixonado por ele porque se parecia tanto com Tom?

— O-o que estás tu a dizer? — fraqueja Alice.

— Eu sou irmão do Tom — diz Nathan sem rodeios.

O chão parece fugir-lhe quando as pernas cedem sob o seu peso. Cai pesadamente e tenta focar-se, mas tudo à sua volta está a girar.

— Alice! — ouve uma mulher gritar, mas soa abafado e muito longe. Vira-se na direção de onde acha que veio o grito, mas apenas pode ver o contorno desfocado de dois corpos bem juntos.

— N-não... não podes ser — grasna, como que sentindo a boca cheia de algodão. — É impossível.

— Bem, estás a olhar para o impossível — diz ele.

— Tu és o *Daniel*? — pergunta, incapaz de processar a pergunta, quanto mais a resposta.

— Oh, então ele sempre *falou* de mim — diz Nathan com azedume.

Alice mal consegue falar, as palavras que lhe andam às voltas na cabeça embatendo-lhe contra o crânio.

— Quando é que soubeste? — pergunta. — Porque é que não me disseste quem eras quando descobriste quem eu era?

— Oh, querida, eu sempre soube quem tu eras — diz ele condescendentemente. — Assim que o Tom morreu, vim à tua procura.

— Não, não — diz Alice abanando a cabeça, recusando-se a acreditar no que ele diz. Recua mentalmente a esse dia no hospital. Ele estava ali para ver outra pessoa. Estava lá por acaso. — Não, estás a mentir. Tu foste ver outra pessoa.

— Eu fui lá ver-te a *ti* — diz ele. — Sabia que haverias de estar deses-perada por essa altura, e estavas. Ter-te-ias agarrado a qualquer um que se mostrasse compassivo.

Alice continua a abanar veementemente a cabeça.

— Essa foi a parte fácil — continua Nathan. — Se eu soubesse que teria de esperar este tempo todo para obter o dinheiro, bem…

— Mas… mas porquê? — tenta Alice dizer.

O rosto de Nathan ensombra-se. — Achas mesmo que foi justo que a herança dos meus pais, dos *nossos* pais, fosse toda para o Tom?

A família Evans dividira-se em duas fações desiguais antes de Alice e Tom se terem sequer conhecido. Parecia que tinham feito tudo o que podiam para ajudar o seu volátil e caprichoso filho e irmão. E quando Alice fora acolhida na família pouco havia para mostrar da existência de Daniel, tirando umas quantas fotografias de infância na cornija da lareira.

Alice recorda-se de serem o irónico pano de fundo quando ela e Tom, juntamente com os seus destroçados pais, estavam sentados na sala de jantar, aturdidos pela notícia de que o seu filho mais novo fora conde-nado por fraude e sentenciado a quatro anos de prisão. O rosto da mãe estava desfigurado com desgosto, como se tivesse perdido o único filho que tinha, e o firme lábio superior do pai estava em vias de colapsar.

— Não quero ouvir nunca mais o nome desse rapaz — dissera ele. — Só tem dado problemas desde os 16 anos e não me surpreende de todo vê-lo na posição em que está hoje. É como se este seu caminho estivesse predestinado. Bem, por mais tempo que o trilhe, fá-lo-á por sua conta. — Passara o braço em torno da mulher e ela deixara-se cair contra ele, a sua agonia uma coisa jamais vista por Alice.

— Não podem simplesmente excluí-lo — dissera Tom suavemente. — Ele será sempre vosso filho.

— Ele não é meu filho — dissera o pai.

— Deserdaram-te — diz Alice ao homem que já não conhece de todo. Os seus olhos recuperam o foco ao fitá-lo. Nada há nele que reco-nheça como seu marido. — Eles não queriam ter mais nada a ver contigo.

— Mas o Tom tê-los-ia levado a isso. Eu sei que sim.

— Não, estás enganado — diz Alice. — Ele tentou fazer exatamente o oposto, mas os teus pais não quiseram ouvi-lo.

— Apenas tenho a tua palavra quanto a isso.

— Então, quando saíste da prisão, assumiste o nome e a data de nascimento do Tom? — No momento em que o diz, soa demasiado absurdo para ser verdade.

— Bem, eu não podia propriamente usar o meu verdadeiro nome — diz, meio a rir. — Como cadastrado por fraude iria ter muitas dificuldades. O Tom, ou Thomas, como os meus pais lhe chamavam, era aparentemente um cidadão bom e reto, e como eu sabia mais acerca dele do que qualquer outra pessoa, pareceu a escolha óbvia.

Beth olha para Alice, de olhos arregalados, à medida que a admissão dele assenta.

— Então planeaste isto tudo desde o início? — diz Beth, com voz trémula. — O teu objetivo foi sempre defraudar-me. Não foi apenas um golpe oportunista.

Nathan ri-se com vontade. — O quê? Achas que eu me apaixonei por ti primeiro e te roubei depois?

— Mas eu… — começa Beth.

— Eu também sabia quem *tu* eras antes de te conhecer. Esses *sites* de encontros são uma inestimável fonte de mulheres vulneráveis e carentes, à procura de um cavaleiro em resplandecente armadura. Não precisei de me esforçar muito a ler nas entrelinhas do teu perfil para perceber quem tu eras. Quando finalmente nos conhecemos eu sabia o teu nome completo, como ganhavas a vida, quem era o teu pai e onde vivia a tua mãe. Tudo o que tive de fazer então foi esperar que ficassem gananciosas… e caramba, bem gananciosas ficaram.

Beth vira-se e ergue a mão livre, batendo-lhe na cara. Ele puxa-lhe o cabelo, dobrando-lhe a cabeça para trás, e ela grita.

— Beth! — chama Alice, debatendo-se para se levantar.

Beth contorce-se, tentando freneticamente agarrá-lo, postado que está atrás de si com a mão enrolada no seu cabelo, arrepelando-lhe o couro cabeludo.

Alice corre tropegamente para onde eles se encontram, perigosamente à beira do edifício. — Larga-a — grita, erguendo os braços. Mas mesmo antes de lá chegar, Beth levanta o pé num coice, a sua bota de salto alto agredindo em cheio Nathan entrepernas. Ele larga-a momentaneamente ao dobrar-se de dor e nesse instante ela empurra-o com toda a força.

Ele cambaleia para trás como em câmara lenta, e Alice tenta agarrá-lo, mas em vez de lhe segurar a mão, ele agarra a de Beth. Ao ser puxada para o abismo Beth cerra firmemente os olhos, e nessa fração de segundo Alice tem de decidir quem é que vai salvar. Mergulha direita a Beth com toda a determinação, placando-a de lado. A força atira tanto Beth como Nathan para cima, aparentemente voando pelos ares, esbracejando. Alice estende o braço e sente uma mão a agarrar a sua. Firma os dedos à sua volta com quanta força tem e puxa para trás com cada resquício de energia que consegue congregar.

Só então, quando o corpo cai pesadamente sobre ela, é que Alice toma consciência da escolha que fez.

Foi a escolha certa.

EPÍLOGO

*F*echei os olhos com toda a força quando o chão me fugiu sob os pés. O ar soprou-me fustigante o cabelo, e eu preparei-me para embater no solo frio e duro que vinha ao meu encontro.

Esqueci-me de respirar — parece que quando pensamos que vai ser o nosso último alento, queremos ater-nos a ele só por um bocadinho mais.

Alice só podia salvar um de nós, e depois de tudo pelo que a fiz passar, não merecia ser eu. Mas parece que uma verdadeira amiga estará sempre lá, para nos agarrar quando caímos.

AGRADECIMENTOS

Àminha fantástica agente, Tanera Simons, da Darley Anderson, pelo seu inabalável apoio e encorajamento. Nada nos prepara para o salto no desconhecido do mundo editorial e ela tem-se mantido ao meu lado quando eu tenho estado demasiado assustada para abrir os olhos.

A todos na Agência DA que trabalham incansavelmente para fazerem chegar os livros dos seus autores às mãos de tantos leitores quanto possível. São mesmo os melhores do ramo. Agradecimentos especiais a Mary Darby e Kristina Egan, do Departamento de Direitos, por traduzirem as minhas palavras para doze línguas. E para Sheila David, pelo seu trabalho no projeto secreto!

Às extraordinárias editoras, Catherine Richards, da Minotaur Books nos EUA, e Vicki Mellor, da Pan Macmillan no Reino Unido. Este romance teve muitas vidas, e estou tão grata por elas me terem ajudado a dar-lhe a melhor vida possível.

Do *marketing* e promoções ao áudio e vendas, o trabalho que implica publicar um livro jamais deveria ser subestimado. Eu tenho a sorte incrível de ter editores que vão mais além para assegurar que os meus livros saem para o mundo. Agradecimentos do coração para Andy, Kelley, Joe, Sarah, Nettie e Sam, nos EUA, bem como a Matt e Becky, no Reino Unido.

Obrigada aos meus muito especiais amigos, Jo, Karen, Lynn, Nicky e Sam, pelo seu apoio e compreensão quando eu me perdi a escrever, editar e cumprir prazos. Telefonemas não devolvidos, encontros cancelados e viagens adiadas não fizeram de mim a melhor das amigas.

À minha mãe, que dirá a quem parar por tempo suficiente que a sua filha é escritora, e à minha querida tia Carol; se eu consigo fazê-lo, também a tia consegue! Limpe o pó a essa máquina de datilografar!

O maior amor e agradecimentos vão para o meu marido e os meus filhos, por aguentarem os meus alter egos Alice e Beth — que nem sempre foram as pessoas mais fáceis com quem viver. Não eram certamente muito boas a cozinhar, fazer o trabalho doméstico e manter a lavagem da roupa em dia! Ficarão satisfeitos por saber que o serviço normal será agora retomado (pelo menos até eu ser possuída por outra personagem!).

E SE A RAINHA ISABEL II RESOLVESSE CRIMES ENQUANTO DESEMPENHA OS SEUS DEVERES REAIS?

No verão de 2016, no rescaldo de um referendo que dividiu a nação, a última coisa de que a Rainha precisa é de mais problemas. Contudo, quando uma pintura do iate real *Britannia* — oferecida à Rainha nos anos 60 — aparece inesperadamente numa exposição da Marinha Real, Sua Majestade percebe que alguma coisa está errada.

No Palácio de Buckingham, alguns membros do pessoal começam a receber cartas perturbadoras. E se inicialmente Rozie, a fiel secretária da Rainha, pensa não existir motivo para preocupações, o caso muda de figura quando um corpo é encontrado na piscina do palácio. A Rainha está determinada a resolver o caso — afinal, às vezes é necessário um olhar real para perceber as ligações mais ténues. Mas conseguirá fazê-lo antes de o assassino atacar de novo?

CAPÍTULO 1

TRÊS MESES ANTES...

—Filipe?

— Sim? — O duque de Edimburgo levantou meia sobrancelha do *Daily Telegraph* dobrado que estava encostado a um frasco de mel à mesa do pequeno-almoço.

— Sabes aquele quadro?

— Que quadro? Tens sete mil quadros — disse, só para ser difícil.

A Rainha suspirou profundamente. Estava prestes a explicar.

— Aquele do *Britannia*. O que costumava estar pendurado no exterior do meu quarto.

— Qual, aquele pequeno horrível do australiano que não sabia pintar barcos? É desse que estás a falar?

— Sim.

— Sim?

— Bem, vi-o ontem em Portsmouth, na Semaphore House. Numa mostra de arte marítima.

Filipe olhou atentamente para a página do editorial do seu jornal e comentou:

— Bem, isso faz sentido. Para um barco.

— Não estás a perceber. Fui inaugurar a nova estratégia digital da Marinha e eles penduraram alguns quadros no átrio. — A estratégia digital era uma questão complicada que pretendia atualizar a Marinha Real em termos de tecnologia; a mostra de arte fora bastante simples. — A maior parte das peças de arte eram coisas acinzentadas de navios de guerra. Um iate Classe J com as velas desfraldadas em Southampton, porque há sempre um naquelas águas. E ao lado deste estava o nosso *Britannia* de 63.

— Como sabes que era o nosso? — Ele continuava sem levantar os olhos.

— Porque era o nosso quadro — disse a Rainha com acidez, sentindo-se subitamente muito triste com a falta de interesse do marido. — Conheço bem os meus próprios quadros.

— Tenho a certeza de que conheces. Todos os sete mil. Bem, diz ao responsável pela mostra que deve devolver o quadro e pronto.

— Já disse.

— Ótimo.

A Rainha pressentiu que o artigo do *Daily Telegraph* devia ser sobre o Brexit, a avaliar pela disposição mais irritadiça do marido do que era habitual. Cameron já não estava no governo, o partido estava numa agitação. Tudo tinha sido tratado de forma tão desajeitada... Um único quadro de um artista modesto, presenteado muito antes de a Grã-Bretanha se ter juntado ao Mercado Comum, não era um assunto muito relevante. Levantou os olhos para as paisagens de Stubbs, que adornavam as paredes da sala de jantar privada do palácio com os seus magníficos cavalos. O próprio Filipe já a pintara aqui, há muitos anos, a ler o jornal. E podia dizer-se que o fizera melhor do que o pobre homem que pintara o *Britannia*, mas este quadro fora um dia muito querido para ela.

Tornara-se num dos seus favoritos de formas que nunca partilhara com ninguém. E queria tê-lo de volta.

ALGUMAS HORAS DEPOIS, ROZIE OSHODI CHEGOU AO ESCRITÓRIO DA Rainha, na Ala Norte, para ir buscar as caixas vermelhas da manhã, que continham os documentos oficiais de Sua Majestade. Rozie juntara-se à equipa enquanto assistente do secretário privado da Rainha há alguns meses, após uma breve carreira no Exército e depois num banco privado. Ainda era relativamente jovem para o cargo, mas até agora a sua prestação era admirável, incluindo — e talvez especialmente — nos aspetos menos convencionais do emprego.

— Alguma notícia? — perguntou a Rainha, levantando os olhos da última folha da pilha.

No dia anterior, Rozie ficara incumbida de descobrir como o quadro do antigo iate real fora parar na mostra de artes e de organizar o seu rápido retorno.

— Sim, minha senhora, mas não são boas.

— Oh? — A expressão foi de surpresa.

— Falei com o administrador das instalações da base naval — explicou Rozie — e ele disse-me que é uma confusão em relação à identidade do quadro. O artista australiano deve ter pintado mais do que uma versão do *Britannia*. Este foi emprestado para a mostra de arte pelo segundo lorde da Marinha. O quadro não tem qualquer placa identificativa. Pertence à coleção do Ministério da Defesa e está pendurado no seu gabinete há anos.

A Rainha olhou para a assistente, através dos seus óculos bifocais, com um ar pensativo.

— Está? A última vez que o vi foi nos anos noventa.

— Minha senhora?

Havia um brilho beligerante por detrás dos óculos reais.

— O segundo lorde da Marinha não tem outra versão. Tem a *minha* versão. Numa moldura diferente. E agora está a dizer-me que já a tem consigo há anos.

— Ah... sim. Compreendo. — Pela expressão do seu rosto, era evidente que Rozie não compreendia.

— Volte a contactá-lo e descubra o que se passa, sim?

— Com certeza, minha senhora.

A Rainha passou o mata-borrão sobre a sua assinatura no documento e guardou-o na caixa vermelha. A assistente pegou na pilha de folhas e deixou-a entregue aos seus pensamentos.

CAPÍTULO 2

—Este lugar é uma armadilha mortal.

— Oh, vá lá, James. Estás a exagerar.

— Não estou, não. — O guardião do Tesouro Privado olhou furiosamente para o secretário privado por cima da secretária antiga do escritório deste último. — Fazes ideia de quanta borracha vulcanizada encontraram?

— Não faço sequer ideia do que isso seja. — A sobrancelha esquerda que Sir Simon ergueu transmitia ao mesmo tempo curiosidade e diversão. Enquanto secretário privado era responsável por gerir as visitas oficiais da Rainha e as relações com o Governo, mas acabava por se interessar por tudo o que podia afetá-la. E o estatuto de armadilha mortal ou não do Palácio de Buckingham inseria-se definitivamente nesta categoria.

O seu visitante, Sir James Ellington, era o responsável das finanças reais. Trabalhara com Sir Simon durante anos e não era invulgar fazer a rápida caminhada de dez minutos desde a sua secretária no cimo da Ala Sul até ao gabinete espaçoso de tetos altos que Sir Simon ocupava no rés do chão da Ala Norte, para se poder queixar do seu último fiasco. Atrás de cada homem emproado está um simples inglês a morrer de vontade de partilhar a sua irritação em privado com alguém. Sir Simon reparou que o amigo estava invulgarmente irritado com a borracha vulcanizada. O que quer que isso fosse.

— A borracha é tratada com enxofre para endurecer — explicou Sir

James — e é usada para fazer o revestimento dos fios elétricos, por exemplo. Pelo menos, era o que se fazia há cinquenta anos. Serve para o efeito, mas a verdade é que com o tempo o material vai-se degradando, com a exposição ao ar e à luz, entre outros fatores. Torna-se quebradiço.

— Um pouco como tu estás esta manhã — observou Sir Simon.

— Não. Não fazes ideia.

— E então... Qual é o problema com a nossa borracha vulcanizada e quebradiça?

— Está a cair aos bocados. Os fios já deviam ter sido substituídos há décadas. Sabíamos que as condições iam ser más, mas quando tivemos aquela fuga no telhado, no mês passado, descobriram um conjunto enorme de cabos que quase se desintegraram assim que tocaram neles. Isto significa que toda a parte elétrica do edifício está literalmente segura por um fio. Ou por mil e seiscentos quilómetros de fios. Basta uma ligação defeituosa e... pfft! — Sir James fez um gesto com a elegante mão direita que pretendia imitar fumo ou uma pequena explosão.

Sir Simon fechou brevemente os olhos. Eles não eram propriamente alheios aos perigos do fogo. O desastre do incêndio no Castelo de Windsor tinha demorado cinco anos e vários milhões de libras a resolver. Abriram o Palácio de Buckingham ao público todos os verões para ajudar a pagar as reparações. Infelizmente, quando foi feita uma inspeção às condições *deste* palácio, por uma questão de precaução, descobriram que o seu estado era ainda mais perigoso do que o do castelo. Os planos para a sua reparação estavam encaminhados, mas as novas fontes de preocupação não paravam de surgir.

— Então o que fazemos? — perguntou Sir Simon. — Tiramo-la daqui?

Não valia a pena especificar quem devia ser levada da residência ou não.

— Seria o melhor a fazer, e depressa. Claro que o mais provável é ela não querer ir.

— Naturalmente...

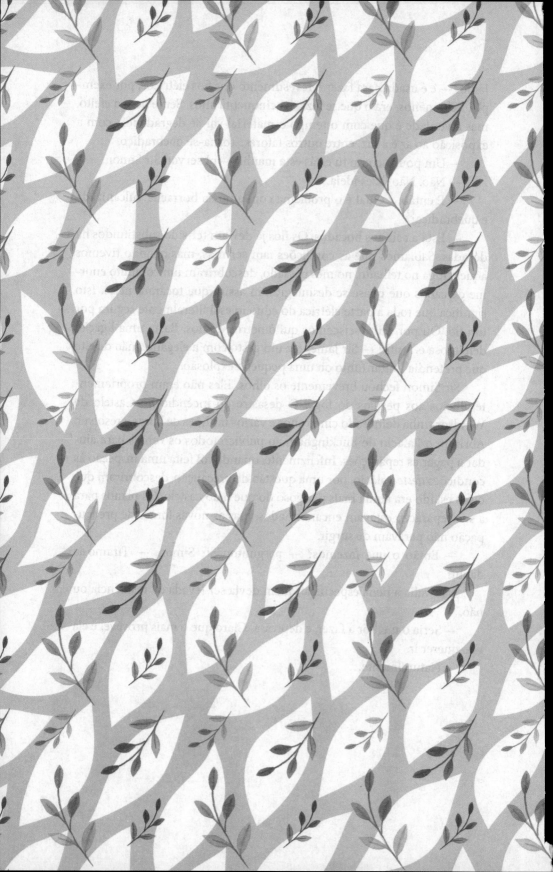